中国社会科学院经济研究所

（北京市西城区阜外大街月坛北小街2号）

保定卷（下）

SURVEY DATA OF RURAL AREAS IN WUXI AND BAODING (1929-1957)

无锡、保定农村调查资料

（1929—1957）

中国社会科学院经济研究所 ▪ 江苏省统计局 ▪ 河北省统计局——编

社会科学文献出版社
SOCIAL SCIENCES ACADEMIC PRESS (CHINA)

序　言

中国社会科学院经济研究所 *

无锡、保定农村经济调查始于 20 世纪 20 年代末。是次调查的组织者和发起者为陈翰笙[1]，发起这次调查的目的是“要对中国的社会作一番全面的调查研究”[2]。因为当时对于中国社会以及中国革命无论在国内还是在国外都有着不同的声音。有人认为中国已经是商业化的资本主义社会，中国的资产阶级革命已经完成。但以中国共产党人为代表的有识之士认为中国是“半封建半殖民地社会”，资产阶级革命的任务尚未完成。陈翰笙在位于莫斯科的第三国际农民运动研究所工作时，也与在那里工作的匈牙利经济学家马季亚尔有过争论，在马氏看来，中国正处于亚细亚社会向资本主义社会过渡的前夜，而陈翰笙不认同这一看法，当然当时他也没有经验证据来支持自己的观点。

1928 年，陈翰笙从苏联回国任中央研究院社会科学研究所社会学组主任后，即开始着手对中国社会进行调查。其时中国人口的 85% 是农民，因此，欲了解中国社会就需要首先了解中国农村。蔡元培曾经指出，经济是社会演进的关键，中国农村是中国社会的主体。因此，“中央研究院社会科学研究所社会学组就拿中国的农村研究作为它的第一步工作”[3]。陈翰笙正是由此开启了其领导无锡、保定农村经济调查之大幕。

陈翰笙计划调查江南、华北和岭南三个地方的农村，因为这些地方都有其代表性。正如其所主张的：“十九世纪中叶以来工业资本的侵入，尤其是最近金融资本的侵入，已经促进了中国经济的工业化。其最大的影响即工业化和农产品的商品化，已渐次深入农村。这种社会的和经济的进化程序在中国的实际生活上，逐渐的，也是必然的，要动摇旧社会的基础。因此，社会学组主张在江苏，河北，广东，工业化程度最高的三省

---

* 本文由隋福民研究员撰写。

1 陈翰笙原名陈枢，出生于江苏省无锡县。1915 年到美国马萨诸塞州一所补习学校进行工读。1916 年考入美国波莫纳大学，1920 年毕业后升入芝加哥大学研究生院，专修美国宪法史，1921 年获硕士学位。1922 年去柏林大学东欧史地研究所钻研东欧史，1924 年获博士学位。同年，应蔡元培邀请到北京大学任教。后在李大钊的影响下加入共产国际，成为中共地下党员。后来，由于时局突变，取道日本，避祸苏联。

2 陈翰笙：《四个时代的我》，中国文史出版社，1988，第 40 页。

3 陈翰笙：《中国的农村研究》，陆国香译，《国立劳动大学劳动季刊》创刊号，1931 年，第 1 页。

中，开始从事实地调查。”[1] 当然，由于一些原因，岭南的调查在他在中央研究院工作时并没有完成。

江南的调查选择了无锡。无锡是陈翰笙的老家，他对当地情况较为熟悉。无锡也是中国民族工商业最为发达的地方，了解了无锡农村，就能了解帝国主义以及买办阶级是如何影响中国农村的。在华北，原计划调查大同，但后来由于时局关系，改为保定。[2] 具体的调查方法是从“每省之内，又选定农业最繁盛工商业最发达的一县为调查地点。在这一县内用初步的经济调查去决定几个区域。在各区域内，又选定一定比例数的农村以为代表。在这样的代表农村中，每一村户都仔细的完全的挨户调查”，再“选定村与邻村的中心市场，亦加以概况调查，藉资参考”[3]。

为了开展调查，陈翰笙大力聘请了一些年轻人才，比如聘用了王寅生、钱俊瑞、张锡昌、张稼夫、孙冶方、姜君辰等人。[4] 王寅生是陈翰笙在北大教书时的学生。他实际上是两次调查的主要组织者。无锡农村经济调查计划由陈翰笙、王寅生和王立我三人制定，以“国立中央研究院无锡农村经济调查团”名义进行。王立我参与过金陵大学卜凯组织的调查，比较有经验。无锡的调查是从 1929 年 7 月初开始，至 9 月底结束，历时近 3 个月。[5] 调查团共计 45 人，实际工作由王寅生负责，他常驻无锡县城；王立我为指导员；总办公处设在崇安寺小学。调查团下设 4 个调查组，分别由张稼夫、钱俊瑞、秦柳方和刘端生担任小组负责人。[6] 每一个小组中都有文书、会计、交际和调查员，文书、会计、交际也都由调查员兼任。据廖凯声、秦柳方等学者回忆，共有 45 人参加了无锡农村调查。这些人大多数是生长在无锡或邻近各县的，因为对该地区的风俗和语言较为熟悉，会给调查带来很多便利。在这 45 人中，有 1/3 是国立北京大学、（国立）劳动大学、上海法政专门等学校研究农业或社会经济的毕业生或肄业生；有 1/3 是当地小学教员或者从事乡村改进、工人教育的工作人员；另有 1/3 是该县高级中学肄业生。他们在调查中是分工协作的，一般的入户调查工作由中学生担任，而小学教员由于语言便利且对当地情况熟悉担任沟通交流工作。大学者除了兼做调查员外，还负责指导调查工作。[7] 据张稼夫回忆，还有同济大学、无锡师范学校（江苏省立第三师范学校）的一些学生。[8]

无锡挨户调查共计调查了 22 个村，分别为小沙头、唐家宕、曹庄（里）、垮上泾、任巷、白水荡、前章、小房巷、张塘巷、黄巷、龚巷、黄土泾桥、苏巷、张巷桥、东吴塘、西大房、前刘巷、邵巷、阳湾（里）、周家桥、新开河、毛村。挨户调查结束后又通信调查了 55 个自然村的

1　陈翰笙：《中国的农村研究》，陆国香译，《国立劳动大学劳动季刊》创刊号，1931 年，第 2~3 页。
2 《国立中央研究院院务月报》第 1 卷第 12 期，1930 年，第 83 页。
3　陈翰笙：《中国的农村研究》，陆国香译，《国立劳动大学劳动季刊》创刊号，1931 年，第 3 页。
4　孙小礼：《陈翰笙与中国农村研究》，《民主与科学》2012 年第 3 期。
5 《国立中央研究院社会科学研究所十八年度报告》，第 307 页。
6　有些资料写的是王寅生、张锡昌、钱俊瑞、秦柳方。
7　廖凯声：《社会学研究所无锡农村调查记略》，《国立中央研究院院务月报》第 1 卷第 8 期，1930 年，第 11 页。
8　张稼夫：《庚申忆逝》，山西人民出版社，1984，第 28 页。

概况和 8 个农村市镇的工商业情况。

保定（清苑）的调查是从 1930 年 5 月开始的，8 月结束。[1] 保定调查是中央研究院社会科学研究所与北平社会调查所[2] 合作完成的，领导者仍为陈翰笙，主要组织者仍为王寅生等人。“保定农村经济调查团，由调查员、向导员、办事员，共66人组织而成，办事处设清苑城内……”[3]。具体地址是清苑县城西下关的河北省立第二师范学校[4]。调查人员分组情况与无锡相仿，但为了提高工作效率，组长不再兼任调查员。[5] 据张稼夫回忆，北平社会调查所的参与人员包括韩德章等人。参加这次农村调查活动的还有保定二师的石凯福、项世澄以及薛品轩等人。[6]

保定（清苑）共计调查了 11 个村。这些村的选择是基于以下程序完成的。根据保定乡境、农产物情形之不同，把保定分为四个区：第一区为“县南境唐河两岸、麦产之丰、为全县冠、沿河数十村、向有‘一麦顶三秋’之谚语、但唐河每至夏秋霪雨连绵之际、河水泛滥、秋收泰半无望、历年皆然、绝少幸免、故该带在清苑农村经济上、颇具特殊情形、乃画定为第一区”；第二区为东南乡；第三区为西南乡，这两个区的特点是“麦秋均相若、而产高粱谷较多”；第四区为“县城附廓各村、为适应城市生活需要、种菜蔬者较多、并可查知城市与乡村衔接处之经济情形”。[7] 北乡距离徐水县较近，而且没有特殊情形，所以没有列入调查范围。然后在每一个区内，选择 3~4 个代表村，以二百户或者百余户为宜，进行逐户调查。保定（清苑）的逐户调查共包括 1770 个农户。除此之外，还对 72 个村庄和 6 个农村市场做了概况考察。[8] 清苑县的村概况调查表涵盖 60 多张表，各种问答题有 130 多道。分户经济调查表共有 27 页，分为 41 个表，表的内容涵盖耕种、畜养、副业、农产品买卖、税捐、田租、借贷、消费，共八大项，每一大项下又有若干小项。

调查结束后就是资料整理以及最终报告的撰写工作。陈翰笙、王寅生和钱俊瑞等撰写了《无锡的土地分配与农村资本主义的发展》。但报告被国民党当局搁置，一直没有发表，后来丢失。保定的调查报告则没有完成。

---

1 《国立中央研究院社会科学研究所十八年度报告》，第 307 页；刘炜俊:《关于农村调查所应注意的几件事：清苑调查的一点经验》,《社会科学杂志（北平）》第 1 卷第 3 期，1930 年，第 131 页。

2 北平社会调查所隶属于中华文化教育基金会，陶孟和为所长，经费相对充足，在调查界声誉日隆，1934 年并入中央研究院社会科学研究所。

3 《国立中央研究院社会科学研究所十八年度报告》，第 308 页。66 人也有 68 人之说。

4 河北省立第二师范学校（简称“保定二师”）位于河北省清苑县城西下关街，创建于清光绪三十年（1904）九月，始称“保定初级师范学堂”，1909 年改称“直隶第二初级师范学堂”，1928 年随省易名“河北省立第二师范学校”。至 20 世纪 30 年代初期，校园内建立了很多半公开的红色群众组织，党团员及党的外围组织的红色群众占学生人数的 2/3 以上。中共保属特委、保定市委就设在校内，领导保定市及周围各县群众开展革命斗争。由此，保定二师被誉为“北方小苏区”。

5 《各地乡村运动消息：乡村调查：保定》,《村治》第 1 卷第 6 期，1930 年，第 2~6 页。

6 张稼夫:《庚申忆逝》，山西人民出版社，1984，第 29 页。

7 《保定农村经济调查：调查员训练已竣 分四区开始调查》,《大公报天津版》1930 年 7 月 19 日，第 5 版。

8 也有说法是 1773 个农户、78 个村庄。

当然，调查的其他成果也是有的，比如《亩的差异：无锡 22 村稻田的 173 种大小不同的亩》（以下简称《亩的差异》）、《中国农村经济研究之发轫》等。有些还以英文形式出版。《亩的差异》开创性地发现无锡至少有 173 种亩，同一个村内至少有 5 种亩。报告认为，“工业资本主义没有发展的中国本不能有统一的度量衡，并且积受了数千年分家、租佃、典押、买卖等习俗的影响，到现在差不多每一农户的所谓亩也就都有两三种的大小”，这“使浮征税捐的种种弊端更加厉害，同时使地主更可浮收田租”。[1]这可说明中国至少是前资本主义社会性质。在太平洋国际学会的资助下，陈翰笙和邱茉莉（Elsie Fairfax Cholmeley）还编写过一本《农村中国》，其中第一部分第二章“上海附近无锡的土地集中”（Land concentration in Wusih，near Shanghai）和第六章“土地所有权的变革与永佃制的命运”（Change in land ownership and the fate of permanent tenancy）反映的是两个未刊报告《无锡的土地分配与资本主义的前途》和《土地所有权的近代化》的思想。除此之外，还有秦柳方、钱俊瑞合写的《黄巷经济调查统计》、廖凯声的《社会学研究所无锡农村调查记略》和韦健雄的《无锡三个农村底农业经营调查》等一些成果。保定方面的成果主要是北平社会调查所人员所做，比如张培刚的《清苑的农家经济》，但这一成果所运用的方法与陈翰笙的有所不同。

陈翰笙领导的无锡、保定农村经济调查对中国共产党在中国社会性质大论战中取得优势起到了重要作用。正是由于有了这些调查，中国共产党人才觉得有必要再与托派分子理论一番，于是有了后来的“中国农村社会性质论战”。正如薛暮桥在回顾中国社会性质大论战时所言：“当时的论战主要还只是停留在理论上，还缺乏具体的调查研究资料来证实自己的观点。因而，论证中国社会性质仍留下许多空白和不足。中国农村社会性质的论战就是在这样的背景下发生的。”[2]通过农村社会性质论战，中共的革命主张受到了越来越多人的认可和支持。总之，恰如《中国共产党的九十年：新民主主义革命时期》中所言：“陈翰笙组织的农村社会调查团，以马克思主义为指导，为研究中国的社会性质进行了广泛而深入的社会调查。1933 年，他和薛暮桥等人成立中国农村经济研究会，并创办《中国农村》月刊，刊登大量调查报告和论文，论证改革封建土地制度的必要性，对党所领导的土地革命起了配合作用。”[3]

这次调查还为国家培养了大批马克思主义经济学家。陈翰笙在调查过程中通过学习弥补了以前在农村经济知识方面的不足，成为国际上著名的马克思主义中国农村经济专家。在他的带动下，一批受聘参加农村调查的青年知识分子也逐步成长起来，如王寅生、张锡昌、薛暮桥、刘端生、秦柳方、孙冶方、钱俊瑞、廖凯声、姜君辰等。薛暮桥晚年曾经表示，陈翰笙的《封建社会的农村生产关系》等著作是很好的教材，把他引

---

1 陈翰笙、王寅生、张辅良等：《亩的差异：无锡 22 村稻田的 173 种大小不同的亩》，《国立中央研究院社会科学研究所》集刊第 1 号，1929 年，第 2 页。其他作者分别为廖凯声、张稼夫、李澄、徐燮均。

2 中共上海市委党史研究室编《上海党史资料汇编》第二编《土地革命战争时期》（下），上海书店出版社，2018，第 656 页。

3 中共中央党史研究室：《中国共产党的九十年：新民主主义革命时期》，中共党史出版社、党建读物出版社，2016，第 150 页。

上了研究这一门科学的正确道路。[1]这些青年后来有很大一部分成为中国的马克思主义经济学家，比如孙冶方、薛暮桥等。这些人在这次调查中所培养出来的理论联系实际的能力，也让他们在后来的改革开放中发挥了重要作用。

通过调查和论战，中国农村经济研究的话语主导权从苏联移到了国内。在这次调查之前，国际上研究中国农村的主导力量在苏联和日本，这之后人们才意识到陈翰笙等人才是真正了解中国农村社会的人。1935 年纽约《太平洋事务》季刊发表伊罗生（Harold R. Isaacs，1910—1986）的长篇论文，该文称陈翰笙为“中国最有能力的农村经济研究者”[2]。1948 年《世界与中国》第一期按语中也称“陈氏研究中国土地问题多年，著作甚富，为此一问题之权威”[3]。评论恰如其分，也说明以无锡、保定农村经济调查为基础的中国农村经济研究，令世界瞩目。

我们也要看到，这次调查实际上也是不完美的。陈翰笙后来由于受到排挤离开了中央研究院，1934 年后仅担任中央研究院社会科学研究所通信研究员及中山文化教育馆特约研究员的职务。由于他的团队成员和他本人的相继离开，无锡和保定的调查资料实际上并没有得到系统的整理和发表。

1957 年，中国科学院哲学社会科学学部经济研究所（后为中国社会科学院经济研究所）在该所保存的中央研究院档案中发现了当年陈翰笙领导的无锡、保定农村经济调查的部分原始资料。[4]所长孙冶方（当时还兼任国家统计局副局长）意识到这批调查资料十分珍贵，认为如果能在此基础上再进行一次追踪调查，借以对比这两个地区近 30 年来农村经济的演变过程，将是一件十分有意义的工作。于是，是年年底，薛暮桥和孙冶方共同主持的国家统计局和中国科学院哲学社会科学学部经济研究所联合调查组成立。[5]决定在 1958 年春季，会同江苏和河北两省统计局，共同组织力量对第一次两地调查的资料进行整理，与此同时，对无锡、保定两地原调查村经济进行一次追踪性的大规模调查，目的是“把无锡、保定 1929 年第一次调查近 30 年的社会性质变化及经济演变过程反映出来”[6]。

由于第二次调查的目标是进行前后对比，因此，在表格的设计上没有与之前的相一致。而且由于年代较久，资料收集相对困难；第一次调查的数据也需要补充和核对，于是，将调查的主要内容简化为以下九方面：农村户数、人口、职业及文化程度，土地占有与使用情况，其他主要生产资料的占有与使用情况，农村阶级成分的变化，主要农作物的面积与产量，畜养及副业收入情况，农业劳动雇佣情况，粮食产销用情况，农民

1　薛暮桥:《薛暮桥回忆录》，天津人民出版社，1996，第 37 页。

2　范世涛:《陈翰笙与国立中央研究院无锡农村经济调查》,《中国经济史研究》2020 年第 5 期，第 186 页。

3　转引自陈翰笙、薛暮桥、冯和法编《解放前的中国农村》(第二辑)，中国展望出版社，1987，第 137 页。

4　据秦柳方回忆，这批档案在南京解放后由该市军管会接管，后运至北京交至中国科学院哲学社会科学学部经济研究所保管。参见陈翰笙、薛暮桥、冯和法编《解放前的中国农村》(第三辑)，中国展望出版社，1989，第 304 页。

5　孙冶方:《孙冶方文集》(第 10 卷)，知识产权出版社，2018，第 289 页。

6　孙冶方:《孙冶方文集》(第 10 卷)，知识产权出版社，2018，第 289 页。

负担。[1] 此外关于合作化后农民的集体和个人收入比例以及富裕中农的生产和收入水平等问题，也附带做了调查。[2]

在新的调查方案中，“凡不能与 1929（1930）年情况对比者，原则上不增列指标。关于调查观察时点，经考虑选定 1929（1930），1936，1949 及 1957 年等四个年份。1929 年资料以原有者为主，并作必要的补充与核对……无锡保定两地土改年份不同，因此有一部分时点两地不能相同”。[3] 最后，无锡的调查时点确定为 1929 年、1936 年（国民党统治时期的黄金年份）、1948 年（无锡土改前一年）、1952 年和 1957 年（合作化之后的一年）；保定的调查时点确定为 1930 年、1936 年、1946 年（保定土改前一年）和 1957 年。[4]

“关于全村概况或若干全县性的专题资料，尽量采用召开调查会方法取得，只有那些基本情况的资料，才采用挨户调查方法。概况调查也有明确的调查指标，列成表式，或者提出确切的问题，要求取得一定的数字、年份或具体地点、阶级成份（分）的答案。在到达各村开始进行调查时，首先要查清原有村户廿（二十）八年内户口变动情况，包括分家立户及迁出入三类。必需（须）查明各户的立户起迄（讫）年月和各调查时点的阶级成份（分），借为挨户调查作好准备。挨户调查除全部现住户外，甚至连分家后不再存在的历史户，绝灭户及迁出户，只要有人能代报其以前情况者，统应查问清楚。确属无法查报者，仍应叙明原因。”[5]

第二次调查的主持者为孙冶方（中国科学院经济研究所所长兼国家统计局副局长）和薛暮桥（国家统计局局长）。这两人对陈翰笙领导的无锡、保定农村经济调查都较为熟悉。为了调查方便，在北京成立了无锡、保定农村经济调查小组，参加人有刘怀溥、秦柳方、张之毅、王凤林、储雪瑾等。刘怀溥、秦柳方当年都是中国农村经济研究会成员。张之毅则做过费孝通的助手，具有丰富的社会调查经验。经中共江苏省委、中共河北省委的同意，江苏和河北两省统计局分别组织人力进行调查工作。两地分别成立了农村经济调查办公室。

保定农村经济调查共组织了 46 人，一部分人是各机关抽调的，另一部分人是部队复员转业的。[6] 计划对第一次调查的 11 个村全部进行调查：即薛庄村、大阳村、大祝泽村、李家罗侯村、何家桥村、东孟庄村、东顾庄村、谢庄村、南邓村、蔡家营村、固上村。

由于人手原因，调查分两批进行，第一批为 6 个村（薛庄村、何家桥村、东顾庄村、李家罗侯村、南邓村和蔡家营村），1496 户。[7] 大规模调查开始之前，先选了两个村进行试点。一是保定的薛庄，二是清苑县的南邓村。从 1958 年 3 月 27 日到 4 月 7 日，共完成了 42 户的普查，召

1 《无锡、保定农村经济调查方案（初稿）》，中国社会科学院经济研究所藏。

2 刘怀溥:《无锡、保定农村经济调查情况介绍》,《统计研究》1958 年第 7 期。

3 《无锡、保定农村经济调查方案（初稿）》，中国社会科学院经济研究所藏。

4 保定是老区，土改早；无锡是新区，土改晚。

5 《无锡、保定农村经济调查方案（初稿）》，中国社会科学院经济研究所藏。

6 《孙冶方副局长关于保定农村经济调查的报告》，中国社会科学院经济研究所藏。

7 刘怀溥:《无锡、保定农村经济调查情况介绍》,《统计研究》1958 年第 7 期。

开了10次调查会。通过调查，搜集到许多有用的资料，并发现原调查方案中的某些指标对当地并不需要或不切实际，因而适当地增加、减少、修改了原方案中的调查表和指标。同时培养出一批比较熟悉农村经济工作并掌握一定工作方法的骨干，为后来的大规模调查奠定了基础。[1]

无锡农村经济调查共组织了82人，分成11个工作组。在第一次调查的22个村中，抽选了11个村进行调查，即东吴塘、唐家宕、黄土泾桥、前刘巷、龚巷、张塘巷、毛村、白水荡、苏巷、曹庄、邵巷。1958年4月10日，集中干部，组织业务与方法问题的学习与研究，4月16~17日，分别进驻调查村，进行全面宣传动员和调查。开始调查时，很多农户心里也有顾虑，比如怕露富、怕整风、怕说不准不好交代等，调查人员通过晚上串门、一起劳动、农闲唠家常等多种形式做工作解决思想问题。后来通过摸索，逐渐有了经验，调查总体上也进行得较为顺利。调查总户数为1100户，调查工作6月底结束，并完成了调查资料的审核加总工作。[2]

保定第二批调查5个村（即大阳村、大祝泽村、固上村、谢庄村、东孟庄村）约1900户，于1958年7月1日开始，8月上旬结束，并于同期完成了资料审核和加总工作。[3] 由于有了第一批调查的经验，第二批调查进行得比较顺利。

虽然第二次调查发生于1958年“大跃进”时期，但据具体参加这次农村经济调查的中国科学院经济研究所的张之毅、刘怀溥、王凤林等人反映，这次调查的可信度是较高的。一是当时农民积极性很高。通过深入宣传，农民被选为调查户，觉得是一种光荣，配合调查很积极主动。调查人员都能放下干部架子，与农民同吃同住同劳动，真正做到“如同一家人”，而这些是在新中国成立前所无法做到的。[4] 二是这次调查是在薛暮桥、孙冶方等治学严谨的经济学家领导下进行的，具体负责调查工作的人员，如刘怀溥、张之毅等，都是训练有素、治学严谨的社会科学工作者，他们对资料的处理是非常慎重的。例如，调查组在核实第一次调查资料时，如果1958年的调查结果与第一次调查有出入，会反复核对，并且在有旁证的前提下才进行修改，否则宁可存疑。这种科学的态度保证了数据有相当高的可信度。总体上看，这次资料中的土地、人口等自然情况以及生产技术、亩产等的数据可信度较高，而收入和消费部分可能稍差一些；1929/1930年的数据和1958年的数据可信程度也要高于其他年份（因为其他年份的资料是根据回忆追记的）。三是这次调查的组织核心在省里，调查人员抽自省及县市有关单位，并且以基层调查小组为单位，以每个调查村为对象。[5] 这些小组不仅要完成调查和资料收集，同时也要自己进行资料审核、加总及分析研究。这实际上是一种群众路线，有助于确保调查质量。

这次调查也形成了一些资料性成果。第一是对第一次调查资料的整理和分析。比如，为了对过去有一个整体的全面的认识，国家统计局和中

1 《保定农村经济试点工作总结》，中国社会科学院经济研究所藏。
2 刘怀溥:《无锡、保定农村经济调查情况介绍》,《统计研究》1958年第7期。
3 刘怀溥:《无锡、保定农村经济调查情况介绍》,《统计研究》1958年第7期。
4 刘怀溥:《无锡、保定农村经济调查情况介绍》,《统计研究》1958年第7期。
5 刘怀溥:《无锡、保定农村经济调查情况介绍》,《统计研究》1958年第7期。

国科学院经济研究所对第一次（1929/1930年）调查资料重新进行了统计整理[1]，形成表格:《1929年江苏无锡20个村户经济基本情况的初步分析》《1930年河北保定10村户经济基本情况的初步分析》《无锡（1929）与保定（1930）农村经济基本情况的比较》。

第二是挨户调查的表格。这次两地农村经济调查，取得了大量的原始资料，包括1929/1930年、1936年、土地改革前、1957年合作化后几个时期的调查资料和数据。当然，这些表格资料由于年代久远也有遗失。[2]

第三是在挨户调查的基础上，进行了村概况调查。无锡、保定两地农村经济调查办公室整理编印了两地农村经济调查概况资料。“无锡农村经济调查概况资料”遗失。“保定农村经济调查概况资料”分两册共约25万字。保定农村经济调查概况资料由在调查期间所收集的22个村的原始资料汇集而成，以村为单位分别撰写，主要有以下内容:（1）地理环境及自然条件;（2）历史变迁包括清末、中华民国成立以后的军阀混战时期、第二次国内革命战争时期、抗日战争时期和解放战争时期以及中华人民共和国成立后的政治经济变化情况;（3）人口、户口变动分析;（4）土地占有和使用变化情况;（5）各种经济剥削，包括租佃、雇佣、借贷剥削关系的变化以及帝国主义反动派的经济掠夺;（6）阶级结构的变化;（7）土地以外的主要生产资料包括房屋、耕畜、农具占用变化情况;（8）农业生产变化情况，包括年成丰歉、粮食生产、棉花生产、牲畜饲养、副业经营变化情况;（9）农业生产技术变化情况，包括农具、水利灌溉、施肥、农作物品种改良、农药施用等;（10）农民收入和生活变化情况；等等。

第四是调查报告。第二次无锡农村经济调查结束以后，由调查小组的刘怀溥执笔，张之毅、储雪瑾参加，撰写了《江苏省无锡市（县）近三十年来农村经济调查报告》。报告共分五个部分。第一部分：无锡农村经济关系的变化情况，包括解放前生产关系和解放后生产关系的变化；第二部分：解放前农业生产水平和付（副）业兴衰情况；第三部分：人口增长和劳动力变化情况；第四部分：解放前二十年来物质、文化生活的变化情况；第五部分：解放前国民党政权对农村经济发展所起的阻碍与破坏作用。[3]

1958年8月保定农村经济调查结束以后，河北省统计局根据调查资料，于9月撰写了《廿八年来保定农村经济调查报告（1930—1957年)》。报告共分六章：第一章基本情况；第二章户口、人口变动情况；第三章经济关系变化情况；第四章农业生产变化情况；第五章副业变化情况；第

1　重新整理的理由是当时划分阶级的标准与土改时的标准不完全一致；调查方法和指标体系上也有缺陷；尽管陈翰笙是马克思主义学者，但当时调查的身份是国民党学术机关的人员，因此，老百姓的信任程度会打折扣。

2　据史志宏文，“现存分户调查表，无锡部分只有黄土泾桥及白水荡2个村的，其中前者存138册，后者存69册，共207册。这些无锡的分户调查表，均每个调查户一册，册内包括该户各个调查年份的数据。保定的表保存形式与无锡的不同，不是一户一册，而是将若干户(大体20户左右)的调查表装订成一册，外包封以河北省统计局的档案袋纸皮，册面注明某某村共若干册及本册之序号。现存保定之册，11个调查村的均有，其中大祝泽、蔡家营、大阳、南邓、李（家）罗侯、(东）孟庄、薛庄7村之册完整无缺，其余4村之册则有不同程度的缺失”。(史志宏:《无锡、保定农村调查的历史及现存无、保资料概况》,《中国经济史研究》2007年第3期，第89页)

3　在陈翰笙、薛暮桥、冯和法编《解放前的中国农村》(第三辑)(中国展望出版社，1989)中，刊登了这份报告的解放前部分，名称为《无锡县（市）农村经济调查报告》。

六章农民物质文化生活变化情况。

这两个报告，由于种种原因当时没能发表，直到 1988 年 9 月，才在中共中央农村政策研究室的支持下，在《中国农业合作史资料》增刊二（《解放前后无锡保定农村经济专辑》），陈翰笙、薛暮桥、秦柳方合编）上发表。“这两个报告，是用科学方法进行挨户调查，资料翔实，观点正确，而且就解放前后农村经济情况作了对比，很有参考价值，从此可以看到中国农村解放前后近三十年从半封建半殖民地走上新中国的翻天覆地的变化情况。”[1]

第五是分村的汇总资料。河北省统计局保定农村经济调查办公室除撰写了保定分报告外，还根据分户调查资料按村汇总编撰了《1930—1957 年保定农村经济调查资料》，11 个村每个村一本，另有一本综合资料，共计 12 本。在每个村的调查资料中，又将数据分为 4 个年份分别加以汇总。包括的内容有：前言、1930 年调查资料、1936 年调查资料、1946 年调查资料、1957 年调查资料、附录（1957 年度农业生产合作社经济情况，名称上有差异）。在综合资料中，给出了保定地区农村经济调查村分布图，之后的内容有三个部分：前言、分析表式部分和综合资料部分。分析表式部分又分为四类：基本情况的分析、农村剥削关系分析表式、农业及副业生产情况、收支情况（水平）的分析。综合资料部分也是按照年份安排，包括 1930 年调查资料、1936 年调查资料、1946 年调查资料、1957 年调查资料、附录（1957—1958 年度十一个村农业社的经济情况调查资料）。综合资料中还有关于表内数据的几点说明，它有助于理解表格中数据的计算方式和含义。江苏省统计局则按村汇总编辑了《1929—1957 年无锡农村经济调查资料》，也是 11 个村每个村一本，另有一本综合表，共计 12 本。在每一本中，也是将资料数据分为 4 个年份分别加以汇总计算。不过计算的内容相对少一些，体例上与保定的也不完全一致。综合表也与保定的汇总体例不同，没有按照年份分别汇总，而是把 5 个年份（包括 1952 年的数据）不同方面的资料汇总到一张表中，借以观察人口、土地占有、收入结构和水平等方方面面的变化。与保定资料类似，无锡的综合表中也给出了阶级变化情况以及原因。这两种资料一直未公开发表。我们此次影印出版的就是这批资料。

从资料本身看，第二次调查的最大贡献是对第一次调查的数据进行了核查，在此基础上，“通过对几个有代表性的观察年度的调查，形成了两地农村及农户几十年经济发展演变历史数据的链条，这在中国农村调查史上是绝无仅有的，为以后的接续追踪调查开了头，打下了基础”[2]。事实上，我们正是在这样的基础之上，于 1987 年和 1998 年，进行了第三次和第四次无锡、保定农村经济调查。

两次调查体现了中国社会科学院经济研究所的历史传承。中国社会科学院经济研究所的历史流淌着两股血脉，一为中华文化教育基金会的社会调查部，后为社会调查所；另一为中央研究院社会科学研究所。它们都是以调查立所，在广泛调查的基础上出版了大量论文和著作。中华人民

1　陈翰笙:《〈解放前后无锡保定农村经济〉前言》,《群言》1989 年第 2 期，第 35 页。

2　史志宏:《无锡、保定农村调查的历史及现存无、保资料概况》,《中国经济史研究》2007 年第 3 期，第 84 页。

共和国成立后的中国科学院哲学社会科学学部经济研究所以及后来的中国社会科学院经济研究所也是从实践中探求真理、以真理指导实践的理论高地。我们这次编辑出版的资料，正是经济研究所人的调查结晶，闪耀着经济研究所人崇尚调查、尊重理论联系实际的历史光辉。出版它们正是为了弘扬经济研究所的优秀传统和继承其优良作风。

两次调查都是马克思主义经济学者组织实施的，这展示了他们将学术研究写在中国大地上的一种情怀，也反映了他们在学术研究中所秉持的科学精神和以人民为中心的坚定立场。我们此次编辑出版调查资料，一方面是在建党一百周年之际，纪念那些曾经为我们的社会经济研究做出贡献的前辈马克思主义学者，为中国共产党建党百年献礼；另一方面也是告知后学，中国社会科学院经济研究所保存着这样一批历史资料，希望大家彼此携手，能够将对这些资料的研究继续推向深入。

中国农村经济的研究乃至中国经济和社会的研究现在仍然是进行时。今天，我们比历史上任何时期都更接近、更有信心和能力实现中华民族伟大复兴的目标。在这一过程中，我们需要告知世界我们实现梦想的脚步是怎样的，我们需要基于历史经验“行稳致远”，希望这批资料的出版成为一个契机。

是为序。

总 目 录

无锡卷

保定卷（上）

保定卷（下）

保定卷（下）　目录

1930—1957年保定农村经济调查资料

谢庄村

1930—1957年保定农村经济调查资料（之八）

清苑縣张登乡谢村建华社

河北省統計局

1958.9.

目录

前　言

1930年曾有一批马列主义经济学者，在保定地区十一个村里进行过经济调查，这次在中央科学院和国家统计局的发起下，由统计局重新组织力量，在原有基础上进行了28年来的经济调查，（从1930年延续到1957年），根据本地具体情况，中间选择具有代表性的四個调查观察年度，即1930年，1936年，1946年，1957年，反映28年来各個不同历史时期，农村经济的重大变化。

这個材料是根据十一個调查村之一张登乡谢村分户普查资料汇总成的并作了简单的分析。由于时间的紧迫，尚未经过详细审核，所以还是一個很粗糙的材料，缺欠很多，只能供給内部参考。

编制这個材料的目的，主要是及时征取省委及市委县委的指示和意见，其次作为我们初步分析研究的参考，要求各级领导，对这个材料进行审核，並及时给以指示，以便我们将来进一步分析研究和汇总工作中有所遵循。

保定农村经济调查办公室

1958年8月15日

1930年調查資料

1930年調查户阶級成分及构成

1表

	合计	地主	富农	中农	贫农	雇农	其他
甲	1	2	3	4	5	6	7
全村户数	249	9	19	92	109	18	2
构成（%）	100	3.61	7.63	36.95	43.78	7.23	0.8

·1·

1930年人口與劳动力

一、合计 4表

阶级	户数	年末总人口数			在家常住人口						在外人口					
					年内常住人口		其中：劳动力		年末常住人口		年内人口		其中：劳动力		年末人口	
		合计	男	女	男	女	男	女	男	女	男	女	男	女	男	女
甲	1	2	3	4	5	6	7	8	9	10	11	12	13	14	15	16
合计	247	1299	703	596	629	571	386	360	626	582	78	20	69	14	77	14
地主	9	69	32	37	25	34	15	27	25	35	7	2	7	2	7	2
富农	19	124	64	60	57	61	30	37	61	60	5		4		3	
中农	92	513	267	246	238	228	152	144	234	238	34	14	27	8	33	8
贫农	107	508	283	225	259	220	150	133	257	221	26	4	25	4	26	4
雇农	18	79	53	26	46	26	36	17	45	26	6		6		8	
其他	2	6	4	2	4	2	3	2	4	2						

二、每户平均

阶级	户数	合计	男	女	男	女	男	女	男	女	男	女	男	女	男	女
合计	—	5.26	2.85	2.41	2.55	2.31	1.56	1.46	2.54	2.36	0.32	0.08	0.28	0.06	0.31	0.05
地主	—	7.67	3.56	4.11	2.78	2.78	1.67	3	2.78	3.89	0.78	0.22	0.78	0.22	0.78	0.22
富农	—	6.53	3.37	3.16	3	3.21	1.58	1.95	3.21	3.16	0.26		0.21		0.16	
中农	—	5.58	2.90	2.68	2.59	2.48	1.65	1.57	2.54	2.59	0.37	0.15	0.29	0.09	0.36	0.09
贫农	—	4.75	2.64	2.11	2.42	2.06	1.40	1.24	2.40	2.07	0.24	0.04	0.23	0.04	0.24	0.04
雇农	—	4.38	2.94	1.44	2.56	1.44	2	0.94	2.5	1.44	0.33		0.33		0.44	
其他	—	3	2	1	2	1	1.5	1	2	1						

·2·

1930年调查户常住人口劳动力的职业状况

一、合计　　　　5表

阶级	劳动力数	其中：职业状况									
		个体农民	个体手工业者	产业工人	小商贩	乡社干部	各类合作社员	自由职业者	宗教及迷信职业者	归军政机关人员	其他劳动者
甲	1	2	3	4	5	6	7	8	9	10	11
合计	746	418	1		1						1
地主	42	4									
富农	67	21									
中农	296	179									
贫农	283	181	1		1						1
雇农	53	31									
其他	5	2									
二、各类职业人数占常住人口劳动力的（%）											
合计	100	56.03	0.13		0.13						0.13
地主	100	9.52									
富农	100	31.34									
中农	100	60.47									
贫农	100	63.96	0.35		0.35						0.35
雇农	100	58.49									
其他	100	40									

·3·

1930年调查户在外人口劳动力职业状况

6表

一、合计

阶级	劳动力数	其中：职业状况											
		革命军政机关国营企业职工	个体手工业者	雇农	小商贩	工商业资本家	旧军政机关公员	私营企业职工	自由职业者	宗教迷信职业者	产业工人	各类合作社员	其他劳动者
甲	1	2	3	4	5	6	7	8	9	10	11	12	13
合计	83		1		5		8	9	3	5	13		16
地主	9						5		1				
富农	4				1					1			1
中农	35						2	6	1	2	7		8
贫农	29		1		3		1	2	1	2	5		5
雇农	6				1			1			1		2
其他													

二、各类职业人数占在外人口劳动力的（%）

阶级	劳动力数	革命军政机关国营企业职工	个体手工业者	雇农	小商贩	工商业资本家	旧军政机关公员	私营企业职工	自由职业者	宗教迷信职业者	产业工人	各类合作社员	其他劳动者
合计	100		1.20		6.02		9.64	10.84	3.61	6.02	15.66		19.28
地主	100						55.56		11.11				
富农	100				25					25			25
中农	100						5.71	17.14	2.86	5.71	20		22.90
贫农	100		3.45		10.34		3.45	6.89	3.45	6.89	17.24		17.24
雇农	100				16.70			16.70			16.70		33.33
其他	100												

一、合计

1930年调查户年内常住人口的文化状况

7表

阶级	学龄儿童（7-13岁）	其中：在学人数	十四岁以上人口	文化状况：文盲	初小程度	高小程度	初中程度	高中程度	大学程度
甲	1	2	3	4	5	6	7	8	9
合计	179	50	813	748	43	17	1	2	2
地主	10	3	43	32	3	4	1	1	2
富农	11	8	75	68	1	5		1	
中农	67	17	323	298	20	5			
贫农	82	19	316	296	17	3			
佃农	8	2	51	49	2				
其他	1	1	5	5					
二、构成（%）									
合计	100	27.93	100	92	5.29	2.09	0.12	0.25	0.25
地主	100	3	100	74.41	6.98	9.30	2.33	2.33	4.65
富农	100	72.72	100	90.67	1.33	6.67		1.33	
中农	100	25.37	100	92.26	6.19	1.55			
贫农	100	23.17	100	93.67	5.38	0.95			
佃农	100	25	100	96.08	3.92				
其它	100	100	100	100					

一、合计

1930年调查户在外人口的文化状况

8表

阶级	学龄儿童（7-13岁）	其中：在学人数	十四岁以上的人口	文化状况					
				文盲	初小程度	高小程度	初中程度	高中程度	大学程度
甲	1	2	3	4	5	6	7	8	7
合计	6	4	84	56	7	9	7		5
地主			6			1	1		4
富农			5	1	1	2	1		
中农	5	4	38	25	5	5	2		1
贫农	1		29	24	1	1	3		
佃农			6	6					
其他									
二、构成（%）									
合计	100	66.67	100	66.28	8.43	10.84	8.43		6.02
地主	100		100			16.67	16.67		66.66
富农	100		100	20	20	40	20		
中农	100	80	100	65.79	13.16	13.16	5.26		2.63
贫农	100		100	82.76	3.45	3.45	10.34		
佃农	100		100	100					
其他	100		100						

·6·

一、合计

1930年农业雇佣

9表

阶级	总户数	雇入 长工 有户雇工数	占户总数(%)	人数	工资(元)	平均工资	雇入 短零工 户数	占户总数(%)	天数	工资(元)	每户平均雇工(天)	每天平均工资	雇出 长工 有工出户雇数	占户总数(%)	人数	工资(元)	平均工资(元)	雇出 短零工 户数	占户总数(%)	天数	工资(元)	每天平均工资	每户平均出雇天数
甲	1	2	3	4	5	6	7	8	9	10	11	12	13	14	15	16	17	18	19	20	21	22	23
合计	247	16	6.48	23	1408.4	61.23	33	13.36	4928	2260.7	149.33	0.46	35	14.17	41	2668.84	65.09	63	25.51	6075	2344.14	0.39	96.43
地主	9	8	88.89	14	861.69	61.55	6	66.67	2448	901.2	408	0.37											
富农	19	8	42.11	9	546.71	60.75	18	94.74	1928	1061.6	107.11	0.55											
中农	92						9	9.78	552	297.9	61.33	0.54	6	6.52	7	622.1	88.87	14	15.22	965	339.25	0.35	68.93
贫农	107												13	12.15	14	758.44	54.17	45	42.06	4380	1722.6	0.39	97.33
雇农	18												16	88.89	20	1288.3	64.42	3	16.67	550	194.98	0.35	183.33
其他	2																	1	50	180	87.31	0.49	180
二、每户平均																							
合计	—	—	—	0.09	5.70	—	—	—	19.95	9.15	—	—	—	—		10.81	—	—	—	24.60	9.49	—	—
地主	—	—	—	1.56	95.74	—	—	—	272	100.13	—	—	—	—			—	—	—			—	—
富农	—	—	—	0.47	28.77	—	—	—	101.47	55.87	—	—	—	—			—	—	—			—	—
中农	—	—	—			—	—	—	6	3.24	—	—	—	—		6.76	—	—	—	10.49	3.69	—	—
贫农	—	—	—			—	—	—			—	—	—	—		7.09	—	—	—	4.09	16.09	—	—
雇农	—	—	—			—	—	—			—	—	—	—		71.57	—	—	—	30.56	10.83	—	—
其他	—	—	—			—	—	—			—	—	—	—			—	—	—	60	43.66	—	—

·7·

一、总计　　　　1930年土地占有与租典　　　　单位：面积：亩　租额：谷市斤、元　　　　10表

阶级	总户数	占有耕地					典入			典出			租入耕地						租出耕地						土地使用面积
		户数	耕地			非耕地	户数	耕地	非耕地	户数	耕地	非耕地	户数	粮租		钱租		未价有租面积	户数	粮租		钱租		未价有租面积	
			计	耕地构成	其中：水浇地									面积	租额	面积	租额			面积	租额	面积	租额		
甲	1	2	3	4	5	6	7	8	9	10	11	12	13	14	15	16	17	18	19	20	21	22	23	24	25
合计	247	240	4730.1	100	290.1	140	12	65		10	127		20	183	10490	127	738.39		1	30	1500				4948.1
地主	9	9	934.5	19.76	38.7	22.2				2	82		1	70	6650										922.5
富农	19	19	900.9	19.05	80.5	18.6	2	16.9		1	3														914.8
中农	92	92	2012.5	42.54	104.3	59.4	6	28.1		5	36		7	27.5	300	65.5	366.14		1	30	1500				2067.6
贫农	107	107	794.7	16.80	51.4	35.04	3	18		2	6		11	85.5	3540	58.5	350.42								950.7
雇农	18	13	87.5	1.85	15.2	4.8	1	2					1			3	21.83								92.5
其他	2																								

二、每户平均

阶级	1	2	3	4	5	6	7	8	9	10	11	12	13	14	15	16	17	18	19	20	21	22	23	24	25
合计	—	—	19.15	—	1.17	0.57	—	0.26		—	0.51		—	0.74	42.47	0.51	2.95		—	0.12	6.07				20.03
地主	—	—	103.83	—	4.3	2.47	—			—	9.11		—	7.78	74.06				—						102.5
富农	—	—	47.42	—	4.24	0.98	—	0.89		—	0.16		—		738.88				—						48.15
中农	—	—	21.88	—	1.13	0.65	—	0.31		—	0.39		—	0.29	32.61	0.71	3.98		—	0.12	6.07				22.4
贫农	—	—	7.43	—	0.48	0.33	—	0.17		—	0.06		—	0.80	33.08	0.55	3.27		—						8.89
雇农	—	—	4.86	—	0.84	0.27	—	0.17		—			—			0.17	1.21		—						5.14
其他	—	—		—			—			—			—						—						

·8·

1930年农作物播种面积及产量

单位：面积：亩　产量：市斤　产值：元

一、合计

11表

阶级	户数	总播种面积	播种面积合计	产量	小麦			玉米			谷子			高粱			薯类			大豆			其他杂粮			棉花			其他作物	
					播种面积	亩产	产量	播种面积	亩产	产量	播种面积	亩产	产量	播种面积	亩产	产量	播种面积	亩产	产量	播种面积	亩产	产量	播种面积	亩产	总产量	播种面积	亩产	产量	播种面积	产值
甲	1	2	3	4	5	6	7	8	9	10	11	12	13	14	15	16	17	18	19	20	21	22	23	24	25	26	27	28	29	30
合计	247	7218.2	7099.3	864016	2717.4	123.28	335013	2116.2	108	228551	471.9	140.3	66216	1272.7	134.66	171387	31	225	6975	321.4	107.58	34576	168.7	126.31	21308	21.5	84.05	1807	97.4	2547.4
地主	9	1336	1327	189170	555	153.41	85140	411	109.1	44830	55	196.2	10790	202	164.6	33250	7	250	1750	65	124.62	8100	32	165.94	5310	1	100	160	8	223.
富农	19	1337.2	1313.9	167432	545.5	131.38	72191	370	111.25	41164	85.9	146.87	12616	185.5	141.96	26334				80.8	119.7	9672	42.2	129.27	5455	5.5	96.36	530	17.8	548
中农	92	2971.3	2929.4	345843	1046.2	114.13	119406	864	111.06	95957	219	134.29	29410	591.4	129.54	76610	19.5	219.23	4275	120.8	102.66	12401	67.5	115.32	7784	11	78.91	879	31.9	895.9
贫农	107	1438.8	1399.6	147080	523.3	102.26	53517	436.8	98.07	42838	102	120.15	12255	261.2	119.59	31238	3.5	214.29	750	46.8	81.69	3823	26	102.27	2659	2	75	150	37.2	857.5
雇农	18	134.9	130.4	14491	43.4	109.65	4759	34.4	109.36	3762	10	113.5	1135	32.6	121.31	3955	1	200.	200	8.	72.5	580	1	100	100	2	74	148	2.5	73
其他	2																													

二、每户平均

阶级	户数	总播种面积	播种面积合计	产量	小麦播种面积	小麦亩产	小麦产量	玉米播种面积	玉米亩产	玉米产量	谷子播种面积	谷子亩产	谷子产量	高粱播种面积	高粱亩产	高粱产量	薯类播种面积	薯类亩产	薯类产量	大豆播种面积	大豆亩产	大豆产量	其他杂粮播种面积	其他杂粮亩产	其他杂粮总产量	棉花播种面积	棉花亩产	棉花产量	其他作物播种面积	其他作物产值
合计	—	29.22	28.74	3498.04	11	—	1356.33	8.57	—	925.31	16.89	—	268.04	5.15	—	693.87	0.12	—	28.24	1.30	—	139.98	0.68	—	86.27	0.09	—	7.32	0.39	10.52
地主	—	148.44	147.44	21018.88	61.67	—	9460	45.67	—	4981.11	6.11	—	1198.8	22.44	—	3694.4	0.78	—	194.44	7.22	—	900.	3.56	—	590.	0.11	—	11.11	0.89	24.78
富农	—	70.38	69.15	8812.21	28.72	—	3799	19.47	—	216.70	4.52	—	664	9.76	—	1386.		—		4.25	—	509.05	2.22	—	287.11	0.29	—	27.89	0.93	28.84
中农	—	32.29	31.83	3759.16	11.37	—	1297.80	93.91	—	1043.01	2.38	—	319.67	6.43	—	832.72	0.21	—	46.47	1.12	—	134.79	0.73	—	84.61	0.12	—	9.55	0.35	9.74
贫农	—	13.45	13.08	1374.57	4.89	—	500.15	4.08	—	400.35	0.95	—	114.53	2.44	—	291.94	0.03	—	7.01	0.44	—	35.73	0.24	—	24.84	0.02	—	1.40	0.35	8.01
雇农	—	7.49	7.24	805.05	2.41	—	264.38	1.91	—	209	0.56	—	63.06	1.81	—	219.72	0.06	—	11.11	0.44	—	32.22	0.06	—	5.56	0.11	—	8.22	0.14	4.06
其他	—					—			—			—			—			—			—			—			—			

·9·

一、合计

1930年占有农业主要生产及生活用具 14表

阶级	户数	生产工具						生活用具					
		水車	铁轮大車	胶轮大車	犁铧	种什	耙盖	自行車	手电筒	矿石收音机	热水瓶	被褥（条）	畜数
甲	1	2	3	4	5	6	7	8	9	10	11	12	13
合计	247	3.75	59		114	73	106	2	1			1296	
地主	9	1	7		14	9	13					135	
富农	19		14		21	17	26	2	1			198	
中农	92	1.25	34		64	37	57					473	
贫农	107	1.5	4		15	10	10					444	
雇农	18											43	
其它	2											3	

二、构成（%）

阶级	户数	水車	铁轮大車	胶轮大車	犁铧	种什	耙盖	自行車	手电筒	矿石收音机	热水瓶	被褥（条）	畜数
合计	100	100	100	100	100	100	100	100	100	100	100	100	100
地主	3.64	26.67	11.86		12.28	12.33	12.26					10.42	
富农	7.69		23.73		18.42	23.29	24.53	100	100			15.28	
中农	37.25	33.33	57.63		56.14	50.68	53.77					36.49	
贫农	43.31	40	6.78		13.16	13.70	9.44					34.26	
雇农	7.29											3.32	
其它	0.82											0.33	

·16·

一、合计　　　　1930年农付业及其它收入　　单位：元　　15表

阶级	户数	人数	植物栽培	出售家畜家禽及其它产品			采集渔猎收入	付业收入	工资收入	在外人口寄回	出租生产生活资料	其中：房租	救济补助及赠送	其它	合计
				猪	鸡鸭及蛋	其它									
甲	1	2	3	4	5	6	7	8	9	10	11	12	13	14	15
合计	247	1200	78,279.25	510.46	80.3	1204.3	517.93	2702.16	4685.81	1998.4	408.70	252.70	68	766.79	91222.10
地主	9	59	17,183.15			1200.5			-	181.9					13565.55
富农	19	118	15,633.31	36			184	600							16453.31
中农	92	466	30,609.90	328.46	32		45.5	392.7	990.8	956.5	368.7	218.7		694.69	34419.25
贫农	107	479	13,520.96	126	46.3	3.8	187.71	1525.93	2556.2	731	40	40		66.1	18804.00
雇农	18	72	1,331.93	20	2		54.72	136.43	1051.5	129			68	6	2799.58
其它	2	6					46	47.1	87.31						180.41

二、每人平均

阶级	户数	人数	植物栽培	猪	鸡鸭及蛋	其它	采集渔猎收入	付业收入	工资收入	在外人口寄回	出租生产生活资料	其中：房租	救济补助及赠送	其它	合计
合计	—	—	65.23	0.43	0.07	1.00	0.43	2.25	3.90	1.67	0.34	0.22	0.06	0.64	76.02
地主	—	—	291.24			20.35				3.08					314.67
富农	—	—	132.49	0.31			1.56	5.08							139.44
中农	—	—	65.69	0.70	0.07		0.10	0.84	2.13	2.05	0.79	0.47		1.49	73.86
贫农	—	—	28.23	0.26	0.10	0.01	0.39	3.19	5.34	1.53	0.08	0.08		0.14	39.26
雇农	—	—	18.50	0.28	0.03		0.76	1.89	14.60	1.79			0.94	0.08	38.88
其它	—	—					7.67	7.85	14.55						30.07

·13·

1930年付业情况

16表

阶级	总户数	其中：有付业的户数	从业人数	其中：雇佣	兼业人数	产品价值或工资(元) 主产品	付产品
甲	1	2	3	4	5	6	7
合计	247	26	2.5	0.5	26	2548.31	
地主	9						
富农	19	2	0.5	0.5	2	600	
中农	92	8			8	558.23	
贫农	107	10	1		10	1053.65	
雇农	18	5			5	136.43	
其他	2	1	1		1	200	
二、构成(%)							
合计	100	100	100	100	100	100	100
地主	3.64				7.69		
富农	7.69	7.69				23.55	
中农	37.25	30.77		100	30.77	21.90	
贫农	43.32	38.46			38.46	41.35	
雇农	7.29	19.23			19.23	5.35	
其他	0.81	3.85			3.85	7.85	

·14·

1930年负债情况

一、合计　　　　单位：元　　　　17表

阶级	总户数	其中：负债户数	年末负债累计		其中：向各类债主借款累计数						全年应付利息
			计	其中：货币	地主富农	中农	银行	信用社	钱庄	其他	
甲	1	2	3	4	5	6	7	8	9	10	11
合计	247	43	11178.57	11091.80	5825.65	455.80			3660.50	1237.92	1465.51
地主	9	5	5638.90	5638.90	2364.70				2364.70	909.5	262.41
富农	19	5	1687.60	1687.60	977.60				720.00		260.90
中农	92	9	1053.93	1020.46	708.32				127.33	218.28	247.50
贫农	107	17	2492.03	2482.03	1532.18	455.80			448.47	55.57	626.00
雇农	18	7	297.41	242.81	242.84					54.57	68.70
其他	2										
二、每户平均											
合计	——	——	45.26	44.90	23.58	18.45			14.82	5.01	5.93
地主	——	——	626.54	626.54	262.74				262.74	101.06	28.16
富农	——	——	88.35	88.35	51.45				37.88		13.73
中农	——	——	11.46	11.08	7.70				1.38	2.37	2.68
贫农	——	——	23.28	23.28	14.32	4.26			4.18	0.52	5.85
雇农	——	——	16.52	13.48	13.48					3.03	3.82
其他	——	——									

·15·

一、合计

1930年主要生活用品情况

18表

阶级	户数	吃饭人口	口粮消费			肉类(斤)	食油(斤)	棉布(尺)		灯油(斤)	煤炭(斤)	烟类		酒(斤)	医药费(元)	供神费(元)	应酬费(元)	喜庆费(元)	丧葬费(元)
			计	其中：细粮 计	%			计	其中：土布			纸烟(盒)	烟叶(斤)						
甲	1	2	3	4	5	6	7	8	9	10	11	12	13	14	15	16	17	18	19
合计	247	1186	367672	79450	21.61	3717	2342	16907	13813	2510	5200	3124	1723	335	375.27	157.65	891.40	334.86	571.30
地主	9	73	31930	14480	45.34	837	297	1667	666	275	1500	1585	118	76	63.17	28.15	326.40	19.76	320.00
富农	19	131	53046	14620	27.56	1063	454	2641	1733	298	2600	379	199	120	95.00	9.50	210.00	[illegible]	191.00
中农	92	459	151070	32786	21.70	1281	978	6844	6105	1006	500	980	647	118	128.60	76.30	296.60	66.10	27.80
贫农	107	465	117265	15312	13.10	381	551	5077	4689	818	600	180	687	13	81.50	30.00	55.40	21.00	32.50
佃农	18	52	13245	2227	16.82	53	58	606	548	105			69	8	7.00	14.20	3.00		
其它	2	6	1116	25	2.24	2	4	72	72	8			3						

二、每人平均

阶级	户数	吃饭人口	口粮消费 计	其中：细粮 计	%	肉类(斤)	食油(斤)	棉布 计	其中：土布	灯油(斤)	煤炭(斤)	纸烟(盒)	烟叶(斤)	酒(斤)	医药费(元)	供神费(元)	应酬费(元)	喜庆费(元)	丧葬费(元)
合计	—	—	310.09	66.99	—	3.13	1.97	14.26	11.65	2.12	4.38	2.63	1.45	0.28	0.32	—	—	—	—
地主	—	—	437.39	198.35	—	11.47	4.12	22.84	9.12	3.77	20.55	21.71	1.62	1.04	0.87	—	—	—	—
富农	—	—	404.93	111.60	—	81.14	3.47	20.16	13.23	2.27	19.85	2.89	1.52	0.92	0.73	—	—	—	—
中农	—	—	329.13	71.43	—	3.01	2.13	14.91	13.30	2.19	1.09	2.14	1.41	0.26	0.28	—	—	—	—
贫农	—	—	252.18	32.93	—	0.82	1.18	10.92	10.08	1.76	1.29	0.39	1.48	0.03	0.18	—	—	—	—
佃农	—	—	254.71	42.83	—	1.02	1.12	11.65	10.54	2.02			1.33	0.15	0.13	—	—	—	—
其它	—	—	186	4.17	—	0.33	0.67	12	12	1.33			0.5			—	—	—	—

·16·

1936年调查资料

一、合计　　　　1936年调查户变动情况　　　　1表

阶级	1930年户数	期内变动					本户期数
		分出	迁入	合并	迁出	绝灭	
甲	1	2	3	4	5	6	7
合计	247	16	1		10	11	243
地主	9						7
富农	19	2					23
中农	92	6	1		1		98
贫农	107	8			9	6	100
雇农	18					5	13
其它	2						2
三、比重（%）							
合计	100	100	100	100	1.00	100	100
地主	3.64						2.88
富农	7.69	12.50					9.47
中农	37.25	37.50	1.00		1.0		40.33
贫农	43.32	50			90	54.55	41.15
雇农	7.29					45.45	5.35
其它	0.90						0.82

一、合计

1936年调查户阶级成份的演变

2表

阶级	1930年户数	1936年户数						
		合计	地主	富农	中农	贫农	佣农	其它
甲	1	2	3	4	5	6	7	8
合计	247	243	7	23	98	100	13	2
地主	9	7	7					
富农	19	23		23				
中农	92	98			94	4		
贫农	107	100			4	96		
佣农	18	13					13	
其它	2	2						2
二、构成（%）								
合计	—	100	2.88	9.47	40.33	41.15	5.35	0.82
地主	—	100	100					
富农	—	100		100				
中农	—	100			95.91	4.09		
贫农	—	100			4	96		
佣农	—	100					100	
其它	—	100						100

·18·

一、合计 1931——1936年调查户阶级演变原因 3表

阶级	上升					下降					
	户数	剥削或投机获利	土地改革	勤俭及家属成员就业	其他	户数	被剥削或投机失败	分家	土地改革	赌博及其它不正当行为	灾祸或其他意外事故
甲	1	2	3	4	5	6	7	8	9	10	11
合计	4			4		6		4		2	
地主						2				2	
富农											
中农						4		4			
贫农	4			4							
佃农											
其它											
二、比重（%）											
合计	100			100		100		66.67		33.33	
地主	100	—	—	—	—	100				100	
富农	100					100					
中农	100					100		100			
贫农	100			100		100					
佃农	100					—	—	—	—	—	—
其它											

·19·

一、合计

1936年人口与劳动力

4表

阶级	户数	年末总人口数			在家常住人口						在外人口					
					年内常住人口		其中：劳动力		年末常住人口		年内人口		其中：劳动力		年末人口	
		合计	男	女	男	女	男	女	男	女	男	女	男	女	男	女
甲	1	2	3	4	5	6	7	8	9	10	11	12	13	14	15	16
合计	243	1319	712	607	636	593	376	339	633	594	83	13	75	11	79	13
地主	7	53	24	29	17	25	9	6	17	27	7	2	7	2	7	2
富农	23	129	62	67	61	66	32	39	61	67	2		2		1	
中农	98	592	309	283	276	276	155	158	277	277	35	6	29	5	32	6
贫农	100	480	275	205	243	202	155	124	241	200	34	5	32	4	34	5
雇农	13	55	36	19	34	20	22	11	32	19	4		4		4	
其他	2	10	6	4	5	4	3	1	5	4	1		1		1	
二、每户平均																
合计	—	5.43	2.94	2.49	2.62	2.44	1.55	1.40	2.61	2.44	0.59	0.05	0.31	0.05	0.33	0.05
地主	—	7.57	3.43	4.14	2.43	3.57	1.30	0.86	2.43	3.85	1	0.29	1	0.29	1	0.29
富农	—	5.61	2.70	2.91	2.65	2.89	1.39	1.70	2.65	2.91	0.09		0.09		0.05	
中农	—	6.04	3.15	2.89	2.81	2.81	1.58	1.60	2.83	2.82	0.36	0.06	0.30	0.05	0.33	0.06
贫农	—	4.80	2.75	2.05	2.43	2.02	1.55	1.24	2.41	2	0.34	0.05	0.32	0.04	0.34	0.05
雇农	—	4.23	2.77	1.46	2.62	1.54	1.69	0.85	2.46	1.46	0.38		0.38		0.31	
其他	—	5	3	2	2.5	2	1.5	0.5	2.50	2	0.5		0.5		0.5	

·20·

一、合计

1936年调查户常住人口劳动力的职业状况

5表

阶级	劳动力数	其中：职业状况									
		个体农民	个体手工业者	产业工人	商贩	乡社干部	各类合作社社员	自由职业者	宗教及迷信职业者	旧军政机关人员	其他劳动者
甲	1	2	3	4	5	6	7	8	9	10	11
合计	715	427	2		1			1			2
地主	15	3						1			
富农	71	28			1						
中农	313	193									
贫农	279	180	1								2
佃农	33	21	1								
其他	4	2									

二、各类职业人数占常住人口劳动力的（%）

阶级	劳动力数	个体农民	个体手工业者	产业工人	商贩	乡社干部	各类合作社社员	自由职业者	宗教及迷信职业者	旧军政机关人员	其他劳动者
合计	100	59.72	0.30		0.13			0.13			0.30
地主	100	20.00						6.67			
富农	100	39.40			1.41						
中农	100	61.66									
贫农	100	64.51	0.35								0.70
佃农	100	63.64	3.03								
其他	100	50.00									

·21·

一、合计

1936年调查户在外人口劳动力职业状况

6表

阶级	劳动力数	其中：职业状况											
		在革命军政机关国营业职工	个体手工业者	雇农	小商贩	工商业资本家	旧军政机关人员	私营企业职工	自由职业者	宗教迷信职业者	产业工人	各类合作社社员	其他劳动者
甲	1	2	3	4	5	6	7	8	9	10	11	12	13
合计	86	1	4		1		10	18	2	4	6		17
地主	9						4			1			
富农	2						1						
中农	34						1	9	2	2	2		7
贫农	36	1	4		1		4	8		1	4		9
雇农	4							1					
其他	1												1
二、各类职业人数占在外人口劳动力的（%）													
合计	100	1.16	4.65		1.16		11.60	20.93	2.32	4.65	6.97		19.76
地主	100						44.44			11.11			
富农	100						50						
中农	100						2.94	26.47	5.28	5.88	5.88		20.59
贫农	100	2.78	13.89		2.78		13.84	27.78		2.78	13.89		47.22
雇农	100							25					
其他	100												100

·22·

1936年調查户年内常住人口的文化状况

一、合计

7表

阶级	学龄儿童（7—13岁）	其中：在校学人	十四岁以上人口	文化状况					
				文盲	初小程度	高小程度	初中程度	高中程度	大学程度
甲	1	2	3	4	5	6	7	8	9
合计	193	63	856	758	66	30	1	1	
地主	7	4	32	25	4	3			
富农	22	9	78	68	4	7			
中农	91	28	378	338	27	12		1	
贫农	64	18	322	284	24	8	1		
雇农	7	2	38	37	2				
其他	2		6	6					
二、构成（%）									
合计	100	67.74	100	83.50	7.70	3.50	0.15	0.15	
地主	100	57.14	100	78.12	12.50	9.38			
富农	100	40.91	100	86.08	5.06	8.86			
中农	100	31.36	100	88.42	7.14	3.17		0.27	
贫农	100	61.54	100	88.20	9.01	2.48	0.31		
雇农	100	28.57	100	94.87	5.13				
其他	100		100	100					

·23·

1936年调查户在外人口的文化状况

8表

一、合计

阶级	学龄儿童（7—13岁）	其中：在学人数	十四岁以上的人口	文化状况：文盲	初小程度	高小程度	初中程度	高中程度	大学程度
甲	1	2	3	4	5	6	7	8	9
合计	2		91	53	9	14	8	1	6
地主			7			1	1	1	4
富农			2			1	1		
中农			40	20	6	8	4		2
贫农	2		37	28	3	4	2		
雇农			4	4					
其他			1	1					
二、构成（%）									
合计	100		100	58.24	9.89	15.38	8.79	1.11	6.59
地主	100		100			14.28	14.28	14.28	57.16
富农	100		100			50	50		
中农	100		100	50	15	20	10		5
贫农	100		100	75.68	8.11	10.81	5.40		
雇农	100		100	100					
其他	100		100	100					

1936年农业雇佣总表

一、合计

阶级	总户数	雇入											雇出										
		长工					短零工						长工					短零工					
		有雇工户数	占总户数(%)	人数	工资(元)	平均工资	户数	占总户数(%)	天数	工资(元)	每户平均雇工(天)	每天平均工资	有出雇户数	占总户数(%)	人数	工资(元)	平均工资(元)	户数	占总户数(%)	天数	工资(元)	每天平均工资(元)	每户平均出雇天数
甲	1	2	3	4	5	6	7	8	9	10	11	12	13	14	15	16	17	18	19	20	21	22	23
合计	243	13	5.35	16	1015.33	63.46	31	12.76	2791	1656.68	90.03	0.59	27	11.11	36	2330.67	64.74	62	25.51	5373	2362.6	0.44	86.66
地主	7	6	85.71	9	557.29	61.92	4	57.14	1009	755.15	252.25	0.75											
富农	23	7	30.43	7	458.04	65.43	18	78.26	1449	714.52	80.5	0.49											
中农	98						9	9.18	333	187.01	37.00	0.56	4	4.08	4	338.6	84.65	16	16.33	849	328.67	0.39	53.06
贫农	100												11	11	16	918.97	57.44	42	42	4031	1874.45	0.46	95.98
雇农	13												12	92.31	16	1073.1	67.07	3	23.08	273	111.44	0.41	91
其它	2																	1	50	220	48.04	0.22	220
二、每户平均																							
合计	—	—	—	0.07	4.18	—	—	—	11.49	6.82	—	—	—	—	0.15	9.59	—	—	—	22.11	9.72	—	—
地主	—	—	—	1.29	79.61	—	—	—	144.14	107.88	—	—	—	—			—	—	—			—	—
富农	—	—	—	0.30	13.91	—	—	—	63	31.07	—	—	—	—			—	—	—			—	—
中农	—	—	—			—	—	—	3.40	1.91	—	—	—	—	0.04	3.46	—	—	—	8.66	3.35	—	—
贫农	—	—	—			—	—	—			—	—	—	—	0.16	9.19	—	—	—	40.31	18.75	—	—
雇农	—	—	—			—	—	—			—	—	—	—	1.23	82.55	—	—	—	21	8.57	—	—
其它	—	—	—			—	—	—			—	—	—	—			—	—	—	110	24.02	—	—

1936年土地占有典租表

单位：面积：亩
租额：谷市斤、元

10表

一、合计

阶级	总户数	占有耕地 户数	占有耕地 耕地 计	占有耕地 耕地 占构成耕地%	占有耕地 耕地 其中水浇地	占有耕地 非耕地	典入 户数	典入 耕地	典入 非耕地	典出 户数	典出 耕地	典出 非耕地	租入耕地 户数	租入耕地 粮租 面积	租入耕地 粮租 租额	租入耕地 钱租 面积	租入耕地 钱租 租额	租入耕地 钱租 未付有租面积	租出耕地 户数	租出耕地 粮租 面积	租出耕地 粮租 租额	租出耕地 钱租 面积	租出耕地 钱租 租额	租出耕地 钱租 未付有租面积	土地使用面积
甲	1	2	3	4	5	6	7	8	9	10	11	12	13	14	15	16	17	18	19	20	21	22	23	24	25
合计	243	240	4224.45	100	298.55	137.5	8	31.1	0.8	6	48		21	177.7	6670	82	611		3	56	1700	5	45.5		4406.25
地主	7	7	499	11.81	36	16.2							1	60	2400				2	56	1700				503
富农	23	23	862.8	20.42	75.7	20.43				1	26								1			5	45.5		831.8
中农	98	98	2107.9	49.90	119.4	62.8	5	10.4	0.8	2	13		10	62.5	1800	44	259.3								2220.8
贫农	100	100	684.1	16.43	49.15	34.97	3	17.7		3	9		10	55.2	2470	38	351.7								790
雇农	13	11	60.65	1.44	18.3	2.7																			60.65
其他	2	1				0.4																			

二、每户平均

阶级	总户数	占有耕地 户数	占有耕地 耕地 计	占有耕地 耕地 占构成耕地%	占有耕地 耕地 其中水浇地	占有耕地 非耕地	典入 户数	典入 耕地	典入 非耕地	典出 户数	典出 耕地	典出 非耕地	租入耕地 户数	租入耕地 粮租 面积	租入耕地 粮租 租额	租入耕地 钱租 面积	租入耕地 钱租 租额	租入耕地 钱租 未付有租面积	租出耕地 户数	租出耕地 粮租 面积	租出耕地 粮租 租额	租出耕地 钱租 面积	租出耕地 钱租 租额	租出耕地 钱租 未付有租面积	土地使用面积
合计	—	—	17.38	—	1.23	0.57	—	0.13		—	0.20		—	0.73	27.45	0.34	2.51		—	0.23	7.00	0.02	0.19		18.13
地主	—	—	71.29	—	5.14	2.31	—			—			—	8.57	342.85				—	8	242.86	0.22			71.86
富农	—	—	37.51	—	3.29	0.89	—			—	1.13		—						—				1.98		36.17
中农	—	—	21.51	—	1.22	0.64	—	0.20	0.008	—	0.13		—	0.64	18.37	0.45	2.65		—						22.66
贫农	—	—	6.84	—	0.49	0.35	—	0.11		—	0.09		—	0.55	24.70	0.38	3.51		—						7.9
雇农	—	—	4.67	—	1.41	0.21	—			—			—						—						4.67
其他	—	—		—		0.20	—			—			—						—						

1930—1936年土地变动情况

计量单位：土地：亩　价值：元　10表附表

年份	土地变动户数	买进 数量	买进 价值	买进 单价	赎回 数量	赎回 价值	典入 数量	典入 价值	典入典绝 数量	典入典绝 价值	单价	卖出 数量	卖出 价值	赎出 数量	赎出 价值	典出 数量	典出 价值	典出典绝 数量	典出典绝 价值
1930	19	3.5	72.76	20.8			21	660.7			78.13	32.27	2553.64			92.5	779.57		
1931	9	20	782.28	39.11							17.26	86	1484.93			4	78		
1932	8	21.2	624.4	29.45															
1933	11	29.34	1513.30	51.57							34.74	17.4	604.55	6.9	398.00			12	45.70
1934	30	87.56	4720.50	53.91	6	38.38					39.55	83	3282.98						
1935	17	53.3	2721.78	51.06							20.4	85.5	1744.19						
1936	24	67.4	2715.84	40.30	48	172.8	7.2	225.45			25.7	57.5	1478.53			8.5	178.00		

注：土地变动户数系重复计称，如一户在不同年度变动几次就称几次。

11表

单位：面积：亩；产量：市斤；产值：元

1936年农作物播种面积及产量

一、合计

阶级	户数	总播种面积	粮食作物：播种面积合计	粮食作物：产量	小麦：播种面积	小麦：亩产	小麦：产量	玉米：播种面积	玉米：亩产	玉米：产量	谷子：播种面积	谷子：亩产	谷子：产量	高粱：播种面积	高粱：亩产	高粱：产量	薯类：播种面积	薯类：亩产	薯类：产量	大豆：播种面积	大豆：亩产	大豆：产量	其它杂粮：播种面积	其它杂粮：亩产	其它杂粮：产量	棉花：播种面积	棉花：亩产	棉花：产量	其它作物：播种面积	其它作物：产值
甲	1	2	3	4	5	6	7	8	9	10	11	12	13	14	15	16	17	18	19	20	21	22	23	24	25	26	27	28	29	30
合计	243	6243.49	6101.79	764076.5	2168.7	122	265392	1746.7	117	205011	766	145	67641.5	1211.8	133	161407	34.4	236	8120	313.3	108	33988	160.89	140	22517	58.2	89	5179	33.5	3551.54
地主	7	713.5	707	98726	294	138	40640	210	125	26200	37	171	6320	118	151	17830				23	122	2800	25	197	4936	1	100	100	5.5	125.6
富农	23	1227.69	1208.59	164818	439	137	60299	344	125	42872	105	155	16325	205	145	29627	4	200	800	80.5	129	10355	31.09	146	4540	10.5	101	1059	8.6	401
中农	98	3061.4	2973.4	3648.10	1031.1	118	122110	848.1	117	99486	222.1	141	31365	611.4	131	80150	23.8	243	5780	151.8	101	15364	85.1	124	10555	44.7	86	3830	43.3	1194.34
贫农	100	1164	1137.4	127166.5	379.1	104	39405	322.1	106	34072.5	99	135	13343.5	255.9	121	31080	6.6	233	1540	56	96	5349	18.7	127	2376	2	95	190	24.6	783.4
雇农	13	76.9	75.4	8556	25.5	115	2937.5	22.5	106	2380.5	2.9	99	288	21.5	127	2720				2	60	120	1	110	110				1.5	47
其他	2																													
二、每户平均																														
合计	—	25.69	25.11	3144.35	8.92	—	1092.15	7.1	—	843.67	1.92	—	278.36	4.99	—	664.23	0.14	—	33.42	1.29	—	139.81	0.66	—	92.66	0.24	—	21.31	0.34	10.50
地主	—	101.83	101	14103.71	42	—	5805.71	30	—	3742.86	5.28	—	902.86	16.86	—	2547.14		—		3.29	—	400	3.57	—	705.14	0.14	—	14.29	0.79	17.97
富农	—	53.38	52.55	7166	19.09	—	2621.70	14.96	—	1864	4.57	—	709.78	8.91	—	1288.13	0.17	—	34.78	3.5	—	450.22	1.35	—	197.39	0.46	—	46.04	0.37	17.43
中农	—	31.24	30.34	3722.55	10.52	—	1246	8.65	—	1015.16	2.27	—	320.05	6.24	—	817.85	0.24	—	58.98	1.55	—	156.78	0.87	—	107.70	0.46	—	39.08	0.44	12.20
贫农	—	11.64	11.37	1271.66	3.79	—	394.05	3.22	—	340.72	0.99	—	133.43	2.56	—	310.8	0.06	—	15.40	0.56	—	53.49	0.19	—	23.76	0.02	—	1.90	0.25	7.83
雇农	—	5.92	5.80	658.15	1.96	—	225.96	1.73	—	183.11	0.72	—	22.15	1.65	—	209.23		—		0.15	—	9.20	0.08	—	8.46		—		0.11	3.60
其他						—			—			—			—			—			—			—			—			

1936年农作物播种面积构成

单位面积：亩　　12表

一、合计

阶级	总播种面积	粮食作物								棉花	其它作物
		合计	小麦	玉米	谷子	高粱	薯类	大豆	其它杂粮		
甲	1	2	3	4	5	6	7	8	9	10	11
合计	6243.49	6101.79	2168.7	1746.7	466	1211.8	34.4	313.3	160.89	58.2	83.5
地主	713.5	707	294	210	37	118		23	25	1	5.5
富农	1227.69	1208.59	439	344	105	205	4	80.5	31.09	10.5	8.6
中农	3061.4	2973.4	1031.1	848.1	222.1	611.4	23.8	151.8	85.1	44.7	43.3
贫农	1164	1137.4	379.1	322.1	99	255.9	6.6	56	18.7	2	24.6
雇农	76.9	75.4	25.5	22.5	2.9	21.5		2	1		1.5
其它											

二、构成（%）

阶级	总播种面积	合计	小麦（大1减）	玉米	谷子	高粱	薯类	大豆	其它杂粮	棉花（大4中）	其它作物
合计	100	97.73	34.74	27.98	7.46	19.41	0.55	5.02	2.57	0.94	1.33
地主	100	99.09	41.21	29.43	5.19	16.53		3.22	3.51	0.1	0.81
富农	100	98.44	35.76	28.02	8.55	16.69	0.30	6.56	2.56	0.86	0.70
中农	100	97.13	33.57	27.69	7.65	19.88	0.8	4.86	2.68	1.46	1.41
贫农	100	97.71	32.57	27.67	8.51	21.98	0.57	4.81	1.60	0.18	2.11
雇农	100	98.05	33.16	29.26	3.77	27.96		2.6	1.30		1.95
其他	100										

·29·

1936年房屋和牲畜

一、合计　　　　　　　　　　　　　　　　13表

阶级	户数	占有房间数	现住房屋 间数	现住房屋 其中 砖的	现住房屋 其中 租典的	生产用房 间数	生产用房 其中砖的	生产用房 租借典入	出借租房典屋	牲畜（头） 大牲畜 牛	大牲畜 马	大牲畜 驴	大牲畜 骡	小牲畜 猪	小牲畜 羊	水井	其中：砖井
甲	1	2	3	4	5	6	7	8	9	10	11	12	13	14	15	16	17
合计	243	1215.5	988	754	37	227.5	146		37	30	4	51	13	45		38	38
地主	7	106.	43	43		52	42		11	2	1	0.5	5	2		4	4
富农	23	195.5	116	113		57.5	41.5		22	8	2	7	5	13		7.5	7.5
中农	98	525.	442	390	7	87.	43.5		3	19.5	1	34.50	3	20		17.20	17.20
贫农	100	348	349	181	26	24	14		1	0.5		8.50		10		7.80	7.80
雇农	13	36	34	25	3	5	5					0.5				1.5	1.5
其他	2	5	4	2	1	2											

二、每户平均

阶级	户数	占有房间数	现住房屋 间数	现住房屋 其中 砖的	现住房屋 其中 租典的	生产用房 间数	生产用房 其中砖的	生产用房 租借典入	出借租房典屋	牛	马	驴	骡	猪	羊	水井	其中：砖井
合计	—	5.00	4.07	3.1	0.15	0.94	0.6		0.15	0.12	0.02	0.21	0.05	0.19		0.16	0.16
地主	—	15.14	6.14	6.14		7.43	6		1.57	0.28	0.14	0.07	0.7	0.28		0.57	0.57
富农	—	8.5	5.04	4.91		2.5	1.80		0.96	0.35	0.09	0.30	0.22	0.57		0.33	0.33
中农	—	5.36	4.51	3.98	0.07	0.89	0.44		0.03	0.20	0.01	0.35	0.03	0.2		0.17	0.17
贫农	—	3.49	3.49	1.81	0.26	0.24	0.14		0.01	0.01		0.08		0.1		0.07	0.07
雇农	—	2.77	2.62	1.92	0.23	0.38	0.38					0.04				0.01	0.01
其他	—	2.5	2	1	0.5	1											

·30·

一、合计

936年占有农业主要生产及生活用具

14表

阶级	户数	生产工具 水车	铁轮大车	胶轮大车	犁耠	种什	耙盖	生活用具 自行车	手电筒	矿石收音机	热水瓶	被褥（条）	备考
甲	1	2	3	4	5	6	7	8	9	10	11	12	13
合计	243	3.5	59		107.5	73	99	1.3				1381	
地主	7	1	5		8	5	9	0.3				92	
富农	23	0.25	15		21	17	24	1				222	
中农	98	1.25	36.5		69.5	41.5	58					617	
贫农	100	1	2.5		9	8.5	7					413	
雇农	13					1	1					34	
其他	2											3	

二、构成（%）

阶级	户数	水车	铁轮大车	胶轮大车	犁耠	种什	耙盖	自行车	手电筒	矿石收音机	热水瓶	被褥（条）	备考
合计	100	100	100	100	100	100	100	100	100	100	100	100	100
地主	2.82	28.68	8.45		7.44	6.85	9.09	23.08				6.66	
富农	9.47	5.82	25.35		19.53	23.29	24.24	76.92				16.0[illegible]	
中农	40.33	36.82	61.70		64.65	56.85	58.58					44.68	
贫农	41.15	28.68	4.50		8.38	11.64	7.07					29.90	
雇农	5.35					1.37	1.02					2.46	
其他	0.82											0.22	

·31·

一、合计　　　　1936年农付业及其它收入　　单位：元　　15表

阶级	户数	人数	植物栽培	六畜家畜家禽及其它产品：畜	鸡鸭及蛋	其它	采集渔猎收入	付业收入	工资收入	在外合寄回	从农业社取得收入	其中：劳动报酬	出租生产生活资料	其中：房租	救济补助及赠送	其它	合计
甲	1	2	3	4	5	6	7	8	9	10	11	12	13	14	15	16	17
合计	243	1229	69321.52	601.2	93.8	4.5	363.76	2947.63	4723.41	3491.54			85.50	40.00	201.86	98.5	81933.22
地主	7	42	8852.93							145.25							8998.18
富农	23	127	14977.94	138.6			31	110					85.50	40.00			15343.04
中农	98	552	33236.08	325.7	35		70.4	1613.84	626.22	2545.11					76.86		38529.21
贫农	100	445	11486.52	136.9	52.8	4.5	194.04	1204.89	2915.45	776.18					70	90.5	16932.18
佃农	13	54	767.65		6		43.52		1133.7	25					55	8	2038.87
其他	2	9					24.8	18.9	48.04								91.74
二、每人平均																	
合计	—	—	56.40	0.49	0.08		0.30	2.40	3.84	2.84			0.07	0.03	0.16	0.08	66.66
地主	—	—	210.78							3.46							214.24
富农	—	—	117.94	1.09			0.24	0.87					0.67	0.31			120.81
中农	—	—	60.21	0.59	0.06		0.13	2.92	1.13	4.61					0.19		69.84
贫农	—	—	25.82	0.31	0.12	0.01	0.44	2.70	6.55	1.74					0.16	0.20	38.04
佃农	—	—	14.22		0.01		0.81		20.99	0.46					1.02	0.15	37.66
其他	—	—					2.75	2.1	5.34								10.19

·22·

1936年付业情况

1.6表

一、合计

阶级	总户数	其中：有付业的户数	从业人数	其中：佣	兼业人数	产品价值或工资（元）	
						主产品	付产品
甲	1	2	3	4	5	6	7
合计	243	19	1		17	2765.74	
地主	7						
富农	23	1	1		1	110	
中农	98	8			8	636.49	
贫农	100	9			7	2000.35	
佣农	13						
其他	2	1			1	18.9	

二、构成（%）

阶级	总户数	其中：有付业的户数	从业人数	其中：佣	兼业人数	主产品	付产品
合计	100	100	100	100	100	100	100
地主	2.88						
富农	9.47	5.26	100		5.88	3.98	
中农	40.33	42.11			47.06	23.01	
贫农	41.15	47.37			41.18	72.33	
佣农	5.35						
其他	0.82	5.26			5.88	0.68	

·33·

一、合计　　　　　　1936年负债情况　　　　单位：元　　　　17表

阶级	总户数	其中：负债户数	年末负债累计：计	其中：货币	其中：向各类债主借款累计数：地主富农	中农	银行	信用社	钱庄	其它	全年应付利息
甲	1	2	3	4	5	6	7	8	9	10	11
合计	243	13	1703.59	1444.19	1630.83				72.76		416.33
地主	7	1	192.15	192.15	192.15						38.43
富农	23	1	120	120	120						36
中农	98	4	1033.61	774.21	960.85				72.76		270.64
贫农	100	5	258.66	258.66	258.66						42.51
雇农	13	2	99.17	99.17	99.17						28.75
其他	2										

二、每户平均

阶级	总户数	其中：负债户数	年末负债累计：计	其中：货币	地主富农	中农	银行	信用社	钱庄	其它	全年应付利息
合计	—	—	7.01	5.94	6.71				0.3		1.71
地主	—	—	27.45	27.45	27.45						5.49
富农	—	—	5.22	5.22	5.22						1.56
中农	—	—	10.55	7.9	9.80				0.74		2.76
贫农	—	—	2.58	2.58	2.58						0.43
雇农	—	—	7.63	7.63	7.63						2.21
其他	—	—									

·34·

1936年主要生活用品情况

一、合计　　　　18表

阶级	户数	吃饭人口	口粮消费 计	其中：细粮 计	其中：细粮 %	肉类（斤）	食油（斤）	棉布（尺） 计	其中：土布	灯油（斤）	煤炭（斤）	烟类 纸烟（合）	烟类 烟叶（斤）	酒（斤）	医药费（元）	供神费（元）	应酬费（元）	喜庆费（元）	丧葬费（元）
甲	1	2	3	4	5	6	7	8	9	10	11	12	13	14	15	16	17	18	19
合计	243	1211	385128	80853	20.98	3016.5	2325	16429	13569	2431	2000	1816	1602	426.5	357.06	138.68	690.18	262.88	28.6
地主	7	51	23110	10190	44.09	502	240	985	364	208	1500	100	72	40	4.1	22.2	203.7	37.75	
富农	23	135	52878	16080	30.40	747	500	2588	1614	327		660	177	108	140.5	9.8	154	58	14
中农	98	548	175406	39325	22.42	1367.5	1019	7947	7001	1106	500	576	721	126.5	183.26	72.54	285.68	148.24	13.2
贫农	100	429	123229	13728	11.14	368.5	527	4533	4261	741		580	580	151	28.2	27.84	46.8	17.9	2.4
雇农	13	38	9895	1484	14.98	30.5	39	366	319	43			45			7.3			
其他	2	9	610	46	7.53			10	10	6			7						

二、每人平均

阶级	户数	吃饭人口	口粮消费 计	其中：细粮 计	其中：细粮 %	肉类（斤）	食油（斤）	棉布（尺） 计	其中：土布	灯油（斤）	煤炭（斤）	烟类 纸烟（合）	烟类 烟叶（斤）	酒（斤）	医药费（元）	供神费（元）	应酬费（元）	喜庆费（元）	丧葬费（元）
合计	—	—	318.02	66.76	—	2.48	1.92	13.57	11.20	2	1.65	1.58	1.32	0.35	0.29				
地主	—	—	453.13	199.8	—	9.84	4.71	18.31	7.14	4.08	29.41	1.96	1.41	0.78	0.08				
富农	—	—	268.78	119.11	—	5.53	3.70	18.17	11.96	2.42		4.88	1.31	0.81	1.04				
中农	—	—	319.5	71.63	—	2.48	1.86	14.48	12.75	2.01	0.91	1.05	1.31	0.23	0.33				
贫农	—	—	287.25	32	—	0.86	1.23	10.57	0.98	1.73		1.35	1.35	0.35	0.07				
雇农	—	—	260.38	39.05	—	0.80	1.03	9.63	8.39	1.13			1.18						
其他	—	—	67.78	51.11	—			1.11	1.11	0.67			0.78						

·35·

1930—1936年反动统治时期所受损失

19表

阶级	总户数	其中受损户数	烧毁房屋(间)	拆毁房屋(间)	霸占土地(亩)	绑票勒索(元)	砍伐树木(株)	劫去粮食(斤)	劫去衣饰(件)	劫去牲畜(头)	劫去钱财(元)	杀死人数(人)	重伤残废人数(人)	抓壮丁人数(人)	义务劳役天数
甲	1	2	3	4	5	6	7	8	9	10	11	12	13	14	15
合计	247	5					1	1850		3					
地主	9														
富农	19	3						1800		2					
中农	92	1								1					
贫农	107	1					1	50							
雇农	18														
其他	2														

·36·

1946年调查资料

一、合计　　　　1946年调查户变动情况　　　　1表

阶级	1936年户数	期内变动					本户期数
		分出	迁入	合併	迁出	绝灭	
甲	1	2	3	4	5	6	7
合计	243	50	1	1	2	8	283
地主	7	1					8
富农	23			1			17
中农	98	37	1			1	140
贫农	100	12			2	3	115
雇农	13					4	2
其它	2						1

二、比重（%）

阶级	1936年户数	分出	迁入	合併	迁出	绝灭	本户期数
合计	100	100	100	100	100	100	100
地主	2.88	2					2.83
富农	9.47			100			6
中农	40.33	74.00	100			12.30	49.47
贫农	41.15	24.00			100	37.50	40.64
雇农	5.35					50.00	0.7
其它	0.82						0.36

一、合计　　1946年调查户阶级成分的演变　　2表

阶级	1936年户数	1946年户数						
		合计	地主	富农	中农	贫农	雇农	其他
甲	1	2	3	4	5	6	7	8
合计	243	283	8	17	140	115	2	
地主	7	8	8					
富农	23	22		17	5			
中农	98	135			135			
贫农	100	107				107		
雇农	13	9				7	2	
其它	2	2				1		
二、构成（%）								
合计	—	100	2.83	6	49.47	40.64	0.7	0.36
地主	—	100	100					
富农	—	100		77.27	22.73			
中农	—	100			100			
贫农	—	100				100		
雇农	—	100				77.78	22.22	
其它	—	100				50		50

·38·

1936——1946年调查户阶级演变原因

3表

一、合计

阶级	上升					下升					
	户数	剥削或投机致利	土地改革	勤俭及家属民员就业	其他	户数	被剥削或投机失败	分家	土地改革	赌博及其他不正当行为	灾祸或其他意外事故
甲	1	2	3	4	5	6	7	8	9	10	11
合计	8		8			5					5
地主											
富农						5					5
中农											
贫农											
佃农	7		7								
其他	1		1								
二、比重（%）											
合计	100		100			100					100
地主	100	—	—	—	—	100					
富农	100					100					100
中农	100					100					
贫农	100					100					
佃农	100		100			100					
其他	100		100			—	—	—	—	—	—

·39·

一、合计　　　　1946年人口与劳动力　　　　4表

阶级	户数	年末总人口数			在家常住人口						在外人口					
		合计	男	女	年内常住人口		其中：劳动力		年末常住人口		年内人口		其中：劳动力		年末人口	
					男	女	男	女	男	女	男	女	男	女	男	女
甲	1	2	3	4	5	6	7	8	9	10	11	12	13	14	15	16
合计	283	1446	760	686	665	665	425	390	667	670	93	16	86	12	93	16
地主	8	38	17	21	14	20	3	13	14	20	3	1	3	1	3	1
富农	17	93	45	48	43	48	22	30	44	48	1		1		1	
中农	140	761	389	372	338	356	217	211	339	362	51	10	45	6	50	10
贫农	115	549	304	245	266	241	175	136	266	240	38	5	36	5	38	5
佃农	2	4	4		4		3		4							
其他	1	1	1										1		1	
二、每户平均																
合计	—	5.11	2.69	2.42	2.35	2.35	1.50	1.38	2.36	2.37	0.33	0.06	0.30	0.04	0.33	0.05
地主	—	4.75	2.13	2.62	1.75	2.5	1.[illegible]	1.63	1.75	2.5	0.38	0.13	0.38	0.13	0.38	0.12
富农	—	5.47	2.65	2.82	2.52	2.82	1.29	1.76	2.59	2.82	0.06		0.06		0.06	
中农	—	5.44	2.78	2.66	2.41	2.54	1.55	1.51	2.42	2.59	0.36	0.07	0.32	0.04	0.36	0.07
贫农	—	4.77	2.64	2.13	2.31	2.10	1.52	1.18	2.31	2.10	0.33	0.04	0.31	0.04	0.33	0.03
佃农	—	2	2		2		1.5		2							
其他	—	1	1	—									1		1	

·1456·

一、合计　　　　1946年调查户常住人口劳动力的职业状况　　　　5表

阶级	劳动力数	其中职业状况									
		个体农民	个体手工业者	产业工人	小商贩	乡社干部	各类合作社员	自由职业者	宗教迷信职业者	旧军政机关人员	其他劳动者
甲	1	2	3	4	5	6	7	8	9	10	11
合计	815	471			2				1		
地主	21	3							1		
富农	52	21									
中农	428	255									
贫农	311	189			2						
雇农	3	3									
其他											
二、各类职业人数占常住人口劳动力的（%）											
合计	100	57.79			0.25				0.14		
地主	100	14.29							4.80		
富农	100	40.38									
中农	100	59.58									
贫农	100	60.77			0.64						
雇农	100	100									
其他	100										

一、合计

1946年调查户在外人口劳动力职业状况

6表

阶级	劳动力数	其中：职业状况 革命军政、机关国营、企业职工	个体手工业者	佃农	小商贩	工商业资本家	旧机关军政人员	私营企业职工	自由职业者	宗教迷信职业者	产业工人	合作社各类社员	其他劳动者
甲	1	2	3	4	5	6	7	8	9	10	11	12	13
合计	98	36	1		4		5	28	4	4	3		11
地主	4							2	1				
富农	1						1						
中农	51	22	1		2		2	4	3	3			7
贫农	41	13			2		2	12		1	3		4
佃农													
其他	1	1											
二、各类职业人数占在外人口劳动力的（%）													
合计	100	36.73	1.02		4.08		5.10	28.57	4.08	4.08	3.06		11.22
地主	100							50	25				
富农	100						100						
中农	100	43.14	1.96		3.92		3.92	7.84	5.88	5.88			13.73
贫农	100	31.71			4.90		4.90	29.27		2.44	7.32		9.80
佃农	100												
其他	100	100											

一、合计 ·1946年调查户年内常住人口的文化状况 7表

阶级	学令儿童（7—13岁）	其中：在学人数	十四岁以上人口	文化程度：文盲	初小程度	高小程度	初中程度	高中程度	大学程度
甲	1	2	3	4	5	6	7	8	9
合计	177	86	924	780	88	51	4	1	
地主	7	6	24	15	5	4			
富农	17	12	64	53	4	6	1		
中农	92	45	489	410	43	32	3	1	
贫农	61	23	344	299	36	9			
伊农			3	3					
其他									
二、构成（%）									
合计	100	39.55	100	84.42	9.50	5.52	0.43	0.13	
地主	100	85.71	100	62.50	20.83	16.67			
富农	100	70.59	100	82.81	6.30	9.38	1.51		
中农	100	48.91	100	83.84	8.80	6.54	0.61	0.21	
贫农	100	37.70	100	86.92	10.47	2.61			
伊农	100		100	100					
其他	100		100						

·43·

一、合计　　1946年调查户在外人口的文化状况　　8表

阶级	学龄儿童（7—13岁）	其中：在学人数	十四岁以上的人口	文化状况：文盲	初小程度	高小程度	初中程度	高中程度	大学程度
甲	1	2	3	4	5	6	7	8	9
合计	5	1	97	45	14	26	8	1	3
地主			4			1	1	1	1
富农			1			1			
中农	4		53	24	6	16	5		2
贫农	1	1	38	21	8	7	2		
雇农									
其他			1			1			
二、构成（%）									
合计	100	20	100	46.39	14.43	26.80	8.25	1	3.13
地主	100		100			25	25	25	25
富农	100		100			100			
中农	100		100	45.28	11.32	30.18	9.43		3.79
贫农	100	100	100	55.26	21.05	18.42	5.27		
雇农	100		100						
其他	100		100			100			

1946年农业伩佣

3表

一、合计

阶级	总户数	伩入·长工·有伩户工数	伩入·长工·占户总数(%)	伩入·长工·人数	伩入·长工·工资(元)	伩入·长工·平均工资	伩入·短零工·户数	伩入·短零工·占户总数(%)	伩入·短零工·天数	伩入·短零工·工资(元)	伩入·短零工·每户平均伩工(天)	伩入·短零工·每天平均工资	伩出·长工·有伩出户数	伩出·长工·占户总数(%)	伩出·长工·人数	伩出·长工·工资(元)	伩出·长工·平均工资(元)	伩出·短零工·户数	伩出·短零工·占户总数(%)	伩出·短零工·天数	伩出·短零工·工资(元)	伩出·短零工·每天平均工资	伩出·短零工·每户平均伩出天数
甲	1	2	3	4	5	6	7	8	9	10	11	12	13	14	15	16	17	18	19	20	21	22	23
合计	283	6	2.12	7	385.6	55.09	17	6.01	1871	893.05	110.06	0.48	8	2.83	10	662.7	66.27	42	14.84	3511	1613.29	0.46	83.5
地主	8	4	50	5	239	47.80	4	50	929	383.6	232.25	0.43											
富农	17	2	11.76	2	146.6	73.30	9	52.94	662	326.1	73.56	0.49											
中农	140						4	2.86	280	183.35	70	0.65	2	1.43	2	123.9	61.95	16	11.43	670	294.66	0.53	41.8
贫农	115												5	4.35	7	518.8	74.11	25	21.74	2451	1221.77	0.49	98
雇农	2												1	50	1	20	20	1	50	390	96.86	0.25	390
其他	1																						

二、每户平均

阶级	总户数	伩入·长工·有伩户工数	伩入·长工·占户总数(%)	伩入·长工·人数	伩入·长工·工资(元)	伩入·长工·平均工资	伩入·短零工·户数	伩入·短零工·占户总数(%)	伩入·短零工·天数	伩入·短零工·工资(元)	伩入·短零工·每户平均伩工(天)	伩入·短零工·每天平均工资	伩出·长工·有伩出户数	伩出·长工·占户总数(%)	伩出·长工·人数	伩出·长工·工资(元)	伩出·长工·平均工资(元)	伩出·短零工·户数	伩出·短零工·占户总数(%)	伩出·短零工·天数	伩出·短零工·工资(元)	伩出·短零工·每天平均工资	伩出·短零工·每户平均伩出天数
合计	—	—	—	0.02	1.36	—	—	—	6.61	3.16	—	—	—	—	0.04	2.34	—	—	—	12.40	5.70	—	—
地主	—	—	—	0.63	29.88	—	—	—	116.13	47.95	—	—	—	—			—	—	—			—	—
富农	—	—	—	0.12	8.63	—	—	—	38.94	19.18	—	—	—	—			—	—	—			—	—
中农	—	—	—			—	—	—	2	1.31	—	—	—	—	0.01	0.88	—	—	—	4.79	2.10	—	—
贫农	—	—	—			—	—	—			—	—	—	—	0.06	4.51	—	—	—	21.31	10.62	—	—
雇农	—	—	—			—	—	—			—	—	—	—	0.5	10	—	—	—	195	48.43	—	—
其他	—	—	—			—	—	—			—	—	—	—			—	—	—			—	—

一、合计

1946年土地占有与租典

单位：面积：亩
租额：谷市斤、元

10表

阶级	总户数	占有耕地 户数	占有耕地 耕地 计	占有耕地 耕地构成	占有耕地 其中：水浇地	占有耕地 非耕地	典入 户数	典入 耕地	典入 非耕地	典出 户数	典出 耕地	典出 非耕地	租入耕地 户数	租入耕地 粮租 面积	租入耕地 粮租 租额	租入耕地 钱租 面积	租入耕地 钱租 租额	租入耕地 未价有面租积	租出耕地 户数	租出耕地 粮租 面积	租出耕地 粮租 租额	租出耕地 钱租 面积	租出耕地 钱租 租额	租出耕地 未价有面租积	土地使用面积
甲	1	2	3	4	5	6	7	8	9	10	11	12	13	14	15	16	17	18	19	20	21	22	23	24	25
合计	283	281	4415.34	100	341	147.8	30	127.8		8	75.5		14	53.2	1340	27	130.2	60	3	70	1800				4537.84
地主	8	8	520	11.78	59	13.4				4	51		1					60	1	56	600				473
富农	17	17	557.5	12.63	73.7	17.66				2	10														547.5
中农	140	140	2399.8	54.35	144.5	77.9	15	56.1		2	14.5		5	17.5	400	11	38		1	10	1000				2459.9
贫农	115	115	936.54	21.21	63.8	38.74	15	71.7					8	35.7	940	16	92.2		1	4	200				1055.9
雇农	2	1	1.5	0.03		0.1																			1.5
其他	1																								
二、每户平均																									
合计	—	—	15.60	—	1.20	0.52	—	0.45		—	0.27		—	0.19	4.72	0.01	0.46	0.21	—	0.25	6.36				16.0
地主	—	—	65	—	7.38	1.68	—			—	6.38		—					7.5	—	7.00	75				59.1
富农	—	—	32.79	—	4.30	1.04	—			—	0.59		—						—						32.2
中农	—	—	17.14	—	1.03	0.60	—	0.40		—	0.10		—	0.12	2.90	0.08	0.30		—	0.07	7.14				17.5
贫农	—	—	8.14	—	0.60	0.34	—	0.62		—			—	0.31	8.17	0.14	0.80		—	0.03	1.74				9.1
雇农	—	—	0.75	—		0.05	—			—			—						—						0.7
其他	—	—		—			—			—			—						—						

注：每户平均系用总户数计算的。

·46·

1937—1946年土地变动情况　　计量单位：土地：亩　价值：元　　10表附表

年份	土地变动户数	买进		赎回		典入		典入、典绝		卖出		赎出		典出		典出、典绝	
		数量	价值	数量	价值	数量	价值	数量	价值	数量	价值	数量	价值	数量	价值	数量	价值
1937	8	11.3	953.78	2	181.9					14	820.74						
1938	7	18.2	1093.73							45.5	1894.54						
1939	10	14.1	954.41							31.8	1420.04						
1940	8	20.1	880.70			5	145.50										
1941	8	14	519.00							14	340.38					1.5	36.00
1942	3	12.4	497.50														
1943	10	36.3	1177.92							2	96.00			2.5	46.00		
1944	11	34	1055.14	2.5	50.00					24	740.00			4	160.00		
1945	19	67.79	1382.80			22	101.00			53.5	560.40						
1946	37	97	4866.59	5	88.00	45.7	663.80	3	70.00	44.4	1269.50			16	168.00	2	70.00

注：土地变动户数系重复计标，如一户在不同年度变动几次就标几次。　　·47·

一、合计

1946年农作物播种面积及产量

单位：面积：亩；产量：市斤；产值：元

11表

阶级	户数	总播种面积	粮食作物 播种面积合计	粮食作物 产量	小麦 播种面积	小麦 亩产	小麦 产量	玉米 播种面积	玉米 亩产	玉米 产量	谷子 播种面积	谷子 亩产	谷子 产量	高梁 播种面积	高梁 亩产	高梁 产量	薯类 播种面积	薯类 亩产	薯类 产量	大豆 播种面积	大豆 亩产	大豆 产量	其它杂粮 播种面积	其它杂粮 亩产	其它杂粮 总产量	棉花 播种面积	棉花 亩产	棉花 产量	其它作物 播种面积	其它作物 产值
甲	1	2	3	4	5	6	7	8	9	10	11	12	13	14	15	16	17	18	19	20	21	22	23	24	25	26	27	28	29	30
合计	283	6569.59	6282.6	819556	2163.65	125	271354	1798.45	121	217047.5	642.2	146	79251	1239.6	139	172898.5	102	238	24240	257.9	116	29837	178.3	139	24928	187	93.0	[illegible]	99.99	3211.0
地主	8	716.4	705	95994	253	127	32084	248	129	31930	50	166	8300	108	157	16980	1	300	300	26	122	3160	19	171	3240	2	100	200	9.4	248.0
富农	17	794.7	763.7	108995	257	145	37235	203	129	26205	66.5	152	10140	149.5	147	21960	9.5	241	2290	49.7	144	7170	28.5	140	3995	23.2	99	2794.5	7.8	325.
中农	140	3560.6	3378.4	444190.5	1177.1	126	148717	962.8	120	115666	292.5	150	43855	656.1	141	92377.5	68	241	16370	130.1	111	14445	91.8	139	12760	177	[illegible]	11118	55.2	1731.
贫农	115	1495.39	1433	170026.5	475.55	111.80	53168	383.65	112.38	43116.5	133.2	127.30	16956	325.5	127.53	41511	23.5	224.68	5280	52.1	97.15	5062	39.5	125	4933	34.8	111.55	3282	27.59	906.
雇农	2	2.5	2.5	350	1	150	150	1	130	130				0.5	140	70														
其他	1																													

二、每户平均

阶级	户数	总播种面积	粮食作物 播种面积合计	粮食作物 产量	小麦 播种面积	小麦 亩产	小麦 产量	玉米 播种面积	玉米 亩产	玉米 产量	谷子 播种面积	谷子 亩产	谷子 产量	高梁 播种面积	高梁 亩产	高梁 产量	薯类 播种面积	薯类 亩产	薯类 产量	大豆 播种面积	大豆 亩产	大豆 产量	其它杂粮 播种面积	其它杂粮 亩产	其它杂粮 总产量	棉花 播种面积	棉花 亩产	棉花 产量	其它作物 播种面积	其它作物 产值
合计	—	23.21		2.896	7.65	—	958.86	6.35	—	766.95	1.92	—	280	4.38	—	611	0.36	—	89.26	0.91	—	105	0.63	—	88	0.66	—	61.82	0.35	11.35
地主	—	89.55	88.13	11,999.3	31.63	—	4010.50	31	—	3991.25	6.25	—	1037.50	13.50	—	2122.50	0.125	—	37.50	3.25	—	395	2.38	—	405	0.25	—	25	1.18	18.5
富农	—	46.75	44.92	6,611.47	15.12	—	2190.29	11.94	—	1541.47	3.91	—	596.47	8.79	—	1291.76	0.56	—	134.71	2.92	—	421.76	1.67	—	234.99	1.36	—	134.97	0.46	19.21
中农	—	25.43	24.13	3172.79	8.4	—	1062	6.87	—	826.19	2.09	—	313.25	4.69	—	659.84	0.49	—	116.93	0.93	—	103.18	0.66	—	91.14	0.91	—	79.41	0.39	12.3
贫农	—	13.00	12.46	1478.49	4.14	—	462.33	3.30	—	374.93	1.15	—	147.44	2.83	—	360.97	0.20	—	45.91	0.45	—	48.55	0.34	—	42.90	0.30	—	33.76	0.24	7.88
雇农	—	1.25	1.25	175	0.5	—	75	0.5	—	65		—		0.25	—	35		—			—			—			—			
其他	—					—			—			—			—			—			—			—			—			

·43·

一、合计　　　　　1946年农作物播种面积构成　　　　单位面积：亩　　　　12表

阶级	总播种面积	粮食作物								棉花	其它作物
		合计	小麦	玉米	谷子	高粱	薯类	大豆	其它杂粮		
甲	1	2	3	4	5	6	7	8	9	10	11
合计	6569.59	6282.6	2163.65	1798.45	542.2	1239.6	102	257.9	178.8	187	99.99
地主	716.4	705	253	248	50	108	1	26	19	2	9.4
富农	794.7	763.7	257	203	66.5	149.5	9.5	49.7	28.5	23.2	7.8
中农	3560.6	3378.4	1177.1	962.8	292.5	056.1	68	130.1	91.8	127	55.2
贫农	1495.39	1433	475.55	383.65	133.2	325.5	23.5	52.1	39.5	34.8	27.59
雇农	2.5	2.5	1	1		0.5					
其他											

二、构成（%）

阶级	总播种面积	合计	小麦	玉米	谷子	高粱	薯类	大豆	其它杂粮	棉花	其它作物
合计	100	95.63	32.93	27.38	8.25	18.87	1.55	3.93	2.72	2.85	1.52
地主	100	98.41	35.32	34.62	6.98	15.08	0.13	3.63	2.65	0.28	1.31
富农	100	96.10	32.34	25.54	8.37	18.81	1.20	6.25	3.59	2.92	0.98
中农	100	94.88	33.06	27.04	8.21	18.43	1.90	3.66	2.58	3.57	1.55
贫农	100	95.83	31.80	25.66	8.91	21.76	1.57	3.48	2.65	2.33	1.84
雇农	100	100	40	40		20					
其他	100										

一、合计　　　　1946年房屋和牲畜　　　　13表

阶级	户数	占有房间数	现住房屋			生产用房			出借租房典屋	牲畜（头）						水井	其中：砖井
			间数	其中		间数	其中砖的	租借典入		大牲畜				小牲畜			
				砖的	租典借					牛	马	驴	骡	猪	羊		
甲	1	2	3	4	5	6	7	8	9	10	11	12	13	14	15	16	17
合计	283	1176	953.5	808	39	222.5	150		39	25	6	59	11	60		41	41
地主	8	103	43	43		47	47		13	2	1	1	4	3.5		4	4
富农	17	117.5	80	77		35.5	24.5		2	4	1	7	2.5	8.5		8	8
中农	140	605.5	512.5	445	23	102	54.5		14	17	4	35.5	4	33		21	21
贫农	115	348	315	241	15	38	24		10	2		15.5		15		8	8
雇农	2	2	3	2	1												
其他	1																

二、每户平均

阶级	1	2	3	4	5	6	7	8	9	10	11	12	13	14	15	16	17
合计	—	4.15	3.37	2.86	0.14	0.79	0.53		0.14	0.09	0.02	0.21	0.04	0.20		0.14	0.14
地主	—	12.88	5.38	5.38		5.88	5.88		1.63	0.25	0.125	0.125	0.56	0.44		0.5	0.5
富农	—	6.91	4.71	4.53		2.09	1.44		0.12	0.24	0.12	0.41	0.12	0.47		0.47	0.47
中农	—	4.32	3.66	3.18	0.16	0.73	0.39		0.10	0.12	0.03	0.25	0.03	0.24		0.15	0.15
贫农	—	3.03	2.74	2.10	0.13	0.33	0.21		0.09	0.02		0.14		0.14		0.07	0.07
雇农	—	1	1.5	1	0.5												
其他	—																

·50·

一、合计　　　　　　1946年占有农业主要生产及生活用具　　　　　　14表

阶级	户数	生产工具						生活用具					
		水車	铁轮大車	胶轮大車	犁耠	种什	耙盖	自行車	手电筒	矿石收音机	热水瓶	被褥(条)	畜玫
甲	1	2	3	4	5	6	7	8	9	10	11	12	13
合计	283	5.0	61	1	113	80	93	1				1429	
地主	8		6		8	6	11					89	
富农	17	1.0	11	1	15	13	19	1				150	
中农	140	4	38		73	48.5	48					723	
贫农	115		6		17	12.5	15					463	
雇农	2											4	
其他	1												

二、构成(%)

阶级	户数	水車	铁轮大車	胶轮大車	犁耠	种什	耙盖	自行車	手电筒	矿石收音机	热水瓶	被褥(条)	畜玫
合计	100	100	100	100	100	100	100	100	100	100	100	100	100
地主	2.83		9.84		7.08	7.50	11.83					6.23	
富农	6	20	18.03	100	13.27	16.25	20.43	100				10.50	
中农	49.47	80	62.30		64.60	60	51.61					50.59	
贫农	40.64		9.83		15.05	16.25	16.13					32.40	
雇农	0.71											0.28	
其他	0.35												

一、合计　　　　1946年农付业及其它收入　　　　单位：元　　　　15表

阶级	户数	人数	植物栽培	出售家畜家禽及其它产品		采集渔猎收入	付业收入	工资收入	在外人寄回	出租生产生活资料	其中：房租	救济补助及赠送	其它	合计
				猪	鸡鸭及蛋									
甲	1	2	3	4	5	6	7	8	9	10	11	12	13	14
合计	283	1330	79505.36	813.5	133.8	438.08	3393.3	2712.33	1489	351.48	169	140	339	89315.85
地主	8	34	8490.41						100	211.18	169		250	9051.59
富农	17	91	10183.48	66.5		16								10265.98
中农	140	694	42077.05	531	48.7	116	2224	7821	979	70.30				46828.15
贫农	115	507	18719.69	216	85.1	306.08	1169.3	1813.37	410	70		140	89	23018.54
佣农	2	4	34.73					116.86						151.59
其它	1													
二、每人平均														
合计	—	—	59.78	0.61	0.10	0.33	2.55	2.04	1.12	0.26	0.12	0.11	0.25	67.15
地主	—	—	249.73						2.94	6.21	4.97		7.35	266.23
富农	—	—	111.91	0.73		0.18								112.82
中农	—	—	60.63	0.77	0.07	0.17	3.20	1.13	1.41	0.10				67.48
贫农	—	—	36.92	0.43	0.17	0.60	2.31	3.58	0.81	0.14		0.28	0.17	45.41
佣农	—	—	8.68					29.22						27.90
其它	—	—												

·52·

一、总计　　　　　　　1946年付业情况　　　　　　　16表

阶级	总户数	其中：有付业的户数	从业人数	其中：佣	兼业人数	产品价值或工资（元）	
						主产品	付产品
甲	1	2	3	4	5	6	7
合计	283	24	2		23	2451.37	
地主	8						
富农	17						
中农	140	14			13	1763.37	
贫农	115	10	2		10	688.0	
佣农	2						
其他	1						
二、构成（%）							
合计	100	100	100	100	100	100	100
地主	2.83						
富农	6						
中农	49.47	58.33			56.52	71.93	
贫农	40.64	41.67	100		43.48	28.07	
佣农	0.71						
其他	0.35						

·53·

一、合计

1.9　年负债情况　单位：元　17表

阶级	总户数	其中：负债户数	年末负债累计		其中：向各类债主借款累计数						全年应付利息
			计	其中：货币	地主富农	中农	银行	信用社	钱庄	其它	
甲	1	2	3	4	5	6	7	8	9	10	11
合计	283	5	289.38	289.38	216.38				25	48	67.89
地主	8										
富农	17										
中农	140	4	259.38	259.38	186.38				25	48	64.89
贫农	115	1	30	30	30						3.0
佣农	2										
其他	1										
二、每户平均											
合计	—	—	1.02	1.02	0.76				0.09	0.17	0.24
地主	—	—									
富农	—	—									
中农	—	—	1.86	1.86	1.34				0.18	0.34	0.47
贫农	—	—	0.26	0.26	0.26						0.03
佣农	—	—									
其他	—	—									

·54·

1946年主要生活用品情况

一、合計 18表

阶级	户数	吃饭人口	口粮消费 計	其中：细粮 計	其中：细粮 %	肉类(斤)	食油(斤)	棉布(尺) 計	其中：土布	灯油(斤)	煤炭(斤)	烟类 纸烟(包)	烟类 烟叶(斤)	酒(斤)	医药费(元)	敬神费(元)	应酬费(元)	喜庆费(元)	丧葬费(元)
甲	1	2	3	4	5	6	7	8	9	10	11	12	13	14	15	16	17	18	19
合计	283	1330	412604	90984	22.65	3640	2825.5	19780	14463	2793	4300	470	2389	368	717.6	96.3	564.7	578.6	412.6
地主	8	39	16708	7580	45.37	348	167	760	195	123	2800	85	42	28		12.7	100		
富农	17	94	35398	10650	30.09	607	441	1838	1206	260	500	159	704	36	341	8.7	113	36	104.7
中农	140	695	225204	53035	23.55	2059	1478	10643	7216	1500	1000	184	938	149	328.6	43.5	322.6	513	272.8
贫农	115	500	134784	19649	14.58	623	736.5	6501	5808	900		42	665	155	48	31.4	29.1	29.6	35.1
雇农	2	2	510	70	13.73	3	3	38	38	10			40						
其他	1																		

二、每人平均

阶级	户数	吃饭人口	口粮消费 計	其中：细粮 計	其中：细粮 %	肉类(斤)	食油(斤)	棉布(尺) 計	其中：土布	灯油(斤)	煤炭(斤)	烟类 纸烟(包)	烟类 烟叶(斤)	酒(斤)	医药费(元)	敬神费(元)	应酬费(元)	喜庆费(元)	丧葬费(元)
合计	—	—	310.23	68.41	—	2.74	2.12	14.87	10.87	2.10	3.23	0.35	1.80	0.28	0.54				
地主	—	—	428.41	194.36	—	8.92	4.28	19.48	5	3.15	71.78	2.18	1.07	0.72					
富农	—	—	376.57	113.30	—	6.46	4.69	19.55	12.83	2.77	5.32	1.69	7.49	0.38	3.63				
中农	—	—	324.03	76.31	—	2.96	2.13	15.31	10.38	2.16	1.44	0.21	1.35	0.21	0.34				
贫农	—	—	269.57	39.30	—	1.25	1.47	13.00	11.60	1.80		0.08	1.33	0.31	0.10				
雇农	—	—	255.	35.	—	1.5	1.5	19.	19	5			20						
其他	—	—			—														

1937——1945年反动统治时期所受损失

19表

阶级	总户数	其中受损户数	烧毁房屋（间）	拆毁房屋（间）	霸占土地（亩）	绑票勒索（元）	砍伐树木（株）	抢去粮食（斤）	抢去衣饰（件）	抢去牲畜（头）	抢去钱财（元）	杀死人数（人）	重伤残废人数（人）	抓壮丁人数（人）	义务劳役天数
甲	1	2	3	4	5	6	7	8	9	10	11	12	13	14	15
合计	243	192	3.5	1		939.72	551	11015	377	4	50	1	12	5	28449
地主	7	8				44	132	4680	106						
富农	23	14				433.72	41	2100	4			1		1	8650
中农	98	99	3.5	1		371	248	3730	198	2			6	3	2065
贫农	100	71				80	130	505	69	2	50		6	1	17734
雇农	13														
其他	2														

·56·

1957年调查资料

一、合计

1957年调查户变动情况

1表

阶级	1946年户数	期内变动				
		分出	迁入	合併	迁出	绝灭
甲	1	2	3	4	5	6
合计	283	62	10		6	4
地主	8				1	
富农	17	8				
中农	140	45	2		4	
贫农	115	9	8		1	4
雇农	2					
其它	1					

二、比重(%)

阶级	1946年户数	分出	迁入	合併	迁出	绝灭
合计	100	100	100	100	100	100
地主	2.83				16.67	
富农	6	12.9				
中农	49.47	72.58	20		66.67	
贫农	40.64	14.52	80		16.66	100
雇农	0.71					
其它	0.35					

·57·

1957年调查户阶級成份的演变

2表

一、合计

阶级	1946年户数	1957年户数						
		合计	地主	上中农	中农	下中农	雇农	其他
甲	1	2	3	4	5	6	7	8
合计	283	345		127	157	61		
地主	8	7		1	6			
富农	17	25		10	15			
中农	140	183		114	69			
贫农	115	127		2	67	58		
雇农	2	2				2		
其它	1	1				1		

二、构成（%）

阶级	1946年户数	合计	地主	上中农	中农	下中农	雇农	其他
合计	—	100		36.81	45.51	17.68		
地主	—	100		14.29	35.71			
富农	—	100		40	60			
中农	—	100		62.30	37.70			
贫农	—	100		1.57	52.76	45.67		
雇农	—	100				100		
其它	—	100				100		

58

1947——1957年调查户阶级演变原因

3表

一、合计

阶级	上升					下降					
	户数	剥削或投机获利	土地改革	勤俭及家属成员就业	其他	户数	被剥削或投机失败	分家	土地改革	赌博及其他不正当行为	灾祸或其它意外事故
甲	1	2	3	4	5	6	7	8	9	10	11
合计	244		164	35	45	32			32		
地主						7			7		
富农						25			25		
中农	114		34	35	45						
贫农	127		127								
佃农	3		3								佃农3户内含有其它户1户
其他											

二、比重（%）

阶级	1	2	3	4	5	6	7	8	9	10	11
合计	100		67.22	14.34	18.44	100			100		
地主	100	—	—	—	—	100			100		
富农	100					100			100		
中农	100		29.82	30.70	39.48	100					
贫农	100		100			100					
佃农	100		100			—	—	—	—	—	—
其他											

·59·

1957年人口与劳动力

4表

一、合计

阶级	户数	年末总人口数			在家常住人口						在外人口					
		合计	男	女	年内常住人口		其中：劳动力		年末常住人口		年内人口		其中：劳动力		年末人口	
					男	女	男	女	男	女	男	女	男	女	男	女
甲	1	2	3	4	5	6	7	8	9	10	11	12	13	14	15	16
合计	345	1842	967	975	767	833	387	403	765	833	206	142	158	75	202	142
上中农	127	687	358	329	227	233	136	144	225	235	136	94	93	53	133	94
中农	157	861	431	430	370	391	180	190	371	389	61	41	56	20	60	41
下中农	61	394	178	216	170	209	71	69	169	209	9	7	9	2	9	7
其他																

二、每户平均

阶级	户数	合计	男	女	男	女	男	女	男	女	男	女	男	女	男	女
合计	—	5.12	2.80	2.82	2.20	2.41	1.12	1.16	2.21	2.41	0.60	0.41	0.46	0.21	0.59	0.41
上中农	—	5.41	2.82	2.54	1.78	1.82	1.07	1.13	1.77	1.85	1.07	0.74	0.73	0.41	1.05	0.74
中农	—	5.47	2.74	2.73	2.35	2.41	1.14	1.21	2.36	2.47	0.38	0.26	0.35	0.12	0.38	0.26
下中农	—	6.46	2.82	3.54	2.78	3.43	1.16	1.13	2.77	3.43	0.15	0.11	0.15	0.03	0.15	0.11
其他	—															

1957年调查户常住人口劳动力的职业状况

一、合计

5表

阶级	劳动力数	其中：职业状况									
		个体农民	个体手工业者	产业工人	小商贩	乡社干部	各类合作社员	自由职业者	宗教及迷信职业者	旧军政机关人员	其他劳动者
甲	1	2	3	4	5	6	7	8	9	10	11
合计	790		1		1	6	648	1	1		1
上中农	280					1	225	1	1		1
中农	370		1		1	4	309				
下中农	140					1	114				
其他											

二、各类职业人数占常住人口劳动力的（%）

阶级	劳动力数	个体农民	个体手工业者	产业工人	小商贩	乡社干部	各类合作社员	自由职业者	宗教及迷信职业者	旧军政机关人员	其他劳动者
合计	100		0.13		0.13	0.76	86.58	0.13	0.13		0.13
上中农	100					0.36	80.36	0.36	0.36		0.36
中农	100		0.27		0.27	1.08	83.51				
下中农	100					0.71	81.43				
其他	100										

一·合计　　　　1957年调查户在外人口劳动力职业状况　　　　6表

阶级	劳动力数	其中：职业状况											
		革命军政机关国营企业职工	个体手工业者	雇农	小商贩	工商业资本家	旧机关军政人员	私营企业职工	自由职业者	宗教迷信职业者	产业工人	各类合作社社员	其他劳动者
甲	1	2	3	4	5	6	7	8	9	10	11	12	13
合计	233	98	1		3			1			67	5	12
上中农	146	63			2			1			32	3	6
中农	76	34	1		1						30	2	5
下中农	11	1									5		1
其他													

二、各类职业人数占在外人口劳动力的（%）

阶级	劳动力数	革命军政机关国营企业职工	个体手工业者	雇农	小商贩	工商业资本家	旧机关军政人员	私营企业职工	自由职业者	宗教迷信职业者	产业工人	各类合作社社员	其他劳动者
合计	100	42.06	0.43		1.29			0.43			28.75	2.15	5.15
上中农	100	43.15			1.13			0.68			21.92	2.06	4.12
中农	100	44.73	1.3		1.3						39.47	2.60	6.58
下中农	100	9.10									45.45		9.10
其他	100												

·62·

一、合计　　1957年调查户年内常住人口的文化状况　　7表

阶级	学令儿童（7—13岁）	其中：在学人数	十四岁以上人口	文化状况					
				文盲	初小程度	高小程度	初中程度	高中程度	大学程度
甲	1	2	3	4	5	6	7	8	9
合计	302	227	882	664	112	79	26		1
上中农	72	65	310	228	32	35	14		1
中农	135	101	410	312	59	30	9		
下中农	95	61	162	124	21	14	3		
其他									

二、构成（%）

阶级	学令儿童（7—13岁）	其中：在学人数	十四岁以上人口	文盲	初小程度	高小程度	初中程度	高中程度	大学程度
合计	100	75.16	100	75.28	12.70	8.96	2.95		0.11
上中农	100	90.28	100	73.55	10.32	11.29	4.52		0.32
中农	100	74.81	100	76.10	14.39	7.32	2.19		
下中农	100	64.21	100	76.54	12.96	8.64	1.86		
其他	100		100						

·63·

一、合计　　　　　　1957年调查户在外人口的文化状况　　　　　　8表

阶级	学令儿童(7-13岁)	其中：在学人数	十四岁以上的人口	文化状况：文盲	初小程度	高小程度	初中程度	高中程度	大学程度
甲	1	2	3	4	5	6	7	8	9
合计	26	20	242	89	53	66	27	2	5
上中农	18	13	150	56	27	46	17	1	3
中农	7	7	80	26	23	19	9	1	2
下中农	1		12	7	3	1	1		
其他									

二、构成(%)

阶级	学令儿童(7-13岁)	其中：在学人数	十四岁以上的人口	文盲	初小程度	高小程度	初中程度	高中程度	大学程度
合计	100	76.92	100	36.78	21.90	27.27	11.16	0.83	2.06
上中农	100	72.22	100	37.33	18	30.67	11.33	0.70	1.97
中农	100	100	100	32.50	28.75	23.75	11.25	1.25	2.50
下中农	100		100	58.33	25	8.33	8.34		
其他	100		100						

·64·

一、合计　　　　1957年土地占有与租典　　单位：面积：亩　租额：谷市斤、元　　10表

阶级	总户数	占有耕地					典入			典出			租入耕地						租出耕地						使用土地面积
		户数	耕地			非耕地	户数	耕地	非耕地	户数	耕地	非耕地	户数	粮租		钱租		未折价有面租积	户数	粮租		钱租		未折价有面租积	
			计	耕地梯成	其中水浇地									面积	租额	面积	租额			面积	租额	面积	租额		
甲	1	2	3	4	5	6	7	8	9	10	11	12	13	14	15	16	17	18	19	20	21	22	23	24	25
合计	345	345	424.2	100	119.8[illegible]	210.[illegible]																			424.2
上中农	127	127	128.99	30.4	41.7	83.84																			128.99
中农	157	157	198.51	47.03	53.85	68.76																			198.51
下中农	61	61	96.7	22.57	24.31	57.44																			96.7
其他																									

二、每户平均

阶级	1	2	3	4	5	6	7	8	9	10	11	12	13	14	15	16	17	18	19	20	21	22	23	24	25
合计	—	—	1.23	—	0.30	0.61	—			—			—						—						1.23
上中农	—	—	1.02	—	0.33	0.66	—			—			—						—						1.02
中农	—	—	1.26	—	0.34	0.44	—			—			—						—						1.26
下中农	—	—	1.59	—	0.40	0.94	—			—			—						—						1.59
其他	—	—		—			—			—			—						—						

注：每户平均系用总户数计算的。

·65·

1947—1957年土地变动情况

计量单位　土地　亩
价值：元

10表附表

年份	土地变动户数	买进		赎回		典入		典入、典绝		卖出		赎出		典出		典出、典绝	
		数量	价值	数量	价值	数量	价值	数量	价值	数量	价值	数量	价值	数量	价值	数量	价值
1947	8	16.5	890.14			11	31.00			16	388.00						
1948	11	13.8	387.50							24.5	496.66						
1949	10	24.83	695.5							3.5	57.70						
1950	17	38.1	1074.15							27	676.60						
1951	11	43.4	658.70							15.5	401.90						
1952	11	18.7	444.50							22	422.00						
1953	12	20.5	528.30							22	788.60						
1954	3	6.6	157.00							2	49.00						

注：土地变动户数系重复计标，如一户在不同年度变动几次就标几次。

·66·

面积：亩
单位：产量：市斤
产值：元

11表

1957年农作物播种面积及产量

一、合计

阶级	户数	总播种面积	粮食作物		小麦			玉米			谷子			高粱			薯类			大豆			其它杂粮			棉花			其它作物	
			播种面积合计	产量	播种面积	亩产	产量	播种面积	亩产	产量	播种面积	亩产	产量	播种面积	亩产	产量	播种面积	亩产	产量	播种面积	亩产	产量	播种面积	亩产	产量	播种面积	亩产	产量	播种面积	产值
甲	1	2	3	4	5	6	7	8	9	10	11	12	13	14	15	16	17	18	19	20	21	22	23	24	25	26	27	28	29	30
合计	345	432.97	316.81	52582	1.2	125	150	187.35	118	22105	0.6	235	141	1.9	272	517	113.87	248	28187.5	2.01	129	259.5	9.88	123	1222				116.16	632
上中农	127	132.93	94.21	14165.5	0.5	140	70	64.24	115	7334	0.6	235	141	0.4	280	112	25.1	241	6045.5	0.44	136	60	2.93	120	353				38.72	218
中农	157	200.3	147.52	26048	0.7	114	80	81.05	122	9909.5							61.05	253	15464	0.37	101	37.5	4.35	128	557				52.78	290
下中农	61	99.74	75.02	12368.5				42.06	114	4811.5				1.5	270	405	27.72	241	6678	1.2	135	162	2.6	120	312				24.66	123
其它																														

二、每户平均

阶级	户数	总播种面积	粮食作物播种面积合计	粮食作物产量	小麦播种面积	小麦亩产	小麦产量	玉米播种面积	玉米亩产	玉米产量	谷子播种面积	谷子亩产	谷子产量	高粱播种面积	高粱亩产	高粱产量	薯类播种面积	薯类亩产	薯类产量	大豆播种面积	大豆亩产	大豆产量	其它杂粮播种面积	其它杂粮亩产	其它杂粮产量	棉花播种面积	棉花亩产	棉花产量	其它作物播种面积	其它作物产值
合计	—	1.25	0.92	152		—	0.43	0.54	—	64.07		—	0.41		—	1.50	0.33	—	81.70		—	0.75	0.03	—	3.54		—		0.34	1.8
上中农	—	1.05	0.74	111.54		—	0.56	0.51	—	5.81		—	1.11		—	0.88	0.20	—	47.60		—	0.47		—	2.80		—		0.30	17.1
中农	—	1.28	0.94	166		—	0.51	0.52	—	63.12		—			—		0.39	—	98.50		—	0.24	0.03	—	3.55		—		0.34	18.[illegible]
下中农	—	1.64	1.23	202.76		—		0.69	—	78.88		—			—	6.64	0.45	—	109.48		—	2.66		—	5.11		—		0.40	20
其它	—					—			—			—			—			—			—			—			—			

1957年农作物播种面积构成

单位面积：亩　　12表

一、合计

阶级	总播种面积	粮食作物								棉花	其它作物
		合计	小麦	玉米	谷子	高粮	薯类	大豆	其它杂粮		
甲	1	2	3	4	5	6	7	8	9	10	11
合计	432.97	316.81	1.2	187.35	0.6	1.9	113.87	2.01	9.88		116.16
上中农	132.93	94.21	0.5	64.24	0.6	0.4	25.1	0.44	2.93		38.72
中农	200.3	147.52	0.7	81.05			61.05	0.37	4.35		52.78
下中农	99.74	75.08		42.06		1.5	27.72	1.2	2.6		24.66
其他											

二、构成（%）

阶级	总播种面积	合计	小麦	玉米	谷子	高粮	薯类	大豆	其它杂粮	棉花	其它作物
合计	100	73.17	0.28	43.27	0.14	0.44	26.30	0.46	2.28		26.83
上中农	100	70.87	0.38	48.33	0.45	0.30	18.88	0.33	2.20		29.13
中农	100	73.65	0.35	40.46			30.48	0.19	2.17		26.35
下中农	100	75.28		42.17		1.50	27.79	1.21	2.61		24.72
其他	100										

1957年房屋和牲畜

一、合计　　　　　　　　　　　　　　　　　　　　　　　　13表

阶级	户数	佔有间房数	现住房屋 间数	现住房屋 其中砖的	现住房屋 中租典借	生产用房 间数	生产用房 其中砖的	生产用房 租借典入	出借租典房屋	大牲畜(头) 牛	大牲畜(头) 马	大牲畜(头) 驴	大牲畜(头) 骡	小牲畜(头) 猪	小牲畜(头) 羊	水井	其中砖井
甲	1	2	3	4	5	6	7	8	9	10	11	12	13	14	15	16	17
合计	345	1232	1070.5	962.5	19	158.5	96.5		22			1		48	30		
上中农	127	487.5	417.5	382	9	71	50.5		8			1		20	19		
中农	157	554	484	428.5	5	66	38.5		9					20	5		
下中农	61	190.5	169	152	5	21.5	7.5		5					8	6		
其他																	

二、每户平均

阶级	户数	佔有间房数	现住房屋 间数	现住房屋 其中砖的	现住房屋 中租典借	生产用房 间数	生产用房 其中砖的	生产用房 租借典入	出借租典房屋	牛	马	驴	骡	猪	羊	水井	其中砖井
合计	—	3.57	3.10	2.79	0.06	0.46	0.28		0.06					0.13	0.09		
上中农	—	3.84	3.29	3.01	0.07	0.56	0.40		0.06					0.15	0.15		
中农	—	3.53	3.10	2.73	0.03	0.42	0.25		0.06					0.13	0.03		
下中农	—	3.12	2.77	2.49	0.08	0.35	0.12		0.08					0.13	0.10		
其他	—																

·59·

1957年占有农业主要生产及生活用具

㈠合计　　　　　　　　　　　　　　　　　　　　　　　　　　14表

阶级	户数	生产工具						生活用具					
		水車	铁大轮車	胶大轮車	犁耠	种什	耙盖	自行車	手电筒	矿石收音机	热水瓶	被褥(条)	备攷
甲	1	2	3	4	5	6	7	8	9	10	11	12	13
合计	345							3	80	30	91	1861	
上中农	127							2	46	17	52	667	
中农	157							1	30	12	29	885	
下中农	61								4	1	10	308	
其他													

㈡构成(%)

阶级	户数	水車	铁大轮車	胶大轮車	犁耠	种什	耙盖	自行車	手电筒	矿石收音机	热水瓶	被褥(条)	备攷
合计	100	100	100	100	100	100	100	100	100	100	100	100	100
上中农	36.81							66.67	57.50	56.67	57.14	35.84	
中农	45.51							33.33	37.50	40	31.87	47.56	
下中农	17.68								5.	3.33	10.99	16.60	
其他													

·70·

1957年农付业及其它收入

单位：元　　15表

阶级	户数	人数	植物栽培	出售家畜家禽及其它产品					采集渔猎收入	付业收入	其中：纯收入	工资收入	在外人口寄回	从社农业取得收入	其中：劳动报酬	出租生产生活资料	其中：房租	救济补助及赠送	其它	合计
				猪	羊	鸡鸭及蛋	其他	肥料												
甲	1	2	3	4	5	6	7	8	9	10	11	12	13	14	15	16	17	18	19	20
合计	345	1598	10292.77	535.30	45.00	268.16	12.20	985.37	560.80	1725.70	88490.74	6221.60	15060.00	37475.00	48810	108.00	109.00	2843.34	971.50	127555.74
上中农	127	459	3250.17	327.30	30.00	58.66	59.00	268.45	134.00	331.20	36364.28	2864.50	9781.00	31459.36	17480.44	109.00	109.00	1111.46	601.20	50333.70
中农	157	761	4855.43	154.00		122.20	63.00	522.06	278.30	492.00	38615.04	2745.60	4585.00	41427.43	23031.57			1240.88	68.70	57010.90
下中农	61	379	2137.17	54.00	15.00	86.30		180.36	148.50	402.50	13511.42	608.50	634.00	15087.71	8387.98			491.00	301.60	20211.14
其他																				
二每人平均																				
合计	—	—	6.41	0.34	0.03	0.17	0.01	0.62	0.35	1.08	55.34	3.88	9.42	55.02	30.58	0.07	0.07	1.78	0.60	79.78
上中农	—	—	7.10	0.71	0.07	0.13	0.01	0.58	0.29	0.72	78.23	6.24	21.31	68.54	38.11	0.24	0.24	2.42	1.31	108.66
中农	—	—	6.38	0.20		0.16	0.01	0.68	0.37	1.30	50.74	3.61	6.04	54.49	30.26			1.63	0.08	74.82
下中农	—	—	5.64	0.14	0.04	0.23		0.51	0.38	1.06	35.65	1.61	1.80	38.31	22.13			1.28	0.80	53.32
其他	—	—																		

·71

1957年付业情况

16表

阶级	总户数	其中：有付业的户数	从业人数	其中：雇佣	兼业人数	产品价值或工资（元）	
						主产品	付产品
甲	1	2	3	4	5	6	7
合计	345	32	1		34	2417.5	
上中农	127	12			13	1032.	
中农	157	14	1		14	1074.	
下中农	61	6			7	311.5	
其他							
二、构成（%）							
合计	100	100	100	100	100	100	100
上中农	36.81	37.50			38.24	42.69	
中农	45.51	43.75	100		41.18	44.43	
下中农	17.68	18.75			20.58	12.88	
其他							

·72·

一、合计

1957年负债情况

单位：元　　　　17表

阶级	总户数	其中：负债户数	年末负债累计：计	年末负债累计：其中：货币	其中：向各类债主借欠累计数：地主富农	中农	银行	信用社	钱庄	其它	全年应付利息
甲	1	2	3	4	5	6	7	8	9	10	11
合计	345	15	350	350			6	94		250	6.35
上中农	127	3	41	41			6	10		25	0.83
中农	157	7	223	223				61		162	4.02
下中农	61	5	86	86				23		63	1.5
其他											
二、每户平均											
合计	——	——	1.01	1.01			0.02	0.27		0.72	0.02
上中农	——	——	0.32	0.32			0.05	0.03		0.20	
中农	——	——	1.42	1.42				0.38		1.03	0.03
下中农	——	——	1.41	1.41				0.38		1.03	0.02
其他	——	——									

·73·

19 年主要生活用品情况

18表

一、合计

阶级	户数	吃饭人口	口粮消费 计	其中：细粮 计	其中：细粮 %	肉类(斤)	食油(斤)	棉布(尺) 计	其中：土布	灯油(斤)	煤炭(斤)	烟类 卷烟(合)	烟类 烟叶(斤)	酒(斤)	医药费(元)	供神费(元)	应酬费(元)	喜庆费(元)	丧葬费(元)
甲	1	2	3	4	5	6	7	8	9	10	11	12	13	14	15	16	17	18	19
合计	345	1599	551676	120355	21.82	2538	4347	23850	5777	3220	312105	1606	2188	207	1850.5	26.05	190.6	198.75	116
上中农	127	460	165242	40318	24.4	1095	1313	7820	2117	1144	126000	1246	808	96	854	15.6	119	67.7	33
中农	157	760	265265	55727	21.01	110	2068	11556	2370	1506	148600	355	1075	104	831.2	7.65	66.6	120.25	37
下中农	61	379	121169	24310	20.06	41	966	4544	1210	570	38505	5	316	7	165.3	2.8	5	10.8	46
其他																			

二、每人平均

阶级	户数	吃饭人口	口粮消费 计	其中：细粮 计	其中：细粮 %	肉类(斤)	食油(斤)	棉布(尺) 计	其中：土布	灯油(斤)	煤炭(斤)	烟类 卷烟(合)	烟类 烟叶(斤)	酒(斤)	医药费(元)	供神费(元)	应酬费(元)	喜庆费(元)	丧葬费(元)
合计	—	—	345	75.27	—	1.58	2.72	14.98	3.61	2.01	185.19	1.00	1.38	0.13	1.16				
上中农	—	—	358.00	87.65	—	2.40	2.85	17.00	4.60	2.48	271.74	2.70	1.76	0.21	1.86				
中农	—	—	348.00	73.32	—	1.45	2.72	15.24	3.12	1.98	185.53	0.47	1.38	0.14	1.08				
下中农	—	—	319.71	64.14	—	0.90	2.55	11.98	3.40	1.50	101.60	0.01	0.33	0.01	0.44				
其他	—	—			—														

1946—1848反动统治时期所受损失

19表

阶级	总户数	其中受损户数	烧毁房屋（间）	拆毁房屋（间）	霸占土地（亩）	绑票勒索（元）	砍伐树木（株）	劫去粮食（斤）	劫去衣饰（件）	劫去牲畜（头）	劫去钱财（元）	杀死人数（人）	重伤残废人数（人）	抓壮丁人数（人）	义务劳役天数
甲	1	2	3	4	5	6	7	8	9	10	11	12	13	14	15
合计	283	12	2				4	505	31	2					270
地主	8														
富农	17	1					4		2						
中农	140	9	2					190	24	2					270
贫农	115	2						315	5						
雇农	2														
其他	1														

·75·

土改收益户分得财产情况

20表

阶级	总户数	其中：收益户数	房屋（间）	土地（亩）	粮食（斤）	牲畜（头）	农具（件）	（1）铁車	（2）水車	（3）锄、种什	傢俱（件）	（1）缸	（2）櫈、椅、箱	（3）锅	现款（人民币）	取消借款（元）	退还押款	取消欠款	典地改死地	其它
甲	1	2	3	4	5	6	7	8	9	10	11	12	13	14	15	16	17	18	19	20
合计	257	134	65.5	801.8	2714	7		5	2	4		43	83	4		180			103.2	
中农	140	29	8	70.8	239	0.25		2	1			7	11	1					28	
贫农	115	104	57.5	725	2425	6.75		3	1	4		36	72	4		180			75.2	
雇农	2	1		6																
其它																				

·76·

附　录

1957年度农业社经济情况

1957年度农业生产合作社经济情况

一、基本情况

户数	人口		其中：参加社的劳动力数		社内集体经营农业用地（市亩）		社员自留地（市亩）	社公有办公用房（间）	社公有水井（口）		社七月一日集体喂养牲畜（头）				年末占有主要生产及工作用具件数				
	男	女	男	女	旱田	其中：水浇地			计	其中：机井	牛	马	驴	猪	水車	铁轮大車	胶轮大車	双（单）铧犁	自行車
甲	1	2	3	4	5	6	7	8	9	10	11	12	13	14	15	16	17	18	19
351	800	845	357	294	3935	221	472.4	6	33	9	27	10	45	12	31	35	4	1	1

二、农作物播种面积及产量

项目	小麦	谷	玉米	高粱	薯类	大豆	籽棉	其它杂粮	花生	备注
甲	1	2	3	4	5	6	7	8	9	10
播种面积	2211	197	1707	491	113	849	312	250	203	
亩产	76.69	98.87	123.70	165.18	481.65	91.94	86.18	60.97	184.58	
总产量	169570	19477	211149	81104	54426	78059	26888	15548	3747	薯类以4斤折1斤粮

·77·

三、产值与分配

农付业产值（元）			年内分配（元）								
植物栽培	付业	合计	总支出	缴税	其中：农业税	生产费用	管理费用	公积金	公益金	劳动报酬	其它
甲	1	2	3	4	5	6	7	8	9	10	11
84975	3000	87975	87975	11158	11158	17360	839	3359	840	48910	5509

四、粮食及大豆产销用情况

粮食						大豆				
总产量	分社员	纳税	出售	留种	其它	总产量	分社员	出售	留种	饲料
甲	1	2	3	4	5	6	7	8	9	10
551274	403776	33453	31562	42548	39935	78059	3143	46731	5370	22815

·78·

1930—1957年保定农村经济调查资料

大祝泽村

1930—1957保定农村经济调查资料（之九）

保定市富昌屯乡大祝泽村裕华社

河 北 省 统 计 局

1 9 5 8 . 9 .

目　录

前 言

1930年曾有一批马列主义经济学者，在保定地区十一個村里进行过经济调查。这次在中央科学院和国家统计局的发起下，由统计局重新组织力量，在原有基础上进行了28年来的经济调查（从1930年延续到1957年），根据本地具体情况，中间选择具有代表性的四个调查观察年度。即1930年，1936年，1946年，1957年，反映28年来各个不同历史时期，农村经济的重大变化。

这個材料是根据十一個调查村中之一大祝泽乡富昌屯村分户普查资料汇总成的并作了简单的分析。由于时间的紧迫，尚未經过详细审核，所以还是一个很粗糙的材料，缺欠很多，只能供給内部参考。

编制这個材料的目的，主要是及时争取省委及有关市委、县委的指示和意見，其次作为我們初步分析研究的参考。要求各級领导，对这個材料进行审核，并及时給以指示。以便我們将来进一步分析研究和汇总工作中有所遵循。

保定农村经济调查办公室

1958年9月25日

1930年調查資料

1930年调查户阶级成分及构成　　2表

	合计	地主	富农	中农	贫农	伊农	其它
甲	1	2	3	4	5	6	7
全村户数	202	3	35	75	78	4	17
构成(%)	100	1.49	17.33	37.13	38.61	1.98	3.46

·1·

一、合计　　1930年人口与劳动力　　4表

阶级	户数	年末总人口数			在家常住人口						在外人口					
		合计	男	女	年内常住人口		其中：劳动力		年末常住人口		年内人口		其中：劳动力		年末人口	
					男	女	男	女	男	女	男	女	男	女	男	女
甲	1	2	3	4	5	6	7	8	9	10	11	12	13	14	15	16
合计	202	1112	601	511	556	507	364	332	557	509	43	2	43	2	43	2
地主	3	28	16	12	14	12	6	8	14	12	2		2		2	
富农	35	239	120	119	102	117	63	83	103	118	17	1	17	1	17	1
中农	75	444	239	205	231	204	146	139	231	205	8		8		8	
贫农	78	360	204	156	190	155	133	88	190	155	13	1	13	1	13	1
雇农	4	16	10	6	10	6	8	5	10	6						
其他	7	25	12	13	9	13	8	9	9	13	3		3		3	
二、每户平均																
合计	—	5.49	2.97	2.52	2.75	2.5	1.79	1.64	2.76	2.51	0.22	0.01	0.22	0.01	0.22	0.01
地主	—	9.33	5.33	4	4.7	4	2	2.67	4.67	4	0.67		0.67		0.67	
富农	—	6.83	3.43	3.4	2.91	3.34	2.86	2.37	2.94	3.37	0.49	0.03	0.49	0.03	0.49	0.03
中农	—	5.92	3.19	2.73	3.08	2.72	1.95	1.85	3.08	2.73	0.11		0.11		0.11	
贫农	—	4.62	2.62	2.00	2.43	1.99	1.70	1.13	2.44	1.99	0.18	0.01	0.18	0.01	0.18	0.01
雇农	—	4.	2.5	1.5	2.5	1.5	2	1.25	2.5	1.5						
其他	—	3.57	1.71	1.86	1.28	1.89	1.14	1.23	1.23	1.89	0.43		0.43		0.43	

·2·

一、合计　　　　1930年调查户常住人口劳动力的职业状况　　　　5表

阶级	劳动力数	其中：职业状况									
		个体农民	个体手工业者	产业工人	小商贩	乡社干部	各类合作社员	自由职业者	宗教及迷信职业者	旧軍政机关人员	其他劳动者
甲	1	2	3	4	5	6	7	8	9	10	11
合计	696	359			10			1			7
地主	14	4									
富农	146	63									
中农	285	149									1
贫农	221	135			6						3
佃农	13	7									
其他	17	1			4			1			3

二、各类职业人数占常住人口劳动力的（%）

阶级	劳动力数	个体农民	个体手工业者	产业工人	小商贩	乡社干部	各类合作社员	自由职业者	宗教及迷信职业者	旧軍政机关人员	其他劳动者
合计	100	53.90			1.50			0.15			1.05
地主	100	28.57									
富农	100	43.15									
中农	100	52.28									0.4
贫农	100	61.09			2.71						1.36
佃农	100	53.84									
其他	100	5.88			23.53			5.88			17.65

·3·

一、合计　　　　1930年调查户在外人口劳动力职业状况　　　　6表

阶级	劳动力数	其中：职业状况											
		革命军政机关国营企业职工	个体手工业者	佣工	小商贩	工商业资本家	旧军政机关人员	私营企业职工	自由职业者	宗教及迷信职业者	产业工人	各类合作社员	其他劳动者
甲	1	2	3	4	5	6	7	8	9	10	11	12	13
合计	46			1	5	1	16	5	5	3	2		6
地主	2							1	1				
富农	18				4		6	1		3			3
中农	8						5		1		1		1
贫农	15			1	1	1	5	3			1		2
佣农													
其他	3								3				

二、各类职业人数占在外人口劳动力的（%）

阶级	劳动力数	革命军政机关国营企业职工	个体手工业者	佣工	小商贩	工商业资本家	旧军政机关人员	私营企业职工	自由职业者	宗教及迷信职业者	产业工人	各类合作社员	其他劳动者
合计	100			2.17	10.87	2.17	34.78	10.87	10.87	6.52	4.35		13.04
地主	100							50	50				
富农	100				22.22		33.33	5.55		16.67			16.67
中农	100						62.50		12.5		12.5		12.5
贫农	100			6.66	6.66	6.66	33.33	20			6.66		13.33
佣农	100												
其他	100								100				

·4·

一、合计　　　　1930年调查户年内常住人口的文化状况　　　　7表

阶级	学龄儿童（7—13岁）	其中：在学人数	十四岁以上人口	文化状况					
				文盲	初小程度	高小程度	初中程度	高中程度	大学程度
甲	1	2	3	4	5	6	7	8	9
合计	136	35	762	668	63	24	6	1	
地主	4	4	16	11	3		2		
富农	23	9	161	132	22	6	1		
中农	56	15	316	275	28	13			
贫农	50	7	243	228	9	5	1		
雇农	2		11	10	1				
其他	1		15	12			2	1	
二、构成（%）									
合计	100	25.73	100	87.66	8.27	3.15	0.79	0.13	
地主	100	100	100	68.75	18.75		12.5		
富农	100	39.13	100	81.98	13.66	3.73	0.63		
中农	100	26.78	100	87.03	8.86	4.11			
贫农	100	14	100						
雇农	100		100	90.91	9.9				
其他	100		100	80			13.33	6.67	

一、合计　　　　　　1930年调查户在外人口的文化状况　　　　　　3表

阶级	学龄儿童（7—13岁）	其中：在学人数	十四岁以上的人口	文化状况					
				文盲	初小程度	高小程度	初中程度	高中程度	大学程度
甲	1	2	3	4	5	6	7	8	9
合计			45	16	15	12	2		
地主			2			2			
富农			18	3	3	6	1		
中农			8	1	3	3	1		
贫农			14	9	4	1			
雇农									
其他			3	3					
二、构成（%）									
合计	100		100	36.17	31.91	27.66	4.26		
地主	100		100			100			
富农	100		100	16.67	44.44	33.33	5.56		
中农	100		100	12.5	37.5	37.5	12.5		
贫农	100		100	62.50	25.	7.13			
雇农	100		100						
其他	100		100	100					

·6·

1930年农业雇用

9表

一、合计

阶级	总户数	雇入·长工·有雇工户数	雇入·长工·占总户数(%)	雇入·长工·人数	雇入·长工·工资(元)	雇入·长工·平均工资	雇入·短零工·户数	雇入·短零工·占总户数(%)	雇入·短零工·天数	雇入·短零工·工资(元)	雇入·短零工·每户平均雇工(天)	雇入·短零工·每天平均工资	雇出·长工·有出雇工户数	雇出·长工·占总户数(%)	雇出·长工·人数	雇出·长工·工资(元)	雇出·长工·平均工资(元)	雇出·短零工·户数	雇出·短零工·占总户数%	雇出·短零工·天数	雇出·短零工·工资(元)	雇出·短零工·每天平均工资	雇出·短零工·每户平均出雇天数
甲	1	2	3	4	5	6	7	8	9	10	11	12	13	14	15	16	17	18	19	20	21	22	23
合计	202	15	13.79	28	1633.98	58.57	15	7.38	1000	371.78	49.26	0.37	12	5.91	14	716.05	51.15	40	19.70	2868	1350.10	0.47	71.77
地主	3	3	100	7	421.36	60.19	2	66.67	500	154.24	166.67	0.31											
富农	35	12	4	14	864.92	61.78	9	2.57	267	141.82	76.29	0.53											
中农	75	7	9.33	7	353.79	50.53	3	0.4	203	59.35	271	0.29	1	0.01	1	72	72	12	1.6	852	372.01	0.44	53.25
贫农	78						1	0.1	30	16.37	0.4		7	0.09	7	383.67		27	34.12	1830	916.09		67.78
雇农	4												4	100	6	260.37	43.39						
其他	7																	1	14.20	186	62	0.33	186

二、每户平均

阶级	1	2	3	4	5	6	7	8	9	10	11	12	13	14	15	16	17	18	19	20	21	22	23
合计	—	—	—	0.14	8.08	—	—	—	4.93	1.83	—	—	—	—	0.07	3.53	—	—	—	14.13	6.65	—	—
地主	—	—	—	2.33	140.45	—	—	—	166.67	51.41	—	—	—	—			—	—	—			—	—
富农	—	—	—	0.4	24.71	—	—	—	7.63	4.05	—	—	—	—			—	—	—			—	—
中农	—	—	—	0.93	4.72	—	—	—	2.71	0.79	—	—	—	—	0.01	0.96	—	—	—	11.36	13.60	—	—
贫农	—	—	—			—	—	—	0.38	0.21	—	—	—	—	0.08	4.87	—	—	—	23.16	11.59	—	—
雇农	—	—	—			—	—	—			—	—	—	—	1.5	65.09	—	—	—			—	—
其他	—	—	—			—	—	—			—	—	—	—			—	—	—	26.57	8.85	—	—

1930年土地占有与租典

10表

单位：面积：亩
租额：谷市斤、元

一、合计

阶级	总户数	占有耕地					典入			典出			租入耕地						租出耕地						土地使用面积
		户数	耕地			非耕地	户数	耕地	非耕地	户数	耕地	非耕地	户数	粮租		钱租		未付有租面积	户数	粮租		钱租		未有付租面积	
			计	耕地构成	其中水浇地									面积	租额	面积	租额			面积	租额	面积	租额		
甲	1	2	3	4	5	6	7	8	9	10	11	12	13	14	15	16	17	18	19	20	21	22	23	24	25
合计	202	192	3949.18	100	940.3	177.53	6	51		4	35.50		35	151.59	5357	137.70	504.28		8	24	850	135	1187.90		4094.88
地主	3	3	347	8.79	70	6.00																			347
富农	35	35	1457.39	36.9	339.70	51.10													3			109	1029.90		1348.39
中农	75	75	1511.24	38.27	413.35	64.43	4	43		1	3.50		15	96	3332	63.50	207.20								1710.24
贫农	78	68	553.55	14.92	117.25	35.2	2	8		1	14		20	55.5	2025	74.2	297.08		1			8	12.00		669.25
雇农	4	4	12	0.30		0.80				1	3														9
其他	7	7	68	1.72		20				1	15								4	24	850	18	146		11
二、每户平均																									
合计	—	—	19.55	—	4.65	0.88	—	0.25		—	0.17		—	0.75	2620	0.68	2.50		—	0.12	4.19	0.67	5.85		20.27
地主	—	—	115.67	—	23.33	2	—			—			—						—						115.67
富农	—	—	41.64	—	9.71	1.46	—			—			—						—			3.11	29.43		38.53
中农	—	—	20.15	—	5.51	0.86	—	0.57		—	0.05		—	1.28	44.43	0.85	2.76		—						22.80
贫农	—	—	7.10	—	1.50	0.45	—	0.1		—	0.17		—	0.71	25.96	0.95	3.81		—			0.1	0.15		8.58
雇农	—	—	3	—		0.2	—			—	0.75		—						—						2.25
其他	—	—	9.71	—		2.85	—			—	2.14		—						—	3.43	121.42	2.57	20.97		1.57

注：每户平均系用总户数计算的。

·8·

1930年农作物播种面积及产量

单位：面积：亩；产量：市斤；产值：元

11表

一、合计

阶级	户数	总播种面积	粮食作物		小麦			玉米			谷子		
			播种面积合计	产量	播种面积	亩产	产量	播种面积	亩产	产量	播种面积	亩产	产量
甲	1	2	3	4	5	6	7	8	9	10	11	12	13
合计	202	5694.18	5372.20	621186	16123	91.17	146996	1617.5	101.65	164414	9437	103.45	97635
地主	3	465	402	48560	117	76.61	13100	117	127.35	14900	100	87.60	87.60
富农	35	1861.39	1738.80	191527	511	89.19	45580	513	104.45	53585	328	111.60	36606
中农	75	2368.74	2265.10	261151	667.50	88.29	58926	664.50	94.46	62770	385.20	101.76	39199
贫农	78	972.05	939.30	116090	309.80	92.97	28802	312	102.85	32089	126.5	99.37	12570
雇农	4	14	14	2350	5	80	400	5	90	450			
其他	7	13	13	1508	2	94	188	6	103.33	620	4	125	500
二、每户平均													
合计	—	28.19	26.60	3075.18	79.82	—	722.75	80.01	—	813.93	4.67	—	483.34
地主	—	155	134	16186.67	39	—	436.67	39	—	496.67	33.33	—	292
富农	—	53.18	49.68	5472.20	14.60	—	130.23	14.66	—	1531	9.37	—	1045.88
中农	—	31.58	30.20	3481.88	8.97	—	785.68	8.86	—	836.93	5.14	—	522.66
贫农	—	12.46	12.04	1488.33	3.97	—	369.26	4.00	—	411.40	1.62	—	161.15
雇农	—	3.5	3.5	587.50	2.23	—	100	2.23	—	112.5		—	
其他	—	1.86	1.86	215.43	0.29	—	26.86	0.86	—	88.57	0.57	—	71.43

阶级	高粱			薯类			大豆			其它杂粮			棉花			其它作物	
	播种面积	亩产	产量	播种面积	亩产	产量	播种面积	亩产	产量	播种面积	亩产	总产量	播种面积	亩产	产量	播种面积	产值
甲	14	15	16	17	18	19	20	21	22	23	24	25	26	27	28	29	30
合计	311.6	87.41	27237	581.7	274.77	159831	105.9	92.73	8820	199.5	80.86	16253	263	71.20	18606	58.98	1927.77
地主	15	83.33	1250	23	345.65	7950	20	85	1700	10	90	900	55	84.55	4650	8	300
富农	141.6	77.28	10944	144	253.33	36480	47.50	81.16	3855	53.70	83.37	4477	85.50	76.65	6605	37.00	1160
中农	133	98.37	13083	278.10	275.21	76535	29.90	77.09	2305	106.90	77.95	8333	94.50	58.79	5556	9.14	103.77
贫农	22	89.09	1960	131.60	282.42	37166	8.5	112.94	960	28.90	87.99	2543	28	64.11	1795	4.75	364.00
雇农				4	375	1500											
其他				1	200	200											
二、每户平均																	
合计	1.54	—	139.84	2.88	—	791.24	0.52	—	43.66	0.99	—	80.46	1.30	—	92.11	0.29	9.54
地主	5	—	416.67	7.67	—	265	6.67	—	566.67	3.33	—	300	18.33	—	155	2.67	100
富农	4.05	—	31.27	4.11	—	104.23	1.36	—	110.14	1.52	—	127.91	2.44	—	192.14	1.06	33.14
中农	1.77	—	174.43	3.71	—	1020.47	0.4	—	30.73	1.43	—	1.11	1.26	—	74.08	0.12	1.38
贫农	0.28	—	25.13	1.69	—	476.48	0.11	—	12.31	0.37	—	32.60	0.35	—	23.01	0.06	4.67
雇农		—		1	—	375		—			—			—			
其他		—		0.14	—	28.57		—			—			—			

·9·

1930年农作物播种面积构成

一、合计　　　　　　　　　　　　单位面积：亩　　　　12表

阶级	总播种面积	粮食作物								棉花	其它作物
		合计	小麦	玉米	谷子	高粱	薯类	大豆	其杂它粮		
甲	1	2	3	4	5	6	7	8	9	10	11
合计	5694.18	5372.20	1612.30	1617.50	943.70	311.60	581.70	105.90	199.50	263	58.98
地主	465	402	117	117	100	15	23	20	10	55	8
富农	1861.39	1738.80	511	513	328	141.60	144	47.50	53.70	85.50	37.09
中农	2368.74	2265.10	667.50	664.50	385.20	133	278.10	29.90	106.90	94.50	9.14
贫农	972.05	939.30	309.80	312	126.50	22	131.60	8.5	28.90	28	4.75
雇农	14	14	5	5			4				
其他	13	13	2	6	4		1				

二、构成（%）

阶级	总播种面积	合计	小麦	玉米	谷子	高粱	薯类	大豆	其杂它粮	棉花	其它作物
合计	100	94.35	28.31	28.41	16.57	5.46	10.22	1.86	3.53	4.6	1.04
地主	100	86.45	25.16	25.16	21.51	3.23	4.94	4.30	2.15	11.83	1.72
富农	100	93.41	27.45	27.56	17.62	7.61	7.74	2.55	2.88	4.59	2
中农	100	95.62	28.18	28.06	16.26	5.62	11.74	1.26	4.52	3.99	0.39
贫农	100	96.63	31.87	32.11	13.01	2.26	13.54	0.87	2.97	2.88	0.49
雇农	100	100	35.71	35.71			28.58				
其他	100	100	15.38	46.16	30.77		7.69				

·10·

一 合计

1930年房屋和牲畜

13表

阶级	户数	占有房间数	现住房屋			生产用房			出租典借房屋	牲畜（头）						水井	其中砖井
			间数	其中		间数	其中砖的	租借典入		大牲畜				小牲畜			
				砖的	租典借					牛	马	驴	骡	猪	羊		
甲	1	2	3	4	5	6	7	8	9	10	11	12	13	14	15	16	17
合计	202	1027.5	875.5	178.5	17	164	18		5	3	3	72	36	98	3	62	45
地主	3	49	33	21		16	11					1	7	6	—	2	2
富农	35	289.5	220	94		66.5	6		3	1	3	23	15	29		22.3	22.3
中农	75	417	345.5	48.5	4	73.5	1		2	2		39	13	45	2	33.7	17.7
贫农	78	250	247	12	5	8						8	1	17	1	4	3
佣农	4	5	8		3												
其他	7	17	22	3	5							1		1			

二. 每户平均

阶级	户数	占有房间数	现住房屋间数	其中砖的	租典借	生产用房间数	其中砖的	租借典入	出租典借房屋	牛	马	驴	骡	猪	羊	水井	其中砖井
合计	—	5.09	4.33	0.88	0.08	0.81	0.09		0.02	0.01	0.01	0.36	0.18	0.48	0.01	0.31	0.22
地主	—	16.33	11	7		5.33	3.67					0.33	2.33	2		0.67	0.67
富农	—	8.27	6.29	2.96		1.9	0.17		0.08	0.03	0.03	0.66	0.43	0.83		0.64	0.64
中农	—	5.56	4.61	0.65	0.05	0.98	0.01		0.02	0.02		0.52	0.17	0.6	0.02	0.45	0.24
贫农	—	3.20	3.22	0.15	0.08	0.1						0.1	0.01	0.24	0.01	0.05	0.04
佣农	—	1.25	2		0.75												
其他	—	2.43	3.14	0.43	0.71							0.15		0.15			

1930年佔有农业主要生产及生活用具

14表

一、合计

阶级	户数	生产工具						生活用具					备考
		水車	铁大轮車	胶大轮車	犁耠	种什	耙盖	自行車	手电筒	收音机矿石	热水瓶	被褥(条)	
甲	1	2	3	4	5	6	7	8	9	10	11	12	13
合计	202	26.3	61.7		119	58	99	1				125	
地主	3		3		2	2	4	1				52	
富农	35	15.3	28		43	28	44					324	
中农	75	9.8	30.5		62	26	42					514	
贫农	78	1.2	0.2		12	2	9					328	
伊农	4											13	
其他	7											24	

二、构成(%)

阶级	户数	水車	铁大轮車	胶大轮車	犁耠	种什	耙盖	自行車	手电筒	收音机矿石	热水瓶	被褥(条)	备考
合计	100	100	100	100	100	100	100	100	100	100	100	100	100
地主	1.49		5.12		1.68	3.45	4.04	100				4.14	
富农	17.33	58.18	31.22		36.14	48.28	44.44					25.82	
中农	37.13	37.26	62.25		52.10	44.82	42.42					40.96	
贫农	38.61	4.56	0.41		10.08	3.45	9.1					26.13	
伊农	1.98											1.03	
其他	3.46											1.92	

·12·

1930年农付业及其它收入

单位：元　　15表

阶级	户数	人数	植物栽培	出售家畜家禽及其它产品			采集渔猎收入	付业收入	工资收入	在外人口寄回	出卖生产生活资料	其中房屋	救济补助及赠送	其它	合计
				猪	鸭鹅及蛋	其它									
甲	1	2	3	4	5	6	7	8	9	10	11	12	13	14	15
合计	202	1063	57756.21	2289.90	87.60	18.00	25.00	3797.21	3061.33	3181.90	1789.90		62.00	1695.38	73754.43
地主	3	26	5604.30	158.00						435.00					6197.30
富农	35	219.00	18623.79	594.00	7.00			35.00		1616.80	1319.90			320.00	22516.49
中农	75	435.00	22769.66	942.90	32.00	13.00	25.00	564.74	792.26	640.10				496.38	26276.04
贫农	78	345	10456.56	557.00	48.60	5.00		2325.47	1484.70	290.00	12.00		62.00	248.00	15489.33
雇农	4	16.00	184.93						260.37						445.30
其他	7	22.00	116.97	38				872.00	524.00	200.00	458.00			631.00	2839.97
二、每人平均															
合计	—	—	54.33	2.15	0.08	0.02	0.03	3.57	3.88	2.99	1.68		0.06	1.59	69.39
地主	—	—	215.56	6.08						16.73					238.36
富农	—	—	85.04	2.71	0.03			0.16		7.38	6.03			1.46	102.81
中农	—	—	52.34	2.17	0.07	0.03	0.06	1.30	1.82	1.47				1.14	60.40
贫农	—	—	30.31	1.51	0.14	0.01		6.74	4.30	0.84	0.03		0.18	0.72	43.93
雇农	—	—	11.56						16.27						27.83
其他	—	—	5.32	1.73				39.64	23.82	9.0P	20.82			28.68	129.1

1930年付业情况

16表

阶级	总户数	其中：有付业的户数	从业人数	其中：雇佣	兼业人数	产品价值或工资（元）	
						主产品	付产品
甲	1	2	3	4	5	6	7
合计	202	27	10		19	80.19	
地主	3						
富农	35						
中农	75	6			6	1569	
贫农	78	19	6		13	4750	
雇农	4						
其他	7	2	4			1700	
二、构成（%）							
合计	100	100	100	100	100	100	100
地主	1.49						
富农	17.33						
中农	37.13	22.22			31.58	19.57	
贫农	38.61	70.37	60		68.42	59.23	
雇农	1.98						
其他	3.46	7.41	40			21.2	

·14·

1930年负债情况　　单位：元　　17表

一、合计

阶级	总户数	其中：负债户数	年末负债累计：计	年末负债累计：其中：货币	其中：向各类债主借款累计数：地主富农	中农	银行	信用社	钱庄	其它	全年支付利息
甲	1	2	3	4	5	6	7	8	9	10	11
合计	202	22	1832.64	1832.64	1366.74					465.90	506.63
地主	3										
富农	35	1	40	40	40						10
中农	75	15	1162.68	1162.68	696.78					465.90	272.89
贫农	78	6	629.96	629.96	629.96						223.74
雇农	4										
其他	7										
二、每户平均											
合计	—	—	9.07	9.07	6.76					2.31	2.51
地主	—	—									
富农	—	—	1.14	1.14	1.14						0.29
中农	—	—	15.50	15.50	9.29					6.21	3.64
贫农	—	—	8.10	8.10	8.10						2.87
雇农	—	—									
其他	—	—									

·15·

1930年主要生活用品情况

一、合计 18表

阶级	户数	吃饭人口	口粮消费			肉类(斤)	食油(斤)	棉布(尺)		灯油(斤)	煤炭(斤)	烟类		酒(斤)	医药费(元)	供神费(元)	应酬费(元)	喜庆费(元)	丧葬费(元)
			计	其中:细粮 计	%			计	其中土布			纸烟(盒)	烟叶(斤)						
甲	1	2	3	4	5	6	7	8	9	10	11	12	13	14	15	16	17	18	19
合计	202	1079	365339	84853	23.12	4204	2534	13042	9209	2629	73540	2720	1324.5	1227.5	1150.40	427.80	1002.25	27.20	1019.40
地主	3	35	15880	8000	50.37	390	247	500	180	101	3000	780	35	45	60	38	115		
富农	35	233	93732	25980	27.71	1585	1025	3747	2824	750	19200	1400	296	752	608	120.05	362.10	14.50	743.50
中农	75	441	147707	29553	20	1652	772	5202	3315	1016	38390	223	510	191	337.40	151.90	353.85	7.40	275.90
贫农	78	338	99240	18100	18.24	489	437	3285	2622	680	11350	287	456.5	181.5	133	99.55	151.30	5.30	
雇农	4	10	2240	350	15.63	4	14	50	50	20						0.80			
其他	7	22	6540	2470	37.77	84	39	258	218	62	1600	30	27	58	12	17.50	20		

二、每人平均

阶级	户数	吃饭人口	口粮计	细粮计	%	肉类	食油	棉布计	其中土布	灯油	煤炭	纸烟	烟叶	酒	医药费	供神费	应酬费	喜庆费	丧葬费
合计	—	—	338.59	78.27	—	3.90	2.35	12.09	8.53	2.44	68.15	2.52	1.23	1.14	1.07	—	—	—	—
地主	—	—	453.71	228.57	—	11.14	7.06	14.29	5.14	2.88	85.71	2.23	2	1.29	1.71	—	—	—	—
富农	—	—	402.28	111.50	—	6.8	4.4	16.08	12.12	3.22	82.40	6.01	1.27	3.23	2.61	—	—	—	—
中农	—	—	334.94	67.01	—	3.75	1.75	11.79	7.52	2.39	87.05	0.51	1.16	1.71	0.77	—	—	—	—
贫农	—	—	293.61	53.55	—	1.45	1.29	9.72	7.76	2.01	33.58	0.85	1.35	0.54	0.4	—	—	—	—
雇农	—	—	224	35	—	0.64	1.4	5	5	2						—	—	—	—
其他	—	—	297.27	112.27	—	3.81	1.77	11.73	9.91	2.82	72.73	1.36	1.23	2.64	0.55	—	—	—	—

1936年调查资料

1936年调查户变动情况

1表

一、合计

阶级	1930年户数	期内变动 分出	迁入	合并	迁出	绝灭	本期户数
甲	1	2	3	4	5	6	7
合计	202	19	4		5	4	216
地主	3	2			1		2
富农	35	1					31
中农	75	16			1		91
贫农	78		2		1	4	82
佣农	4		1				5
其他	7		1		2		5

二、比重（%）

阶级	1930年户数	分出	迁入	合并	迁出	绝灭	本期户数
合计	100	100	100	100	100	100	100
地主	1.49	10.53			20		0.93
富农	17.33	5.26					14.35
中农	37.13	84.21			20		42.14
贫农	38.61		50		20	100	37.96
佣农	1.98		25				2.31
其他	3.46		25		40		2.31

·17·

一、合计　　1936年调查户阶级成分的演变　　2表

阶级	1930年户数	1936年户数						
		合计	地主	富农	中农	贫农	佣农	其他
甲	1	2	3	4	5	6	7	8
合计	202	212	2	31	91	80	4	4
地主	3	4	1			3		
富农	35	38	1	31	4	2		
中农	75	87			32	5		
贫农	78	74			4	70		
佣农	4	4					4	
其他	7	5			1			4
二、构成（%）								
合计	—	100	0.94	14.62	42.92	37.74	1.39	1.39
地主	—	100	25			75		
富农	—	100	2.63	81.58	10.53	5.26		
中农	—	100			94.25	5.75		
贫农	—	100			5.41	94.59		
佣农	—	100					100	
其他	—	100			20			80

·18·

一、合计

1930—1936年调查户阶级演变原因

3表

阶级	上升					下降					灾祸或其他意外事故
	户数	剥削或投机获利	土地改革	勤俭及家属成员就业	其他	户数	被剥削或投机失败	分家	土地改革	赌博及其他不正当行为	
甲	1	2	3	4	5	6	7	8	9	10	11
合计	6	2		3	1	11	1	6			4
地主											
富农	1	1				6		4			2
中农						5	1	2			2
贫农	4			3	1						
雇农						—	—	—	—	—	—
其他	1	1									
二、比重（%）											
合计	100	33.33		50	16.67	100	9.09	54.55			36.36
地主	100	—	—	—	—	100					
富农	100	100				100		66.67			33.33
中农	100					100	20	40			40
贫农	100			75	25	100					
雇农	100					—	—	—	—	—	—
其他	100	100									

·19·

一、合计　　　　1936年人口与劳动力　　　　4表

阶级	户数	年末总人口数			在家常住人口						在外人口					
					年内常住人口		其中：劳动力		年末常住人口		年内常住人口		其中：劳动力		年末人口	
		合计	男	女	男	女	男	女	男	女	男	女	男	女	男	女
甲	1	2	3	4	5	6	7	8	9	10	11	12	13	14	15	16
合计	216	1124	606	518	551	510	364	325	549	512	57	6	54	6	57	6
地主	2	13	6	7	5	7	3	5	5	7	1		1		1	
富农	31	203	104	99	86	97	53	64	86	97	18	2	18	2	18	2
中农	91	484	262	222	252	221	165	144	252	222	10		10		10	
贫农	82	391	215	176	191	171	130	104	189	172	26	4	23	4	26	4
雇农	5	19	12	7	11	7	9	3	11	7	1		1		1	
其他	5	14	7	7	6	7	4	5	6	7	1		1		1	

二、每户平均

阶级	户数	合计	男	女	男	女	男	女	男	女	男	女	男	女	男	女
合计	—	5.12	2.75	2.37	2.55	2.36	1.69	1.5	3.43	2.37	0.26	0.03	0.25	0.08	0.26	0.03
地主	—	6.5	3	3.5	2.5	3.5	1.5	2.5	2.5	3.5	0.5		0.5		0.5	
富农	—	6.54	3.35	3.19	2.77	3.13	1.71	2.06	2.77	3.13	0.58	0.06	0.58	0.06	0.58	0.06
中农	—	5.32	2.88	2.44	2.77	2.43	1.81	1.58	2.77	2.44	0.11		0.11		0.11	
贫农	—	4.77	2.62	2.15	2.33	2.09	1.59	1.27	2.3	2.11	0.32	0.04	0.28	0.04	0.32	0.04
雇农	—	0.2	0.2	1.4	2.2	1.4	1.8	0.6			0.2		0.2		0.2	
其他	—	2.8	1.4	1.4	1.20	1.4	0.8	1	1.20	1.4	0.2		0.2		0.2	

一、合计　　1936年调查户常住人口劳动力的职业状况　　5表

阶级	劳动力数	其中职业状况									
		个体农民	个体手工业者	产业工人	小商贩	乡社干部	各类合作社社员	自由职业者	宗教迷信职业者	旧军政机关人员	其他劳动者
甲	1	2	3	4	5	6	7	8	9	10	11
合计	689	344	1		10			1			6
地主	8	1									
富农	117	55									
中农	309	159			1			1			2
贫农	234	121	1		5						3
雇农	12	8									
其他	9				4						1

二、各类职业人数占常住人口劳动力的（%）

阶级	劳动力数	个体农民	个体手工业者	产业工人	小商贩	乡社干部	各类合作社社员	自由职业者	宗教迷信职业者	旧军政机关人员	其他劳动者
合计	100	49.92	0.14		1.45			0.14			0.87
地主	100	12.5									
富农	100	47.01									
中农	100	51.46			0.3			0.3			0.6
贫农	100	51.71	0.04		2.14						1.28
雇农	100	66.67									
其他	100				44.44						11.11

一、合计　　　　1936 年调查户在外人口劳动力职业状况　　　　6表

阶级	劳动力数	其中：职业状况											
		革命軍政机兵國营企业职工	个体手工业者	雇农	小商贩	工商业资本家	旧軍政机关人员	私营企业职工	自由职业者	宗教及迷信职业者	产业工人	各类合作社员	其他劳动者
甲	1	2	3	4	5	6	7	8	9	10	11	12	13
合计	60	1		1	6	1	16	4	3		3		13
地主	1												
富农	20				3		7				1		3
中农	10				1		4		3		1		1
贫农	27			1	2	1	5	4			1		8
雇农	1	1											
其他	1												1

二、各类职业人数占在外人口劳动力的（%）

阶级		革命軍政机兵國营企业职工	个体手工业者	雇农	小商贩	工商业资本家	旧軍政机关人员	私营企业职工	自由职业者	宗教及迷信职业者	产业工人	各类合作社员	其他劳动者
合计		1.67		1.67	10	1.67	26.67	6.67	5.00		5.00		21.67
地主													
富农					15		35				5		15
中农					10		40		30		10		10
贫农				3.7	7.42	3.7	18.52	14.81			3.7		29.63
雇农		100											
其他													100

·22·

一、合计　　1936年调查户内常住人口的文化状况　　7表

阶级	学龄儿童（7—13岁）	其中在学人数	十四岁以上人口	文化状况					
				文盲	初小程度	高小程度	初中程度	高中程度	大学程度
甲	1	2	3	4	5	6	7	8	9
合计	152	59	780	655	86	33	5	1	
地主	2	2	10	5	2		2	1	
富农	29	13	133	105	20	7	1		
中农	65	27	350	232	47	20	1		
贫农	51	16	264	242	15	6	1		
佃农	4		12	11	1				
其他	1	1	11	10	1				

二、构成（%）

阶级	学龄儿童（7—13岁）	其中在学人数	十四岁以上人口	文盲	初小程度	高小程度	初中程度	高中程度	大学程度
合计	100	38.22	100	83.97	11.03	4.23	0.64	0.13	
地主	100	100	100	50	20		20	10	
富农	100	44.83	100	78.95	15.04	5.26	0.75		
中农	100	41.54	100	80.57	13.43	5.71	0.29		
贫农	100	31.37	100	91.67	5.68	2.27	0.38		
佃农	100	0	100	91.67	8.33				
其他	100	100	100	90.91	9.09				

一、合计　　　　1936年调查户在外人口的文化程度　　　　8表

阶级	学龄儿童（7－13岁）	其中：在学人数	十四岁以上的人口	文化状况：文盲	初小程度	高小程度	初中程度	高中程度	大学程度
甲	1	2	3	4	5	6	7	8	9
合计			59	25	17	14	3		
地主			1			1			
富农			20	4	7	8	1		
中农			10	4	5	1			
贫农			26	16	5	4	1		
雇农			1	1					
其他			1				1		
二、构成（%）									
合计	100		100	42.37	28.81	23.73	5.09		
地主	100		100			100			
富农	100		100	20	35	40	5		
中农	100		100	40	50	10			
贫农	100		100	61.54	19.23	15.38	3.85		
雇农	100		100	100					
其他	100		100				100		

·24·

一、合计　　　　　　　　1936年农业雇用　　　　　　　　9表

阶级	总户数	雇入 长工 雇佣工户数	占总户数(%)	人数	工资(元)	平均工资	雇入 短零工 户数	占总户数(%)	天数	工资(元)	每雇户平均(天)	每均天工平资	雇出 长工 雇工出户雇数	占总户数(%)	人数	工资(元)	平均工资(元)	雇出 短零工 户数	占总户数(%)	天数	工资(元)	每均天工平资	每户平均出雇天数
甲	1	2	3	4	5	6	7	8	9	10	11	12	13	14	15	16	17	18	19	20	21	22	23
合计	216	19	3.24	22	1168.7	53.09	13	6.02	431	183.8	33.15	0.43	17	7.87	18	905.62	50.31	37	17.13	2565	1247.31	0.49	69.32
地主	2	2	100	4	259.8	64.95	1	50	100	35	100	0.35											
富农	31	12	38.71	13	695.64	53.51	7	22.58	181	110.57	25.85	0.41											
中农	91	5	5.49	5	212.56	42.51	5	5.49	150	38.23	30	0.25	2	2.20	2	134.15	67.08	12	13.19	902	416.43	0.46	75.18
贫农	82												10	12.20	10	487.91	48.79	25	30.49	1663	830.88	0.50	66.52
雇农	5												5	100	6	283.56	47.26						
其他	5																						

二、每户平均

阶级	1	2	3	4	5	6	7	8	9	10	11	12	13	14	15	16	17	18	19	20	21	22	23
合计	—	—	—	0.1	5.41	—	—	—	2	0.95	—	—	—	—	0.08	4.19	—	—	—	11.88	5.77 / 57.74	—	—
地主	—	—	—	2	129.9	—	—	—	50	17.5	—	—	—	—		-	—	—	—			—	—
富农	—	—	—			—	—	—			—	—	—	—			—	—	—			—	—
中农	—	—	—	0.05	2.34	—	—	—	1.65	0.42	—	—	—	—	0.02	1.47	—	—	—	9.91	4.57	—	—
贫农	—	—	—			—	—	—			—	—	—	—	0.12	5.95	—	—	—	20.28	10.13	—	—
雇农	—	—	—			—	—	—			—	—	—	—	1.2	56.71	—	—	—	5		—	—
其他	—	—	—			—	—	—			—	—	—	—			—	—	—			—	—

·25·

1936年土地占有与租典

单位：面积：亩；租额：谷市斤.元　　10表

一、合计

阶级	总户数	占有耕地 户数	占有耕地 耕地 计	耕地构成%	其中：水浇地	非耕地	典入 户数	典入 耕地	典入 非耕地	典出 户数	典出 耕地	典出 非耕地	租入耕地 户数	租入 粮租 面积	租入 粮租 租额	租入 钱租 面积	租入 钱租 租额	租入 未价有租面积	租出耕地 户数	租出 粮租 面积	租出 粮租 租额	租出 钱租 面积	租出 钱租 租额	租出 未价有租面积	土地使用面积
甲	1	2	3	4	5	6	7	8	9	10	11	12	13	14	15	16	17	18	19	20	21	22	23	24	25
合计	216	193	3606.48	100	1335.59	152.3	9	65.5		3	16.5		37	160.5	4169	142.7	551.87	5	4	12	600	130	8433		3821.65
地主	2	2	226	6.27	65	4																36	252		190
富农	31	31	1215.2	33.69	547.35	42.3														5	300	67	397.3		1145.2
中农	91	90	1572.33	43.60	571.29	69.1	6	46.5		1	3.5		15	1.08	2089	62.5	204.5		1			9	63.00		1776.83
贫农	82	62	560.95	15.55	196.95	35.1	3	19		1	10		22	52.5	2080	80.2	347.37	5	1	7	300				706.65
雇农	5	5	12	0.33	5	0.7				1	3														9
其他	5	3	20	0.55		1.1													2			12	136		2

二、每户平均

阶级	总户数	户数	计	耕地构成%	其中：水浇地	非耕地	典入 户数	典入 耕地	典入 非耕地	典出 户数	典出 耕地	典出 非耕地	租入 户数	租入 粮租 面积	租入 粮租 租额	租入 钱租 面积	租入 钱租 租额	租入 未价有租面积	租出 户数	租出 粮租 面积	租出 粮租 租额	租出 钱租 面积	租出 钱租 租额	租出 未价有租面积	土地使用面积
合计	—	—	16.7	—	6.41	0.71	—	0.3		—	0.08		—	0.74	19.3	0.66	2.55	0.02	—	0.06	2.78	0.6	3.93		17.69
地主	—	—	113	—	62.5	2	—			—			—						—			18	12.6		95
富农	—	—	39.2	—	17.66	1.36	—			—			—						—	0.16	3.68	2.16	12.82		36.83
中农	—	—	17.28	—	6.28	0.76	—	0.51		—	0.04		—	1.19	22.96	0.65	2.25		—			0.1	0.69		19.53
贫农	—	—	6.84	—	2.4	0.43	—	0.23		—	0.12		—	0.64	25.36	0.93	4.24	0.06	—	0.08	3.66				8.54
雇农	—	—	2.4	—	1	0.14	—			—	0.6		—						—						1.8
其他	—	—	4	—		0.22	—			—	0.6		—						0.4			3.6	27.2		0.4

注：每户平均系用总户数计算的。

1930—1936年土地变动情况　计算单位：数量：亩　价值：元　10表附表

阶级成分	土地变动户数	买进		赎回		典入		典入典绝		卖出		赎出		典出		典出典绝	
		数量	价值	数量	价值	数量	价值	数量	价值	数量	价值	数量	价值	数量	价值	数量	价值
合计	49	91	2228.01			3	60			345	13017.43						
地主	2	4	30							40	1500						
富农	9	41	896							91.5	2923						
中农	17	25	595.36			3	60			99.5	3600.28						
贫农	18	12	502.65							93	4184.2						
雇农																	
其他	3	9	150							21	810						

注：土地变动户系重复计标，如一户在不同年份土地变化几次就标几户。

·27·

面积：亩
产量：市斤
产值：元

1936年农作物播种面积及产量

11表

一、合计

阶级	户数	总播种面积	粮食作物																							棉花			其它作物	
			播种面积合计	产量	小麦			玉米			谷子			高粮			薯类			大豆			其它杂粮			播种面积	亩产	产量	播种面积	产值
					播种面积	亩产	产量	播种面积	亩产	产量	播种面积	亩产	产量	播种面积	亩产	产量	播种面积	亩产	产量	播种面积	亩产	产量	播种面积	亩产	产量					
甲	1	2	3	4	5	6	7	8	9	10	11	12	13	14	15	16	17	18	19	20	21	22	23	24	25	26	27	28	29	30
合计	216	5483.12	5042.64	626747	1669.9	100	166633	1636.6	109	178592	743.70	106	79177	160	77.24	12359	591	285.33	169546	88.4	84.05	7430	148.14	87.88	13010	392.4	62.87	24671	48.08	3102.13
地主	2	279	250	35460	89	133.71	11900	89	155.7	13360	36	126.67	4560	10	90	900	9	300	2700	10	90	909	7	91.42	640	22	97.27	2140	7	210
富农	31	1629.64	1472.9	172304	436	99.61	48410	473	110.79	52405	247.5	111.5	27510	64	73.81	4724	131.4	251.44	33040	36	82.63	2975	35.1	92.31	3240	148.5	34.15	12496	8.24	665
中农	91	2524.93	2314.14	289807	751.1	96.05	72148	724.1	103	74467	350	101.7	35605	67	80.82	5415	299.6	306.82	91925	36.4	83.65	3045	85.94	83.80	7202	182.4	44.16	8054	28.39	1806.13
贫农	82	1031.55	987.6	125876	336.8	99.53	33525	344.5	108	37260	115.2	100	11502	19	69.47	1320	14.6	272.82	33831	6	85	510	20.1	95.92	1928	39.5	50.15	1981	4.45	421
雇农	5	14	14	2750	5	90	450	5	100	500							4	450	1800											
其他	5	4	4	550	2	100	200	1	100	100							1	250	250											
二、每户平均																														
合计	—	25.38	23.35	2901.60	7.73	—	771.44	7.58	—	826.8	3.47	—	366.56	0.74	—	57.22	2.74	—	784.94	0.41	—	3.44	0.69	—	60.23	1.82	—	114.22	0.22	14.36
地主	—	139.5	125	17730	44.5	—	5950	44.5	—	6930	18	—	2280	5	—	450	4.5	—	1350	5	—	450	3.5	—	320	11	—	1070	3.5	105
富农	—	52.56	47.51	5556	15.68	—	1561.61	15.26	—	1690.48	7.98	—	387.41	2.06	—	152.39	4.24	—	420.65	1.16	—	95.97	1.13	—	104.52	4.79	—	403.09	0.27	21.45
中农	—	27.75	25.43	3184.69	8.25	—	792.84	7.96	—	818.32	3.85	—	391.26	0.74	—	59.51	3.29	—	1010.16	0.40	—	33.46	0.94	—	79.24	2.00	—	88.51	0.31	19.85
贫农	—	12.58	12.04	1535.07	4.12	—	408.84	4.20	—	454.39	1.40	—	140.27	0.23	—	16.09	1.78	—	485.74	0.73	—	6.22	0.25	—	23.51	0.48	—	24.16	0.05	5.13
雇农	—	2.8	2.8	550	1	—	90	1	—	100		—			—		0.8	—	360		—			—			—			
其他	—	0.8	0.8	110	0.4	—	40	0.2	—	20		—			—		0.2	—	50		—			—			—			

一、合计

1936年农作物播种面积构成

单位面积：亩　　12表

阶级	总耕种面积	粮食作物								棉花	其他作物
		合计	小麦	玉米	谷子	高粮	薯类	大豆	其杂他粮		
甲	1	2	3	4	5	6	7	8	9	10	11
合计	5483.12	5042.64	1669.9	1636.6	748.70	160	591	88.4	148.14	392.4	48.09
地主	279	250	89	89	36	10	9	10	7	22	7
富农	1629.64	1472.9	488	473	247.5	64	131.4	36	35.1	148.5	8.24
中农	2524.93	2314.14	751	724	350	67	299.6	36.4	85.94	182.4	23.39
贫农	1031.55	987.6	336.8	344.5	115.2	19	146	6	20.1	39.5	4.45
雇农	14	14	5	5			4				
其他	4	4	2	1			1				

二、构成（%）　　(大豆64)

阶级	总耕种面积	合计	小麦	玉米	谷子	高粮	薯类	大豆	其杂他粮	棉花	其他作物
合计	100	91.95	30.46	29.85	13.65	2.92	10.78	1.62	2.71	7.16	0.85
地主	100	89.61	31.90	31.90	12.90	3.53	3.23	3.58	2.51	7.89	2.51
富农	100	90.46	29.84	29.04	15.19	3.93	8.08	2.22	2.10	9.12	0.52
中农	100	91.65	29.75	28.68	13.86	2.66	11.87	1.44	3.48	7.22	1.12
贫农	100	95.74	32.65	33.40	11.17	1.84	14.15	0.58	1.95	3.33	0.43
雇农	100	100	35.7	35.7	28.6						
其他	100	100	50	25			25				

一、合计　　　　1936年房屋和牲畜　　　　13表

阶级	户数	占有房间数	现住房屋			生产用房			出租典借房屋	牲畜（头）						水井	其中：砖井
			间数	其中		间数	其中砖的	租典借入		大牲畜				小牲畜			
				砖的	租借典入					牛	马	驴	骡	猪	羊		
甲	1	2	3	4	5	6	7	8	9	10	11	12	13	14	15	16	17
合计	216	1036.5	380	161.5	19	172.5	18		3	4	3	71.5	26.5	115		82.76	64.76
地主	2	44	26			18	11					1	4	3		4	4
富农	31	257	193	82		61	6		3	1	1	22	12	32		27.5	27.5
中农	91	449	367	51.5	2	84	1			3	2	42	9	57		43.26	30.26
贫农	82	269.5	265	25	5	9.5						6.5	1.5	22		7	3
佃农	5	5	12		7											1	
其他	5	12	17	3	5							.		1			

二、每户平均

阶级	户数	占有房间数	现住房屋间数	其中砖的	租借典入	生产用房间数	其中砖的	租典借入	出租典借房屋	牛	马	驴	骡	猪	羊	水井	其中：砖井
合计	—	4.80	0.41	0.75	0.09	0.3	0.08		0.01	0.02	0.01	0.33	0.12	0.53		0.38	0.30
地主	—	22	13			9	5.5					0.5	2	1.5		2	2
富农	—	8.29	6.23	2.65		1.97	0.19		0.09	0.03	0.03	0.71	0.39	1.03		0.89	0.89
中农	—	4.93	4.03	0.57	0.02	0.92	0.01			0.03	0.02	0.46	0.09	0.63		0.48	0.33
贫农	—	3.29	3.23	0.30	0.06	0.12						0.08	0.02	0.27		0.09	0.04
佃农	—	1	2.4		1.4											0.5	
其他	—	2.4	3.4	0.6	1									0.2			

一、合计　　　　1936年上石农业主要生产及生活用具　　　　14表

阶级	户数	生产工具						生活用具					
		水车	铁轮大车	胶轮大车	犁耠	种什	耙盖	自行车	手电筒	矿石收音机	热水瓶	被褥（条）	备考
甲	1	2	3	4	5	6	7	8	9	10	11	12	13
合计	216	76.5	55.7		118	51	96	1	1		2	1271.5	11.0
地主	2	3	3		2	2	3					25	
富农	31	19.5	25.2		38	23	37				1	263	90
中农	91	53.9	27.5		69	26	48	1	1		1	581.5	20
贫农	82	0.1			9		8					361	
佃农	5											17	
其他	5											24	
二、构成（%）													
合计	100	100	100	100	100	100	100	100	100	100	100	100	100
地主	0.93	3.92	5.39		1.69	3.92	3.13					1.37	
富农	14.35	25.49	45.24		32.21	45.10	38.54				50	20.68	81.82
中农	42.14	70.46	49.37		58.47	50.98	50	100	100		50	45.73	18.18
贫农	37.96	0.13			7.63		8.33					28.39	
佃农	2.31											1.34	
其他	2.31		1									1.89	

1936年农付业及其它收入　　单位：元　　15表

阶级	户数	人数	植物栽培	出售家畜家禽及其它产品				采集渔猎收入	付业收入	工资收入	在外人口寄回	出租生产生活资料	其中：房租	救济补助及赠送	其它	合计
				猪	鸡及鸭蛋	其它	肥料									
甲	1	2	3	4	5	6	7	8	9	10	11	12	13	14	15	16
合计	216	1062	61732.19	2923.4	385	16			3592.4	3779.68	3546.06	892.30		85	984	77936.03
地主	2	12	3343.35	140								252				4235.85
富农	31	183	18426.99	691	13						1651.7	419.30			500	21301.99
中农	91	474	27812.05	1418.4	65	16			763	1523.08	532.5	63.00			262	32460.03
贫农	82	362	11386.40	642	307				2101.4	1613.04	1161.86	22.00		85	256	17574.70
佃农	5	18	215.61						60	283.56						559.17
其它	5	13	47.29	32					663	360	200	136			366	1804.29
二、每人平均																
合计	—	—	58.13	2.75	0.36	0.02			3.38	3.56	3.34	0.84		0.08	0.93	73.39
地主	—	—	320.32	11.67								21				352.99
富农	—	—	100.69	3.75	0.07						9.03	23.04			0.55	116.40
中农	—	—	58.68	2.99	0.14	0.03			1.62	3.21	1.12	0.13			0.55	68.48
贫农	—	—	31.45	1.77	0.85				5.80	4.46	3.21	0.06		0.23	0.71	48.55
佃农	—	—	11.98						3.33	15.75						31.97
其它	—	—	3.64	2.46					51	27.69	15.38	1.46			28.15	138.78

·32·

一、合计　　　　　1936年付业情况　　　　　16表

阶级	总户数	其中：有付业的户数	从业人数	其中：雇佣	兼业人数	产品价值或工资（元）
甲	1	2	3	4	5	6
合计	216	11	10		13	6210
地主	2					
富农	31					
中农	91	4	1		6	3015
贫农	82	6	5		7	1695
雇农	5					
其他	5	1	4			1500
二、构成（%）						
合计	100	100	00	100	100	100
地主	0.93					
富农	14.35					
中农	42.14	36.36	10		46.15	48.55
贫农	37.96	54.55	50			27.29
雇农	2.31				53.85	24.16
其他	2.31	9.09	40			

一、合计　　　　1936年负债情况　　　　单位：元　　17表

阶级	总户数	其中：负债户数	年末负债累计		其中：向各类债主借款累计数						全年应付利息
			计	其中：货币	地主富农	中农	银行	信用社	钱庄	其他	
甲	1	2	3	4	5	6	7	8	9	10	11
合计	216	6	635.07	635.07	481.79					153.28	197.22
地主	2										
富农	31	3	212.94	212.94	155.29					57.65	58.43
中农	91	3	422.13	422.13	326.5					95.63	138.79
贫农	82										
雇农	5										
其他	5										
二、每户平均											
合计	—	—	2.99	2.94	2.23					0.71	0.91
地主	—	—									
富农	—	—	6.87	6.87	5.91					1.86	1.88
中农	—	—	4.76	4.64	3.59					1.05	1.53
贫农	—	—									
雇农	—	—									
其他	—	—									

·34·

一、合计　　　　1956年主要生活用品情况　　　　18表

阶级	户数	吃饭人口	口粮消费			肉类(斤)	食油(斤)	棉布(尺)		灯油(斤)	煤炭(斤)	烟类		酒(斤)	医药费(元)	供神费(元)	应酬费(元)	喜庆费(元)	丧葬费(元)
			计	其中:细粮				计	其中:土布			纸烟(合)	烟叶(斤)						
				计	%														
甲	1	2	3	4	5	6	7	8	9	10	11	12	13	14	15	16	17	18	19
合计	216	1063	353399	79032		4896	2456	13054	8910	2588	77232	3152	1219	872	823.3	423.6	860	100	96
地主	2	16	7400	3500		600	148	220	180	49	4500	190	25	5		16	29		
富农	31	195	77850	21206		1435	851	3477	1944	560	20300	2440	223	418	304	107.4	275	9	70
中农	91	475	157820	33227		1751	859	5441	3614	1179	33932	291	503	208	378.3	193.9	417.6	81	3
贫农	82	352	103389	19369		506	553	3651	2967	741	16100	171	445	191	134	90.8	123	10	23
雇农	5	12	2900	450		4	11	75	45	16	500		6			1	0.4		
其他	5	13	4040	1280		600	34	190	160	43	1900	60	17	50	7	14.5	15		
二、每人平均																			
合计	—	—	332.45	74.42		4.61	2.31	12.29	8.39	2.44	72.72	2.97	1.15	0.82	0.76				
地主	—	—	426.5	218.75		37.5	9.25	13.75	11.25	3.1	281.25	11.87	1.56	0.31	3.81				
富农	—	—	399.23	108.75		7.36	4.36	17.83	9.97	2.87	104.10	12.51	1.14	2.14	1.55				
中农	—	—	332.25	69.95		3.69	1.81	11.45	7.61	2.48	71.44	0.61	1.06	0.44	0.79				
贫农	—	—	293.72	55.03		1.44	1.57	10.37	8.43	2.11	45.74	0.49	1.26	0.5	0.38				
雇农	—	—	241.67	37.5		0.33	0.92	6.25	3.75	1.33	41.67		0.5						
其他	—	—	301.77	98.46		46.15	2.62	14.62	12.31	3.31	146.15	4.62	1.31	3.85	0.54				

1930—1936年反动统治时期所受损失

19表

阶级	总户数	其中受损户数	烧毁房屋（间）	拆毁房屋（间）	霸占土地（亩）	绑票勒索（元）	砍伐树木（株）	劫去粮食（斤）	劫去衣饰（件）	劫去牲畜（头）	劫去钱财（元）	杀死人数（人）	重伤残废人数（人）	抓丁人数（人）	义务劳役天数
甲	1	2	3	4	5	6	7	8	9	10	11	12	13	14	15
合计	216	216	3		53.50	712.5	806	4850	100	18	18	3	5	8	84800
地主	2	2													800
富农	31	31			14	510	119	2000	20	6	7	1	2	1	14906
中农	91	91	3		28	202.50	527	1350	75	10	10		1	4	40165
贫农	82	82			11.50		138	1500	5	2	1	1	2	2	26129
雇农	5	5					22					1		1	2600
其他	5	5													200

·36·

1946年調查資料

1946年调查户变动情况

一、合计　　　　　　　　　　　　　　　　　　　　1表

阶级	1936年户数	期内变动					本期户数
		分出	迁入	合并	迁出	绝灭	
甲	1	2	3	4	5	6	7
合计	216	32	3		3	3	245
地主	2						2
富农	31	4			2		26
中农	91	19	1			1	120
贫农	82	8	1			1	88
雇农	5	1	1			1	5
其他	5				1	1	4

二、比重（%）

阶级	1936年户数	分出	迁入	合并	迁出	绝灭	本期户数
合计	100	100	100	100	100	100	100
地主	0.93						0.82
富农	14.35	12.50			66.7		10.61
中农	42.12	59.38	33.33				48.98
贫农	37.96	25	33.33			33.33	35.92
雇农	2.32	3.12	33.34			33.33	2.04
其他	2.32				33.3	33.34	1.63

·37·

1946年调查户阶级成份的演变

2表

一、合计

阶级	1936年户数	1946年户数 合计	地主	富农	中农	贫农	佃农	其他
甲	1	2	3	4	5	6	7	8
合计	216	245	2	26	120	88	5	4
地主	2	2	2					
富农	31	35		26	9			
中农	91	110			103	6		1
贫农	82	89			8	80	1	
佃农	5	6				2	4	
其他	5	3						3

二、构成（%）

阶级	1936年户数	合计	地主	富农	中农	贫农	佃农	其他
合计	—	100	0.82	10.61	48.98	35.92	204	1.63
地主	—	100	100					
富农	—	100		74.29	25.71			
中农	—	100			93.64	5.46		0.9
贫农	—	100			8.99	89.89	1.12	
佃农	—	100				33.33	66.67	
其他	—	100						100

·38·

1936——1946年调查户阶级演变原因

3表

一、合计

阶级	上升					下降					
	户数	投机获利或剥削	土地改革	员就业家属或勤俭	其他	户数	投机失败或被剥削	分家	土地改革	不正当行为赌博及其他	意外事故灾祸或其他
甲	1	2	3	4	5	6	7	8	9	10	11
合计	9			4	5	17		9		5	3
地主											
富农						9		3			3
中农						7		6			
贫农	8			3	5	1					
佣农	1			1							
其他											
二、比重（%）											
合计	100.0			44.44	45.56	100		52.94		29.41	17.65
地主	100	—	—		—	100					
富农	100					100		33.33		33.33	
中农	100					100		85.71		14.79	
贫农	100			37.5	62.5	100				100	
佣牧	100			100		—				—	—
其他	100										

1946年人口与劳动力

一、合计 4表

阶级	户数	年末总人口数			在家常住人口						在外人口					
		合计	男	女	年内常住人口		其中：劳动力		年末常住人口		年内人口		其中：劳动力		年末人口	
					男	女	男	女	男	女	男	女	男	女	男	女
甲	1	2	3	4	5	6	7	8	9	10	11	12	13	14	15	16
合计	245	1328	674	654	605	639	396	383	604	642	70	11	63	8	70	12
地主	2	14	8	6	4	4	3	2	4	4	4	2	4	2	4	2
富农	26	201	102	99	89	97	56	60	89	97	12	2	12	2	13	2
中农	120	657	327	330	302	337	193	189	302	330	25		25		25	
贫农	88	429	222	207	197	199	133	123	196	199	27	7	20	4	26	8
雇农	5	15	8	7	7	7	7	4	7	7	1		1		1	
其他	4	12	7	5	6	5	4	5	6	5	1		1		1	

二、每户平均

阶级	户数	合计	男	女	男	女	男	女	男	女	男	女	男	女	男	女
合计	—	5.42	2.75	2.67	2.47	2.61	1.16	1.56	2.47	2.62	0.29	0.04	0.26	0.032	0.28	0.05
地主	—	7	4	3	2	2	1.5	1	2	2	2	1	2	1	2	1
富农	—	7.73	3.92	3.81	3.42	3.73	2.15	2.31	3.42	3.73	0.46	0.08	0.46	0.08	0.5	0.08
中农	—	5.48	2.73	2.75	2.52	2.73	1.61	1.58	2.52	2.75	0.21		0.21		0.21	
贫农	—	4.88	2.53	2.35	2.24	2.26	1.51	1.4	2.23	2.26	0.31	0.08	0.23	0.05	0.30	0.09
雇农	—	3	1.6	1.4	1.4	1.4	1.4	0.8	1.4	1.4	0.2		0.2		0.2	
其他	—	3	1.75	1.25	1.5	1.25	1	1.25	1.5	1.25	0.25		0.75		0.25	

·40·

1946年调查户常住人口劳动力的职业状况

一、合计

5表

阶级	劳动力数	其中职业状况									
		个体农民	个体手工业者	产业工人	小商贩	乡社干部	各类合作社社员	自由职业者	宗教及迷信职业者	旧军政机关人员	其他劳动者
甲	1	2	3	4	5	6	7	8	9	10	11
合计	779	407			10			1			6
地主	5	1									
富农	116	56						1			
中农	382	202	2		1						2
贫农	256	141			6						3
佣农	11	7									
其他	9				3						1
二、各类职业人数占常住人口劳动力的（%）											
合计	100		0.26		1.28			0.13			0.77
地主	100	20									
富农	100	48.28						0.86			
中农	100	52.88	0.52		0.26						0.52
贫农	100	55.08			2.34						1.17
佣农	100	63.64									
其他	100				33.33						11.11

·41·

1946年调查户在外人口劳动力职业状况

6表

一、合计

阶级	劳动力数	其中职业状况：革命军政机关国营企业职工	个体手工业者	佣农	小商贩	工商业资本家	旧军政机关人员	私营企业职工	自由职业者	宗教及迷信职业者	产业工人	各类合作社员	其他劳动者
甲	1	2	3	4	5	6	7	8	9	10	11	12	13
合计	71	12			5		14	8	1		6		17
地主	6						4						
富农	14	1			2		2	2			1		4
中农	25	8					6	3			3		5
贫农	24	2			3		2	3			2		8
佣农	1	1											
其他	1								1				

二 各类职业人数占在外人口劳动力的(%)

阶级	劳动力数	革命军政机关国营企业职工	个体手工业者	佣农	小商贩	工商业资本家	旧军政机关人员	私营企业职工	自由职业者	宗教及迷信职业者	产业工人	各类合作社员	其他劳动者
合计	100	16.90			7.04		19.72	11.27	1.41		8.45		23.94
地主	100						66.67						
富农	100	7.14			14.29		14.29	14.29			7.14		28.57
中农	100	32					24	12			12		20
贫农	100	8.33			12.5		8.33	12.5			8.33		33.33
佣农	100	100											
其他	100								100				

·42·

1946年调查户年内常住人口的文化状况

一、合计

7表

阶级	学令儿童（7—13岁）	其中在学人数	十四岁以上人口	文盲	初小程度	高小程度	初中程度	高中程度	大学程度
				文化程度					
甲	1	2	3	4	5	6	7	8	9
合计	171	65	852	686	114	49	3		
地主			6	4			1		
富农	18	7	131	89	30	12			
中农	102	46	408	316	61	29	2		
贫农	49	12	286	257	21	8			
佃农	1		2	12					
其他	1		9	8	1				

二、构成（%）

阶级	学令儿童（7—13岁）	其中在学人数	十四岁以上人口	文盲	初小程度	高小程度	初中程度	高中程度	大学程度
合计	100	38.01	100	80.52	13.38	5.75	0.35		
地主	100		100	66.66	16.67		16.67		
富农	100	38.89	100	67.94	22.90	9.16			
中农	100	45.09	100	77.45	14.95	7.11	0.49		
贫农	100	24.49	100	89.86	7.34	2.80			
佃农	100		100	100					
其他	100		100	88.89	11.11				

·43·

1946年调查户在外人口的文化状况

8表

一、合计

阶级	学令儿童（7—13岁）	其中：在学人数	十四岁以上的人口	文化状况：文盲	初小程度	高小程度	初中程度	高中程度	大学程度
甲	1	2	3	4	5	6	7	8	9
合计	5	2	72	30	15	19	6		2
地主			6	1	1	1	1		2
富农			14	4	4	4	2		
中农			25	5	6	11	3		
贫农	5	2	25	18	4	3			
雇农			1	1					
其他			1	1					

二、构成（%）

阶级	学令儿童（7—13岁）	其中：在学人数	十四岁以上的人口	文盲	初小程度	高小程度	初中程度	高中程度	大学程度
合计	100	40	100	41.66	20.83	26.38	8.33		2.8
地主	100		100	16.67	16.67	16.67	16.67		33.32
富农	100		100	28.57	28.57	28.57	14.29		
中农	100		100	20	24	44	12		
贫农	100	40	100	72	16	12			
雇农	100		100	100					
其他	100		100	100					

·44·

1946年农业雇用

9表

一、合计

级	总户数	雇入											雇出										
		长工					短零工						长工					短零工					
		有户雇工数	占户总数(%)	人数	工资(元)	平均工资	户数	占户总数(%)	天数	工资(元)	每户平均雇工(天)	每天平均工资	有工出雇户数	占户总数(%)	人数	工资(元)	平均工资(元)	户数	占户总数(%)	天数	工资(元)	每天平均工资	每户平均出雇天数
甲	1	2	3	4	5	6	7	8	9	10	11	12	13	14	15	16	17	18	19	20	21	22	23
计	245	15	5.70	17.5	964.8	55.20	15	6.4	884	297.30	59	0.34	6	0.24	7	302	43	45	18.30	3405	1253.34	0.36	75.66
主	2	2	100	4	280	70	2	100	280	120	50	0.43											
农	26	10	38	10.5	533.80	50.80	5	18	95	47	19	0.49											
农	120	3	2.5	3	151	50.20	8	6.25	509	130.30	16	0.25						15	12.50	860	318.47	0.34	57.33
农	88												4	4.54	4	165	41.20	27	30.70	1905	772.87	0.46	70.55
农	5												2	40.10	3	137	45.60	3	60	646	162	0.26	313.33
他	4																						

二、每户平均

级	1	2	3	4	5	6	7	8	9	10	11	12	13	14	15	16	17	18	19	20	21	22	23
计	—	—	—	0.07	3.94	—	—	—	3.61	1.21	—	—	—	—		1.23	—	—	—	13.89	5.12	—	—
主	—	—	—	2	140	—	—	—	140	60	—	—	—	—			—	—	—			—	—
农	—	—	—	0.40	20.53	—	—	—	3.56	1.81	—	—	—	—			—	—	—			—	—
农	—	—	—	0.03	1.26	—	—	—	4.24	1.09	—	—	—	—			—	—	—	7.17	2.66	—	—
农	—	—	—			—	—	—			—	—	—	—	0.05	1.88	—	—	—	21.65	8.78	—	—
农	—	—	—			—	—	—			—	—	—	—	0.6	27	—	—	—	12.8	32.4	—	—
他	—	—	—			—	—	—			—	—	—	—			—	—	—			—	—

1946年土地占有与租典

单位：面积：亩
租额：谷斤、元

一、合计

阶级	总户数	占有耕地 户数	耕地 计	耕地构成	其中：水浇地	非耕地	典入 户数	典入 耕地	典入 非耕地	典去 户数	典去 耕地	典去 非耕地
甲	1	2	3	4	5	6	7	8	9	10	11	12
合计	245	227	3624.10	1.00	1824.03	151.11	12	61.80		1	6	
地主	2	2	210.50	5.81	75	4						
富农	26	26	903.50	24.93	525.75	32.03						
中农	120	120	1875.45	51.75	924	80.38	8	38.80				
贫农	88	76	621.05	17.14	296.68	33.40	4	23				
佃农	5	1	2.60	0.07	2.60	0.40						
其他	4	2	11	0.30		0.90				1	6	

阶级	租入耕地 户数	粮租 面积	粮租 租额	钱租 面积	钱租 租额	未估有面租积	租去耕地 户数	粮租 面积	粮租 租额	钱租 面积	钱租 租额	未估有面租积	土地使…
甲	13	14	15	16	17	18	19	20	21	22	23	24	25
合计	46	188	6803	110.20	644.80	21	4	3	150	141.25	1096		3854.
地主							1			90.50	880		120
富农							2			50.75	216		852.
中农	23	117.80	3180	62.50	406	16							2110.
贫农	23	70.20	3623	47.70	238.80	5							766
佃农													2.6
其他							1	3	150				2

二、每户平均

阶级	总户数	占有耕地 户数	耕地 计	耕地构成	其中：水浇地	非耕地	典入 户数	典入 耕地	典入 非耕地	典去 户数	典去 耕地	典去 非耕地
合计	—	—	14.79	—	7.45	0.62	—	0.25		—	0.02	
地主	—	—	105.25	—	37.5	2	—			—		
富农	—	—	34.75	—	20.22	1.23	—			—		
中农	—	—	15.63	—	7.7	0.67	—	0.32		—		
贫农	—	—	7.06	—	3.37	0.38	—	0.26		—		
佃农	—	—	0.52	—	0.52	0.08	—			—		
其他	—	—	2.75	—		0.23	—			—	1.5	

阶级	租入耕地 户数	粮租 面积	粮租 租额	钱租 面积	钱租 租额	未估有面租积	租去耕地 户数	粮租 面积	粮租 租额	钱租 面积	钱租 租额	未估有面租积	土地使…
合计	—	0.77	27.77	0.45	2.69	0.09	—	0.01	0.61	0.58	4.47		15.
地主	—						—			45.25	440		60
富农	—						—			1.95	8.31		32.
中农	—	0.98	26.5	0.52	3.38	0.13	—						17.5
贫农	—	0.79	41.17	0.54	2.71	0.06	—						8.7
佃农	—						—						0.5
其他	—						—	0.75	37.5				0.5

注：每户平均系用总户数计称的。

·46·

1937—1946土地变动情况

计量单位：数量：亩
价值：元 10表附表

阶级成份		户数	买进		赎回		典入		典入、典绝		卖出		赎出		典出		典出典绝	
			数量	价值	数量	价值	数量	价值	数量	价值	数量	价值	数量	价值	数量	价值	数量	价值
合	计	63	251.5	6541.51	7	150	3	54.50	3.5	80	284.4	7261.29						
地	主	1									70	560						
富	农	11	40.1	1297.17							71	2180						
中	农	26	88.2	2113	7	15	3	54.50			44.7	1841						
贫	农	24	118.2	2981.34					3.5	80	98.7	2680.27						
其	他	1	5	150														

注：土地变动户数系重复计算，如一户不同年分土地变化几次就算几次

1946年农作物播种面积及产量

单位：面积：亩；产量：市斤；产值：元

一、合计

阶级	户数	总播种面积	合计播种面积	合计产量	粮食作物																					棉花			其他	
					小麦			玉米			谷子			高粱			薯类			大豆			其它杂粮							
					播种面积	亩产	产量	播种面积	亩产	产量	播种面积	亩产	产量	播种面积	亩产	产量	播种面积	亩产	产量	播种面积	亩产	产量	播种面积	亩产	总产量	播种面积	亩产	产量	播种面积	
甲	1	2	3	4	5	6	7	8	9	10	11	12	13	14	15	16	17	18	19	20	21	22	23	24	25	26	27	28	29	3
合计	245	5549.42	4953.24	584514	1697.50	91.34	155076	1682.60	100	168199	654	103	67350	96.70	79.62	7699	624	267.33	166816	59.60	98	5840	139.34	93.54	13034	559.5	83.12	46507	35.98	26
地主	2	161	137	18120	41	116.60	4780	41	136.58	5600	29	124.48	3610	5	80	400	8	318.75	2550	7	88.57	620	6	93.33	560	23	142.17	3270	1	7
富农	26	1247.25	1091.70	117494	368	86	31645	372	99.94	37180	182	109.34	19900	41.70	80.43	3354	84.5	359.82	21055	18	90	1620	25.5	107.45	2740	155	94.60	14670	0.55	6
中农	120	3018.32	2687.69	319993	920.70	90.78	83583	901.40	98.34	88648	339.5	98.05	33288	46	82.28	3785	364.25	275.10	100205	31.60	104.43	3300	87.24	85.28	7184	301.10	71.05	21392	29.53	2
贫农	88	1113.25	1027.95	127797	363.20	95.35	34632	365.20	101.26	36981	103.50	102	10552	4	40	160	165.45	257.61	42622	3	100	300	23.60	108.05	2550	80.40	89.24	7175	4.90	4
佃农	5	5.6	5.6	596	2.60	90	252	2	80	160							0.80	230	184											
其他	4	4	4	514	2	142	184	1	130	130							1	200	200											

二、每户平均

阶级	1	2	3	4	5	6	7	8	9	10	11	12	13	14	15	16	17	18	19	20	21	22	23	24	25	26	27	28	29	3
合计	—	22.65	20.22	2385.76	6.93	—	632.96	5.24	—	689.96	2.67	—	274.89	0.39	—	31.42	2.55	—	680.88	0.24	—	23.84	0.57	—	53.2	2.28	—	189.83	0.15	10
地主	—	80.5	68.5	9060	20.5	—	2390	20.5	—	2800	14.5	—	1805	2.5	—	200	4	—	1275	3.5	—	310	3	—	280	11.5	—	1635	0.5	35
富农	—	47.98	41.99	4519	14.15	—	1217.11	14.31	—	1430	7		765.38	1.6	—	129	3.25	—	809.81	0.69	—	62.31	0.98	—	105.38	5.96	—	564.23	0.02	2
中农	—	25.15	22.39	2666.58	7.67	—	696.53	7.51	—	738.73	2.83	—	277.40	0.38	—	31.54	3.04	—	835.04	0.26	—	27.50	0.70	—	59.87	2.51	—	175.27	0.25	17
贫农	—	12.65	11.68	1452.24	4.13	—	393.55	4.15	—	420.24	1.18	—	119.91	0.05	—	1.82	1.88	—	484.34	0.03	—	3.41	0.27	—	28.98	0.91	—	81.53	0.06	4
佃农	—	1.12	1.12	119.20	0.52	—	50.4	0.4	—	32		—			—		0.16	—	36.8		—			—			—			
其他	—	1	1	128.5	0.5	—	46	0.25	—	32.5		—			—	0.25		—	50		—			—			—			

·48

1946年农作物播种面积构成

单位面积：亩　　12表

一　总计

阶级	总播种面积	粮食作物								棉花	其他作物
		合计	小麦	玉米	谷子	高粱	薯类	大豆	其杂儿粮		
甲	1	2	3	4	5	6	7	8	9	10	11
合计	5549.42	4953.75	1697.50	1682.50	654	96.70	624	59.60	139.34	559.50	35.98
地主	161	137	41	41	29	5	8	7	6	23	1
富农	1247.25	1091.70	368	372	182	41.70	84.50	18	25.50	155	0.55
中农	3016.32	2687.69	920.70	901.40	339.50	46	364.25	31.60	84.24	301.10	29.53
贫农	1113.25	1027.95	363.20	365.20	103.50	4	165.45	3	23.60	80.70	4.90
雇农	5.40	5.40	2.60	2			0.80				
其他	4	4	2	1			1				

二　构成（%）

阶级	总播种面积	合计	小麦	玉米	谷子	高粱	薯类	大豆	其杂儿粮	棉花	其他作物
合计	100	89.26	30.59	30.33	11.78	1.75	11.24	1.07	2.51	10.08	0.66
地主	100	85.09	25.47	25.47	18.01	3.11	4.97	4.35	3.73	14.29	0.60
富农	100	87.52	29.50	29.82	14.59	3.34	6.77	1.44	2.04	12.43	0.07
中农	100	89.05	30.50	29.87	11.25	1.52	12.07	1.05	2.79	9.98	0.97
贫农	100	92.32	32.62	32.80	9.30	0.36	14.86	0.27	2.12	7.23	0.44
雇农	100	100	50	35.71			14.29				
其他	100	100	50	25			25				

·49·

1946年房屋和牲畜

13表

一、合计

阶级	户数	佔有房间数	现住房屋 间数	其中 砖的	其中 租典借	生产用房 间数	其中砖的	租佔典入	出借租房典屋	牲畜（头） 大牲畜 牛	马	驴	骡	小牲畜 猪	羊	水井	其中砖井
甲	1	2	3	4	5	6	7	8	9	10	11	12	13	14	15	16	17
合计	245	1061	908.5	190.50	33	180.5	31		5	2	2	99	29	121		120	90
地主	2	44	26	21		18	11					1	4	2		4	4
富农	26	209	149.50	64		59.50	16					16	12	26		26	26
中农	120	529.5	442.5	75.5	7	89	2		5	1	2	65.50	13	66		75.50	51.50
贫农	88	270.5	269.5	30	13	14	2			1		14.5		26		14.00	8.00
雇农	5	3	11		8											0.50	0.50
其他	4	5	10		5									1			

二、每户平均

阶级	户数	佔有房间数	现住房屋 间数	其中 砖的	其中 租典借	生产用房 间数	其中砖的	租佔典入	出借租房典屋	牛	马	驴	骡	猪	羊	水井	其中砖井
合计	—	4.33	3.7	0.78	0.13	0.74			0.02	0.008	0.008	0.40	0.12	0.49		0.49	0.37
地主	—	22	13	10.5		9	5.5					0.5	2	1		2	2
富农	—	8.04	5.75	2.46		2.29	0.62					0.69	0.46	1		1	1
中农	—	4.41	3.69	0.63	0.06	0.74	0.02		0.04	0.008	0.02	0.55	0.11	0.55		0.63	0.43
贫农	—	3.07	3.06	0.34	0.15	0.16	0.02			0.01		0.16		0.30		0.16	0.09
雇农	—	0.6	2.2		1.6											0.1	0.1
其他	—	1.25	2.5		1.25									0.25			

·50·

1946年占有农业主要生产及生活用具

一、合计　　　　14表

阶级	户数	生产用具						生活用具					备考
		水車	鉄大輪車	膠大輪車	犁耠	种什	耙蓋	自行車	手电筒	耐石收音机	热水瓶	被褥（条）	
甲	1	2	3	4	5	6	7	8	9	10	11	12	13
合计	245	62	18		135	57.00	115	2	2		2	1412	
地主	2	3	3		2	2	3					20	
富农	26	15	22		33	22	38	2	2		1	264	
中农	120	40	38.5		81	32.50	64					723	
贫农	88	4	4.5		19	0.5	10				1	370	
佣农	5											17	
其它	4											18	

二、构成（%）

阶级	户数	水車	鉄大輪車	膠大輪車	犁耠	种什	耙蓋	自行車	手电筒	耐石收音机	热水瓶	被褥（条）	备考
合计	100	100	100	100	100	100	100	100	100	100	100	100	100
地主	0.82	4.84	4.41		1.48	3.51	2.61					42	
富农	10.61	24.19	32.35		24.44	38.6	33.04	100	100		50	18.7	
中农	48.98	64.52	56.62		60.00	57.01	55.65					51.2	
贫农	35.92	6.45	6.62		14.08	0.88	8.7				50	26.2	
佣农	2.04											1.2	
其它	1.63											1.28	

·51·

1946年农付业及其它收入

单位：元　　15表

阶级	户数	人数	植物栽培	出售家畜家禽及其它产品				采集渔猎收入	付业收入	工资收入	在外人口寄回	出租生产生活资料	救济补助及赠送	其他	合计
				猪	蜂	鸡鸭及蛋	其他								
甲	1	2	3	4	5	6	7	8	9	10	11	12	13	14	15
合计	245	1244	63639.16	3001.50	35	189.5	27	20	4576.15	3215.5	4303	1354	272	680	81432.0
地主	2	8	2460.46	70							800	880			4210.4
富农	26	186	13783.85	553.50	25	27			800		1122	456			16887.4
中农	120	629	34331.37	1589	10	48.50	27.00		676	1074.50	905			183	38854.
贫农	88	396	12966.33	751		99			2540.15	1464	1316		272	257	19665.4
佣农	5	14	52.81			15		20	180	288					566.81
其他	4	11	44.24	38					380	378	160	18		240	1258.24
二、每人平均															
合计	—	—	51.16	2.41	0.03	0.15	0.02	0.02	3.68	2.58	3.46	1.08	0.22	0.55	65.46
地主	—	—	307.56	8.75							100	110			526.31
富农	—	—	74.11	2.98	0.13	0.15			4.30		6.03	2.45			90.80
中农	—	—	54.58	2.53	0.02	0.08	0.04		1.07	1.71	1.44			0.28	61.76
贫农	—	—	32.74	1.8		0.25			6.41	3.7	3.32		0.69	0.65	48.66
佣农	—	—	3.77			1.07		1.43	12.86	21.36					40.48
其他	—	—	4.02	3.45					34.55	34.36	14.55	1.64		21.82	114.38

·52·

1940年付业情况

16表

阶级	总户数	其中：有付业的户数	从业人数	其中：雇佣	兼业人数	产品价值及工资(元)	
						主产品	付产品
甲	1	2	3	4	5	6	7
合计	245	10			39	11837.75	
地主	2						
富农	26						
中农	120	1			13	5063.	
贫农	88	6			24	5794.75	
雇农	5						
其它	4	3			2	980	
二.构成(%)							
合计	100	100	100	100	100	100	100
地主	0.82						
富农	10.61						
中农	48.98	10			33.33	42.77	
贫农	35.92	60			61.54	48.95	
雇农	2.04					8.28	
其它	1.63	30			5.13		

1946年負债情况

一、合计　　单位：元　　17表

阶级	总户数	其中：负债户数	年末负债累计：计	年末负债累计：其中：货币	其中：向各类债主借收累计数：地主富农	中农	银行	信用社	钱庄	其它	全年应付利息
甲	1	2	3	4	5	6	7	8	9	10	11
合计	245	1	70	70						70	
地主	2										
富农	26										
中农	120	1	70	70						70	
贫农	88										
佣农	5										
其它	4										
二、每户平均											
合计	—	—	0.58	0.58						0.58	
地主	—	—									
富农	—	—									
中农	—	—	0.58							0.58	
贫农	—	—									
佣农	—	—									
其它	—	—									

·54·

1946年主要生活用品情况

合计　　　　　　　　　　　　　　　　　　　　　　18表

阶级	户数	吃饭人口	口粮消费 计	其中：细粮 计	其中：细粮 %	肉类（斤）	食油（斤）	棉布（尺）计	棉布（尺）其中：土布	灯油（斤）	煤炭（斤）	烟类 纸烟（合）	烟类 烟叶（斤）	酒（斤）	医药费（元）	供神费（元）	应酬费（元）	喜庆费（元）	丧葬费（元）
甲	1	2	3	4	5	6	7	8	9	10	11	12	13	14	15	16	17	18	19
合计	245	1254	402648	80541	20	4354	2643.50	13671	9232	2896	150750	4081	1441	754.50	818.20	523.70	618	833	23
地主	2	12	5800	2200	37.93	140	116	205	165	41	6600	250	20	9		10.80	10		
富农	26	196	74410	22196	29.82	1279	810	2506	1531	498	34300	1385	217	375	219	147.50	230	796	
中农	120	632	202800	44236	21.81	2207	1143.50	6641	4379	1459	76350	1491	668	165.5	418	224.30	152	43	3
贫农	88	392	113808	10831	9.52	685	543	4112	3002	841	31400	900	497	155	167.20	112.40	190.80		20
雇农	5	11	2410	278	11.53	7	12	67	51	26	1300		26		3	2.70	0.20		
其它	4	11	3420	800	24.39	36	19	140	104	31	800	55	13	50	11	26	35		
每人平均																			
合计	—	—	321.09	64.23	—	3.47	2.11	10.9	7.36	2.31	120.22	3.25	1.15	0.6	0.65	—	—	—	—
地主	—	—	483.33	183.33	—	11.67	9.67	17.08	13.75	3.42	550	20.83	1.67	0.75		—	—	—	—
富农	—	—	379.64	113.24	—	6.53	4.13	12.79	7.81	2.54	175	7.07	1.11	1.91	1.12	—	—	—	—
中农	—	—	320.89	70	—	3.49	1.81	10.5	6.93	2.31	120.81	2.36	1.06	0.26	0.66	—	—	—	—
贫农	—	—	290.32	27.63	—	1.75	1.39	10.49	7.65	2.15	80	2.3	1.27	0.4	0.43	—	—	—	—
雇农	—	—	219.18	25.27	—	0.64	1.09	6.09	4.64	2.36	118.18		2.36		0.27	—	—	—	—
其它	—	—	310.91	72.73	—	3.27	1.73	12.73	9.45	2.82	72.73	5	1.18	4.55	1	—	—	—	—

1936—1946年反动统治时期所受损失

19表

阶级	总户数	其中：受损户数	烧毁房屋（间）	拆毁房屋（间）	霸占土地（亩）	绑票勒索（元）	砍伐树木（株）	劫去粮食（斤）	劫去衣饰（件）	劫去牲畜（头）	劫去钱财（元）	杀死人数（人）	重伤残废人数（人）	抓壮丁人数（人）	义务劳役天数
甲	1	2	3	4	5	6	7	8	9	10	11	12	13	14	15
合计	245	245			13	200	865	1130	41	37		2		4	43822
地主	2	2													330
富农	26	26			2	200	200	200	1	37				1	4220
中农	120	120			8.5		488	870	27			1		3	25065
贫农	88	88			2.5		177	60	13			1			13567
佣农	5	5													460
其它	4	4													180

·56·

1957年調查資料

一、合计

1957年调查户变动情况

1表

阶级	1946年户数	期内变动 分出	迁入	合并	迁出	绝灭	本户期数
甲	1	2	3	4	5	6	7
合计	245	64	12	4	5	5	307
地主	2					1	
富农	26	10	8		3		
中农	120	32	1	3			
贫农	88	21	2	1	2	2	
雇农	5	1				1	
其他	4		1			1	

二、比重（%）

阶级	1946年户数	分出	迁入	合并	迁出	绝灭	本户期数
合计	100	100	100	100	100	100	100
地主	0.82					20	
富农	10.61	15.15	66.67		60	—	
中农	48.98	51.51	8.33	75		—	
贫农	35.92	31.82	16.67	25	40	40	
雇农	2.04	1.52				20	
其他	1.63		8.33			20	

·57·

一、合计　　1957年调查户阶级成分的演变　　2表

阶级	1946年户数	1957年户数						
		合计	上中农	中农	下中农	贫农	伫农	其他
甲	1	2	3	4	5	6	7	8
合计	245	307	136	86	41	38		6
地主	2	1			1			
富农	26	33	14	10	5	4		
中农	120	(161)	86	47	15	11		2
贫农	88	104	32	27	20	21		4
伫农	5	5	3	2				
其他	4	3	1			2		
二、构成(%)								
合计	—	100	44.30	28.01	13.36	12.38		1.95
地主	—	100			100			
富农	—	100	42.42	30.31	15.15	12.12		
中农	—	100	53.42	29.19	9.32	6.83		1.24
贫农	—	100	30.77	25.96	19.23	20.19		3.85
伫农	—	100	60	40				
其他	—	100	33.33			66.7		

·58·

一、合计

1946—1957年调查户阶级演变原因

3表

阶级	上升					下降					
	户数	剥削或投机获利	土地改革	勤俭及家属成员就业	其他	户数	被剥削或投机失利	分家	土地改革	赌博及其他不正当行为	灾祸或其他意外事故
甲		2	3	4	5	6	7	8	9	10	11
合计	161			161		59			34		25
地主						1			1		
富农						33			33		
中农	78			78		25					25
贫农	78			78							
佃农	5			5							
其他											
二、比重（%）											
合计	100			100		100			57.63		42.37
地主	100	—	—	—	—	100			100		
富农	100					100			100		
中农	100			100		100					100
贫农	100			100		100					
佃农	100			100		—	—	—	—	—	—
其他	100										

一、合计

1957年人口与劳动力

4表

阶级	户数	年末总人口数			在家常住人口						在外人口					
		合计	男	女	年内常住人口		其中：劳动力		年末常住人口		年内人口		其中：劳动力		年末人口	
					男	女	男	女	男	女	男	女	男	女	男	女
甲	1	2	3	4	5	6	7	8	9	10	11	12	13	14	15	16
合计	307	1748	880	868	749	796	413	390	758	797	126	72	98	45	122	71
上中农	136	706	367	339	301	296	197	170	304	303	64	36	49	21	63	36
中农	86	541	280	261	232	243	110	114	241	237	40	24	29	16	39	24
下中农	41	260	119	141	107	132	55	56	108	133	13	8	13	4	11	8
贫农	38	225	105	120	100	118	47	48	97	117	8	4	6	4	8	3
其他	6	16	9	7	8	7	4	2	8	7	1		1		1	
二、每户平均																
合计	—	5.69	2.87	2.82	2.44	2.59	1.35	1.27	2.47	2.60	0.40	0.23	0.31	0.15	0.40	0.22
上中农	—	5.18	2.69	2.49	2.21	2.18	1.45	1.25	2.24	2.23	0.47	0.26	0.36	0.15	0.45	0.26
中农	—	6.29	3.26	3.03	2.7	2.83	1.28	1.33	2.8	2.75	0.47	0.28	0.34	0.19	0.46	0.28
下中农	—	6.34	2.9	3.44	2.61	3.22	1.34	1.37	2.63	3.24	0.32	0.2	0.32	0.1	0.27	0.2
贫农	—	5.92	2.76	3.16	2.63	3.11	1.24	1.26	2.55	3.08	0.21	0.11	0.16	0.11	0.21	0.08
其他	—	2.67	1.5	1.17	1.33	1.17	0.67	0.33	1.33	1.17	0.17		0.17		0.17	

六、合计

1957年调查户常住人口劳动力的职业状况

5表

阶级	劳动力数	其中：职业状况									
				产业工人	小商贩	乡社干部	各类合作社员	自由职业者	宗教迷信职业者	旧军政机关公务员	其他劳动者
甲	1	2	3	4	5	6	7	8	9	10	11
合计	803	1		1	5	5	591	3			6
上中农	367			1	1	4	287				2
中农	224					1	166	3			2
下中农	111						71				
贫农	95	1			1		67				1
其他	6				3						1

二、各类职业人数占常住人口劳动力的(%)

阶级	1	2	3	4	5	6	7	8	9	10	11
合计	100	1.37		0.12	0.62	0.62	72.26	0.37			0.65
上中农	100			0.27	0.27	1.09	78.20				0.54
中农	100					0.45	74.10	1.34			0.89
下中农	100						63.96				
贫农	100	1.05			1.05		70.52				1.05
其他	100				50						14.28

·61·

一、合计　　　　1957年调查户在外人口劳动力职业状况　　　　6表

阶级	劳动力数	其中：职业状况											
		革命军政机关国营企业职工	手工业者	雇农	小商贩	工商业资本家	旧军政机关公务员	私营企业职工	自由职业者	宗教迷信职业者	产业工人	各类合作社社员	其他劳动者
甲	1	2	3	4	5	6	7	8	9	10	11	12	13
合计	143	67					1				30		9
上中农	70	31					1				17		5
中农	45	26									7		1
下中农	17	6									5		2
贫农	10	3									1		1
其他	1	1											

二、各类职业人数占在外人口劳动力的（%）

阶级	劳动力数	2	3	4	5	6	7	8	9	10	11	12	13
合计	100	47.18					0.7				21.13		6.34
上中农	100	44.29					143				24.29		7.14
中农	100	57.78									15.56		2.22
下中农	100	35.29									29.41		11.76
贫农	100	30									10		10
其他	100	100											

·62·

一、合计　　1957年调查户年内常住人口的文化状况　　7表

阶级	学龄儿童(7-13岁)	其中：在学人数	十四岁以上人口	文化状况					
				文盲	初小程度	高小程度	初中程度	高中程度	大学程度
甲	1	2	3	4	5	6	7	8	9
合计	249	213	950	628	149	130	39	3	1
上中农	88	77	421	274	65	58	22	2	
中农	78	66	280	184	39	41	15	1	
下中农	44	37	122	88	19	13	1		1
贫农	39	33	116	76	22	17	1		
其他			11	6	4	1			

二、构成(%)

阶级	学龄儿童(7-13岁)	其中：在学人数	十四岁以上人口	文盲	初小程度	高小程度	初中程度	高中程度	大学程度
合计	100	85.54	100	66.11	15.68	13.68	4.11	0.32	0.10
上中农	100	87.5	100	65.08	15.44	13.78	5.23	0.47	
中农	100	84.62	100	65.71	13.93	14.64	5.36	0.36	
下中农	100	84.9	100	72.13	15.57	10.66	0.82		0.82
贫农	100	84.62	100	65.52	18.97	14.65	0.86		
其他	100		100	54.54	36.36	9.10			

一、合计　　1957年调查户在外人口的文化状况　　8表

阶级	学龄儿童（7—13岁）	其中：在学人数	十四岁以上的人口	文化状况 文盲	初小程度	高小程度	初中程度	高中程度	大学程度
甲	1	2	3	4	5	6	7	8	9
合计	9	8	155	49	27	43	30	3	3
上中农	6	5	79	30	10	17	19	2	1
中农	2	2	46	11	7	16	9	1	2
下中农			19	5	6	6	2		
贫农	1	1	10	3	4	3			
其他			1			1			

二、构成（%）

阶级	学龄儿童（7—13岁）	其中：在学人数	十四岁以上的人口	文盲	初小程度	高小程度	初中程度	高中程度	大学程度
合计	100	88.89	100	31.61	17.42	27.74	19.35	1.94	1.94
上中农	100	83.33	100	37.97	12.66	21.52	24.05	2.53	1.27
中农	100	100	100	23.91	15.22	34.78	19.57	2.17	4.35
下中农	100		100	26.32	31.58	31.58	10.52		
贫农	100	100	100	30	40	30			
其他	100		100			100			

·64·

1947—1957年土地变动情况

计量单位

阶级成分	土地变动户数	买进		赎回		典入		典入典绝		卖出		赎出		典出		典出.典绝	
		数量	价值	数量	价值	数量	价值	数量	价值	数量	价值	数量	价值	数量	价值	数量	价值
合计	53	216.28	2928.06					15.1	400	56.5	622.9						
富农	7	23.4	220							15.5	25.5						
中农	31	144.03	2810.4					0.1	40	28	30.40						
贫农	14	54.35	817.66					15	360	13	337						
雇农	1	3.5	80														

注：土地变动户数系重复计算，如一户在不同年分土地变化几次就算几次。

·65·

1957年土地占有与租典

单位：面积：亩　租额：谷市斤、元　　10表

·合计

阶级	总户数	占有耕地					典入			典出			租入耕地						租出耕地						土地使用面积
		户数	耕地			非耕地	户数	耕地	非耕地	户数	耕地	非耕地	户数	粮租		钱租		未作价有租面积	户数	粮租		钱租		未作价有租面积	
			计	耕地构成	其中：水浇地									面积	租额	面积	租额			面积	租额	面积	租额		
甲	1	2	3	4	5	6	7	8	9	10	11	12	13	14	15	16	17	18	19	20	21	22	23	24	25
合计	307	1	15.76	100	15.76	157.61																			15.76
上中农	136					76.74																			
中农	86					45.53																			
下中农	41					17.45																			
贫农	38	1	15.76	100	15.76	16.79																			15.76
其他	6					1.1																			

、每户平均

阶级	总户数	户数	计	耕地构成	其中：水浇地	非耕地	典入户数	耕地	非耕地	典出户数	耕地	非耕地	租入户数	面积	租额	面积	租额	未作价有租面积	租出户数	面积	租额	面积	租额	未作价有租面积	土地使用面积
合计	—	—	15.76	—	15.76	0.51	—			—			—						—						
上中农	—	—		—		0.56	—			—			—						—						
中农	—	—		—		0.53	—			—			—						—						
下中农	—	—		—		0.43	—			—			—						—						
贫农	—	—	15.76	—	15.76	0.44	—			—			—						—						
其他	—	—		—		0.18	—			—			—						—						

·66·

一、合计

1957年农作物播种面积及产量

单位：面积：亩　产量：市斤　产价：元

阶级	户数	总播种面积	播种面积合计	产量	粮食作物																					棉花			其它	
					小麦			玉米			谷子			高粱			薯类			大豆			其它杂粮							
					播种面积	亩产	产量	播种面积	亩产	产量	播种面积	亩产	产量	播种面积	亩产	产量	播种面积	亩产	产量	播种面积	亩产	产量	播种面积	亩产	总产量	播种面积	亩产	产量	播种面积	
甲	1	2	3	4	5	6	7	8	9	10	11	12	13	14	15	16	17	18	19	20	21	22	23	24	25	26	27	28	29	3
合计	307	17.88	13.78	2919	5	120	600	2.1	100	210	1.68	119.6	201				3	500	1500				2	200	400	4	15	60	0.1	32
上中农	136																													
中农	86																													
下中农	41																													
贫农	38	17.88	13.78	2919	5	120	600	2.1	100	210	1.68	119.6	201				3	500	1500				2	200	400	4	15	60	0.1	32.
其他	6																													

注：该社1957年没有自留地表上数字系是一户贫农单干户。

·67·

一、合计　　　　1957年农作物播种面积构成　　　　单位面积：亩　　　　12表

阶级	总播种面积	粮食作物								棉花	其它作物
		合计	小麦	玉米	谷子	高粱	薯类	大豆	其它杂粮		
甲	1	2	3	4	5	6	7	8	9	10	11
合计	17.88	13.78	5	2.1	1.68		3		2	4	0.1
地主											
富农											
中农											
贫农	17.88	13.78	5	2.1	1.68		3		2	4	0.1
其他											

二、构成（%）

阶级	总播种面积	合计	小麦	玉米	谷子	高粱	薯类	大豆	其它杂粮	棉花	其它作物
合计	100	77.06	27.97	11.74	9.37		16.79		11.19	22.38	0.56
地主	100										
富农	100										
中农	100										
贫农	100	77.06	27.97	11.74	9.37		16.79		11.19	22.38	0.56
其他	100										

·68·

一、合计

1957年房屋和牲畜

13表

阶级	户数	占有房间数	现住房屋 间数	其中 砖的	其中 租典借	生产用房 间数	其中砖的	租借典入	出借租典房屋	牲畜(头) 大牲畜 牛	马	驴	骡	小牲畜 猪	羊	水井	其中:砖井
甲	1	2	3	4	5	6	7	8	9	10	11	12	13	14	15	16	17
合计	307	1170	1075.5	275	30	95	11		29.5				1	179.5	17	1	1
上中农	136	543.5	492.5	128	8	48.5	4		10.5				1	84.25	15	1	1
中农	86	328	305.5	75	13	27.5	6		8					58.5	1		
下中农	41	157.5	149.5	36.5	2	10	1							23.5			
贫农	38	129	114	29.5	4	8			11					13.25	1		
其他	6	12	14	6	3	1											
二、每户平均																	
合计	—	3.81	3.5	0.9	0.1	0.31	0.04		0.10					0.58	0.06	0.01	0.01
上中农	—	4	3.62	0.94	0.06	0.36	0.03		0.08				0.01	0.62	0.11	0.01	0.01
中农	—	3.81	3.55	0.87	0.13	0.32	0.07		0.09					0.68	0.01		
下中农	—	3.89	3.65	0.89	0.05	0.12	0.04							0.60			
贫农	—	3.39	3	0.77	0.11	0.21			0.29					0.35	0.01		
其他	—	2	2.33	1	0.5	0.02											

·69·

一、合计

1957年占有农业主要生产及生活用具

14表

阶级	户数	生产工具						生活用具					
		水車	铁大轮車	胶大轮車	犁耠	种什	耙盖	自行車	手电筒	矿石收音机	热水瓶	被褥(条)	畜放
甲	1	2	3	4	5	6	7	8	9	10	11	12	13
合计	307		1					6	110	68	201	1949	
上中农	136							4	67	36	105	863	
中农	86							1	24	21	53	559	
下中农	41		1						9	6	26	265	
贫农	38								8	5	12	237	
其他	6							1	2		5	25	

二、构成(%)

阶级	户数	水車	铁大轮車	胶大轮車	犁耠	种什	耙盖	自行車	手电筒	矿石收音机	热水瓶	被褥(条)	畜放
合计	100	100	100	100	100	100	100	100	100	100	100	100	100
上中农	44.3							66.66	60.91	52.94	52.24	44.28	
中农	28.01							16.67	21.82	30.88	26.37	28.68	
下中农	13.36		100						8.18	8.83	12.93	13.6	
贫农	12.38								7.27	7.35	5.97	12.16	
其他	1.95							16.67	1.82		2.49	1.28	

·70·

1957年农付业及其它收入

单位：元。

一、合计

阶级	户数	人数	植物栽培	出售家畜家禽及其它产品：猪	兔	鸡鸭及蛋	其它	肥料	采集渔猎收入	付业收入	工资收入	在外人员寄回	从农业社取得收入	其中：劳动报酬	出租生产生活资料	其中：房租	救济补助及赠送	其它	合计	其中：纯收入
甲	1	2	3	4	5	6	7	8	9	10	11	12	13	14	15	16	17	18	19	20
合计	307	1544	310.34	4,831.80	2.00	316.20	12.30	227.70		1527.00	2716.00	9795.00	192235	109263	1056.07	110.00	1132.85	1940.28	126102.54	133130.54
上中农	136	597		2,466.00		119.50		87.50		690.00	2021.00	5591.00	104210.59	59231.47	495.00	65.00	274.00	528.50	116483.09	71503.97
中农	36	475		1,402.80	2.00	102.00	12.30	102.00			155.00	2805.00	55171.45	31358.48	441.47	45.00	306.25	147.50	60647.77	36834.80
下中农	41	239		535.00		28.20		16.50			384.00	630.00	19492.63	11079.27	9.10		95.00	1052.28	22242.71	13829.35
贫农	38	218	310.34	428.00		66.50		21.70		195.00	30.00	369.00	13244.99	7528.22	110.50		427.60	212.00	15415.63	9698.86
其他	6	15								642.00	126.00	400.00	115.34	65.56			30.00		1313.34	1263.56

二、每人平均

阶级	户数	人数	植物栽培	猪	兔	鸡鸭及蛋	其它	肥料	采集渔猎收入	付业收入	工资收入	在外人员寄回	从农业社取得收入	其中：劳动报酬	出租生产生活资料	其中：房租	救济补助及赠送	其它	合计	其中：纯收入
合计	—	—	0.21	3.13		0.20	0.08	0.15		0.99	1.76	6.34	124.5	70.77	0.68	0.07	0.73	1.25	139.96	86.2
上中农	—	—		4.13		0.20	0.15			1.16	3.39	9.37	74.57	99.22	0.83	0.11	0.46	0.73	195.11	119.7
中农	—	—		2.95	0.01	0.21	0.03	0.21			0.33	5.91	116.15	66.02	0.93	0.09	0.64	0.3	127.68	77.5
下中农	—	—		2.24		0.18		0.07			1.61	2.64	81.56	46.36	0.04		0.39	4.40	93.07	57.8
贫农	—	—	1.42	1.96		0.31		0.10		0.89	0.14	1.69	60.76	34.53	0.51		1.96	0.97	70.70	44.4
其他	—	—								42.80	8.4	26.67	7.69	4.37			2		87.56	84.2

·71

一、合计　　　　1957年付业情况　　　　16表

阶级	总户数	其中：有付业的户数	从业人数	其中：佣	兼业人数	产品价值或工资（元）主产品	付产品
甲	1	2	3	4	5	6	7
合计	307	6	6		5	6841	
上中农	136	1	1			1200	
中农	86	3	3		3	4300	
下中农	41						
贫农	38						
其他	6	2	2		2	1341	

二、构成（%）

阶级	总户数	其中：有付业的户数	从业人数	其中：佣	兼业人数	主产品	付产品
合计	100	100	100	100	100	100	100
上中农	44.30	16.67	16.67				
中农	28.01	50	50			17.54	
下中农	13.36				60	62.86	
贫农	12.38						
其他	1.95	33.33	33.33		40	19.6	

一、合计　　　　　　1957年负债情况　　　　单位：元　　　　17表

阶级	总户数	其中：负债户数	年末负债累计：计	年末负债累计：其中：货币	其中：向各类债主借款累计数：地主富农	中农	银行	信用社	亲友	其它	全年应付利息
甲	1	2	3	4	5	6	7	8	9	10	11
合计	307	34	2354.00	2354.00				566.00		1788.00	49.01
上中农	136	12	916.00	916.00				301.00		615.00	16.81
中农	86	9	383.00	383.00						383.00	10.50
下中农	41	7	313.00	313.00				133.00		180.00	9.56
贫农	38	5	262.00	262.00				132.00		30.00	12.14
其他	6	1	480.00							480.00	
二、每户平均											
合计	—	—	7.67	7.67				1.84		5.82	0.16
上中农	—	—	6.74	6.74				2.21		4.56	0.12
中农	—	—	4.45	4.45						4.45	0.12
下中农	—	—	7.63	7.63				3.24		4.39	0.45
贫农	—	—	6.89	6.89				3.47		3.42	0.32
其他	—	—	80							80	

·73·

一、合计　　　　　　1957年主要生活用品情况　　　　　　18表

阶级	户数	吃饭人口	口粮消费			肉类(斤)	食油(斤)	棉布(尺)		灯油(斤)	煤炭(斤)	烟类		酒(斤)	医药费(元)	供神费(元)	应酬费(元)	喜庆费(元)	丧葬费(元)
			计	其中:细粮				计	其中:土布			纸烟(合)	烟叶(斤)						
				计	%														
甲	1	2	3	4	5	6	7	8	9	10	11	12	13	14	15	16	17	18	19
合计	307	1545	567232	133247.5		7276.5	4495	19153	867	4007.5	487520	14204	1473	432.5	5241.00	140.15	321.90	324.40	232.50
上中农	136	597	234755	52176		3245.5	1916.5	8500	1044	1759.5	235780	8331	617	198.5	3041.00	90.80	174.10	156.00	40.00
中农	86	475	169552	41511.5		2325	1265	6013	664	1196	129440	2647	436	85	1337.50	31.65	136.80	43.40	80.00
下中农	41	240	52456	20646		947	650.5	2310	105	523	60120	1887	239	91	582.00	9.90	39.00	5.00	110.00
贫农	38	218	75441	17285		717	607	2170	54	464	47280	1509	181	46	223.50	7.80	19.00	120.00	2.50
其他	6	15	5028	1029		42	56.25	160		65	14900	830		12	57.00		13.00		

二、每人平均

阶级	1	2	3	4	5	6	7	8	9	10	11	12	13	14	15	16	17	18	19
合计	—	—	367	86.24	—	4.71	2.91	12.40	1.21	2.59	315.55	9.84	0.95	0.28	3.39	—	—	—	—
上中农	—	—	393	87.4	—	5.44	3.21	14.24	1.75	2.95	394.94	13.95	1.03	0.33	5.09	—	—	—	—
中农	—	—	357	87.39	—	4.89	2.66	12.66	1.4	2.52	272.51	5.57	0.92	0.19	2.82	—	—	—	—
下中农	—	—	344	86.03	—	39.5	2.71	9.6	0.43	2.18	250.5	7.86	0.99	0.38	2.43	—	—	—	—
贫农	—	—	346	82.04	—	3.29	2.24	9.95	0.25	2.13	216.88	6.92	0.83	0.21	1.01	—	—	—	—
其他	—	—	335	68.6	—	2.8	3.75	10.7		4.33	993.34	55.33		0.80	3.8	—	—	—	—

·74·

1946——1947年反动统治时期所受损失　　19表

阶级	总户数	其中：受损户数	烧毁房屋（间）	拆毁房屋（间）	填占土地（亩）	绑票勒索（元）	砍伐树木（株）	劫去粮食（斤）	劫去衣饰（件）	劫去牲畜（头）	劫去钱财（元）	杀死人数（人）	重伤残废人数（人）	抓壮丁人数（人）	义务劳役天数
甲	1	2	3	4	5	6	7	8	9	10	11	12	13	14	15
合计	245	245			13	200	865	1130	77	1		2		4	43822
地主	2	2													330
富农	26	26			2	200	200	200	37	1				1	4220
中农	120	120			8.5		488	870	27			1		3	25065
贫农	88	88			2.5		177	60	13			1			13567
佃农	5	5													460
其他	4	4													180

·75·

土改收益户分得财产情况

20表

阶级	总户数	其中：收益户数	房屋(间)	土地(亩)	粮食(斤)	牲畜(头)	农具(件)	(1)棉花	(2)衣服	傢俱(件)	典地改死地	其它
甲	1	2	3	4	5	6	7	8	9	10	11	12
合计	124		39.5	691.86	4107	3	37	196	200	38	81.11	5
中农	86		10	300.8	289			27			20.30	5
贫农	38		36.5	379.16	3818	3	37	169	200	38	60.81	
佃农			3	11.9								
其												

·76·

附　录

1957年度农业生产合作社经济情况

1957年度农业生产合作社经济情况

一、基本情况

户数	人口		其中：实际参加社的劳动力数		社内集体经营农业用地（市亩）		社公有办公用房（间）	社公有水井（口）	社七月一日集体喂养牲畜（头）					年末占有主要生产及工作用具件数							
	男	女	男	女	旱田	其中：水浇地			牛	马	驴	骡	猪	水車	锅驼机	铁轮大車	胶轮大車	双（单）铧犁	种什	自行車	钟表
甲	1	2	3	4	5	6	7	8	9	10	11	12	13	14	15	16	17	18	19	20	21
317	749	783	327	184	3615	1467	12	134	25	23	108	4	226	101	1	54	26	6	32	5	12

二、农作物播种面积及产量

	小麦	谷	玉米	高粱	薯类	大豆	籽棉	麻	其它什粮	花生
甲	1	2	3	4	5	6	7	8	9	10
播种面积	1308	180	1421	38	561	136	960	3	239	4
亩产	86.34	209.61	253.11	108.12						
总产量	112939	37730	359674	4108	261465	26966	112000	120	37023	400

·77·

三、产值与分配

农付业产值（元）					年内分配情况（元）								
植物栽培产值	付业	动物饲养产品总值	其它	合计	总支出	交税	其中：农业税	生产费用	管理费用	公积金	公益金	劳动报酬	其它
甲	1	2	3	4	5	6	7	8	9	10	11	12	13
176316	2277[23]	8464	1369	192235	192235	9175	9175	44063	362	18514	2349	109263	9509

四、粮食及大豆产销用情况

粮食						大豆			
总产量	分给社员	纳税	出售	留种	饲料	总产量	分给社员	留种	饲料
甲	1	2	3	4	5	6	7	8	9
817939	478506	73823	190312	45379	29919	26966	3091	775	23100

1930—1957年保定农村经济调查资料

薛庄村

1930—1957年保定农村经济调查资料（文十）

保定市薛刘营乡薛庄村曙光社

河北省统计局

1958.9.

目　　录

前　　言

前言

1930年曾有一批马列主义经济学者，在保定地区十一個村里进行过经济调查。这次在中央科学院和国家统计局的发起下，由统计局重新组织力量，在原有基础上进行了28年来的经济调查。（从1930年延续到1957年），根据本地具体情况，中间选择具有代表性的四個调查观察年度，即1930年，1936年，1946年，1957年，反映28年来各个不同历史时期，农村经济的重大变化。

这個材料是根据十一個调查村中之一薛刘营乡薛庄村农户普查资料汇总成的并作了简单的分析。由于时间的紧迫，尚未经过详细审核，所以还是一個很粗糙的材料，缺点很多，只能供给内部参考。

编制这個材料的目的，主要是及时地取得省委及有关部门、专家的指示和意见，其次作为我们初步分析研究的参考。要求各级领导，对这個材料进行审核，并及时给以指示。以便我们将来进一步分析研究和汇总工作中有所遵循。

保定农村经济调查办公室

1958年3月25日

1930年调查资料

1930年调查户阶级成份及构成

乙表

	合计	地主	富农	中农	贫农	佣农	其它
甲	1	2	3	4	5	6	7
全村户数	156	9	13	53	49	3	29
构成	100	5.77	8.33	33.97	31.41	1.92	10.60

·1·

1930年人口与劳动力

一、合计 4表

阶级	户数	年末总人口数			在家常住人口						在外人口					
		合计	男	女	年内常住人口		其中：劳动力		年末常住人口		年内人口		其中：劳动力		年末人口	
					男	女	男	女	男	女	男	女	男	女	男	女
甲	1	2	3	4	5	6	7	8	9	10	11	12	13	14	15	16
合计	156	848	438	410	345	403	189	239	345	401	93	9	89	8	93	9
地主	9	67	28	39	18	36	10	19	18	36	10	3	10	3	10	3
富农	13	102	53	49	44	49	21	24	44	49	9		9		9	
中农	53	301	159	142	125	142	62	88	125	142	34		32		34	
贫农	49	237	121	116	99	116	62	70	99	115	22	1	21	1	22	1
雇农	3	11	7	4	5	4	13	2	5	4	2		2		2	
其他	29	130	70	60	54	56	31	36	54	55	16	5	15	4	16	5
二、每户平均																
合计	—	5.44	2.81	1.99	2.21	2.58	1.21	1.53	3.74	2.57	0.6	0.06	0.57	0.05	0.6	0.06
地主	—	7.4	3.11	4.33	1.99	3.99	1.11	2.11	1.99	3.99	1.11	0.3	1.11	0.3	1.11	0.3
富农	—	7.85	4.1	3.77	3.38	3.77	1.61	3.23	3.38	3.77	0.69		0.69		0.69	
中农	—	5.68	3.0	2.68	2.36	2.68	1.17	1.66	2.36	2.68	0.64		0.6		0.64	
贫农	—	4.84	2.47	2.37	2.02	2.37	1.26	1.4	2.02	2.35	0.45	0.02	0.43	0.02	0.45	0.02
雇农	—	3.67	2.33	1.33	1.66	1.33	1	0.66	1.66	1.33	0.66		0.66		0.66	
其他	—	4.48	2.41	2.07	1.86	1.93	1.07	1.24	1.86	1.89	0.55	0.17	0.52	0.14	0.55	0.17

·2·

1930年调查户常住人口劳动力的职业状况

一、合计 5表

阶级	劳动力数	其中：职业状况									
		个体农民	个体手工业者	产业工人	小商贩	乡社干部	各类合作社员	自由职业者	宗教及迷信职业者	旧军政机关人员	其他劳动者
甲	1	2	3	4	5	6	7	8	9	10	11
合计	428	137	8		21			2			29
地主	29	7									
富农	45	15			3			1			
中农	150	60	3		1						6
贫农	132	46	2		4						12
雇农	5	3									
其他	67	6	3		13			1			11
二、各类职业人数占常住人口劳动力的（%）											
合计	100	0.32	0.02		0.05			0.005			0.07
地主	100	0.24									
富农	100	0.33			0.07			0.02			
中农	100	0.4	0.02		0.01						0.04
贫农	100	0.35	0.02		0.03						0.09
雇农	100	0.6									
其他	100	0.09	0.04		0.19			0.01			0.16

1930年调查户在外人口劳动力职业状况

6表

一、合计

阶级	劳动力数	其中职业状况：革命军政机关团体企业职工	个体手工业者	个体农民	小商贩	工商业资本家	旧军政机关人员	私营企业职工	自由职业者	宗教及迷信职业者	产业工人	各类合作社社员	其他劳动者
甲	1	2	3	4	5	6	7	8	9	10	11	12	13
合计	97		4	1	11	5	10	28	5		3		23
地主	13					5	2	2			1		
富农	9		2		4		1	1					1
中农	32		1		5			13	2		2		7
贫农	22		1		1		2	11	1				6
佃农	2			1									1
其他	19				1		5	1	2				8

二、各类职业人数占在外人口劳动力的（%）

阶级	劳动力数	革命军政机关团体企业职工	个体手工业者	个体农民	小商贩	工商业资本家	旧军政机关人员	私营企业职工	自由职业者	宗教及迷信职业者	产业工人	各类合作社社员	其他劳动者
合计	100		0.04	0.01	0.11	0.05	0.1	0.29	0.05		0.03		0.24
地主	100					0.38	0.15	0.15			0.08		
富农	100		0.22		0.44		0.11	0.11					0.11
中农	100		0.031		0.16			0.41	0.06		0.06		0.22
贫农	100		0.045		0.05		0.09	0.5	0.5				0.27
佃农	100			0.5									0.5
其他	100				0.05		0.26	0.05	0.11				0.42

·4·

1930年调查户年内常住人口的文化状况

7表

一、合计

阶级	学令儿童（7-13岁）	其中：在学人数	十四岁以上人口	文化状况					
				文盲	初小程度	高小程度	初中程度	高中程度	大学程度
甲	1	2	3	4	5	6	7	8	9
合计	90	36	507	433	50	18	3	3	
地主	9	6	39	25	8	5	1		
富农	14	3	58	45	9	3		1	
中农	39	14	173	148	18	6		1	
贫农	18	6	153	138	13	1	1		
佃农			6	6					
其他	10	7	78	71	2	3	1	1	

二、构成（%）

阶级	学令儿童（7-13岁）	其中：在学人数	十四岁以上人口	文盲	初小程度	高小程度	初中程度	高中程度	大学程度
合计	100	0.4	100	85.4	9.86	3.65	0.54	0.55	
地主	100	0.67	100	64.1	20.51	12.82	2.57		
富农	100	0.21	100	77.59	15.52	5.17		1.72	
中农	100	0.36	100	85.55	10.4	3.47		0.58	
贫农	100	0.33	100	90.19	8.5	0.65	0.66		
佃农	100		100	100					
其他	100	0.7	100	91.03	2.56	3.85	1.28	1.28	

·5·

1930年土地佔有与租典

单位：面积：亩
租额：谷市斤、元

一、合计

阶级	总户数	佔有耕地					典入			典出			租入耕地						租出耕地						土地使
		户数	耕地			非耕地	户数	耕地	非耕地	户数	耕地	非耕地	户数	粮租		钱租			户数	粮租		钱租			
			计	耕地拘成	其中水浇地									面积	租额	面积	租额	未价有面租积		面积	租额	面积	租额	未价有面租积	
甲	1	2	3	4	5	6	7	8	9	10	11	12	13	14	15	16	17	18	19	20	21	22	23	24	25
合计	156	124	1598.25	100	277.6	114.46	28	136.5		7	53		31	61.5	2506	187.7	742.75		9	15	700	31	124.95	10	1874.
地主	9	9	298	18.65	52	16.3	2	33		1	25		1	15	150				2	10	500				311
富农	13	12	404.25	25.29	68	13.85	3	24.5					3			102	273.48		1			23	83.00		507.
中农	53	51	634.1	39.67	121.5	45.3	9	53		2	6		8	17	502	37.7	239.99		1			5	21.00		730
贫农	49	47	234.4	14.67	33.1	18.06	4	15		3	14		16	29.5	1854	40	193.73								304
佃农	3	1	0.5	0.03		0.3	1	5											1	5	200				0.5
其他	29	7	27	1.69	3	20.65	2	6		1	8		3			8	35.55		4			3	20.95	10	20

二、每户平均

阶级	1	2	3	4	5	6	7	8	9	10	11	12	13	14	15	16	17	18	19	20	21	22	23	24	25
合计	—	—	12.81	—	17.79	0.73	—	0.88		—	0.03		—	0.04	16.06	1.2	4.76		—	0.09	4.5	0.19	0.8	0.06	12.0
地主	—	—	33.11	—	5.78	1.81	—	3.67		—	2.78		—	1.67	16.67				—	1.1	55.55				34.
富农	—	—	31.09	—	5.26	1.07	—	1.88		—			—			7.85	21.04		—			1.77	6.38		39.
中农	—	—	11.96	—	2.29	0.85	—	1.0		—	0.01		—	0.32	9.4	0.71	45.28		—			0.09	0.40		13.
贫农	—	—	4.78	—	0.67	0.37	—	0.30		—	0.28		—	0.60	37.84	0.82	39.54		—						6.2
佃农	—	—	0.17	—		0.1	—	1.67		—			—						—	1.67	66.67				0.1
其他	—	—	0.93	—	0.10	0.71	—	0.20		—	0.27		—			0.27	1.23		—			0.10	0.72	0.34	0.6

注：每户平均系用总户数计核约。

1930年农业雇用

9表

一、合计

阶级	总户数	雇入											雇出										
		长工					短零工						长工					短零工					
		有雇工户数	占总户数(%)	人数	工资(元)	平均工资	户数	占总户数(%)	天数	工资(元)	每户平均雇工(天)	每天平均工资	有出雇户数	占总户数(%)	人数	工资(元)	平均工资(元)	户数	占总户数(%)	天数	工资(元)	每天平均工资	每户平均出雇天数
甲	1	2	3	4	5	6	7	8	9	10	11	12	13	14	15	16	17	18	19	20	21	22	23
合计	156	22	4.1	27	1793.20	66.42	52	33.33	1875	871.62	12.02	0.46	2		2	151.84	75.72	34	21.79	2991	1172.61	0.39	19.17
地主	9	7	77.78	10	680.90	68.09	8	88.89	540	243.14	27.02	0.45											
富农	13	11	84.62	13	871.78	67.06	9	69.23	483	202.61	15.59	0.42											
中农	53	4	7.55	4	240.62	60.16	23	43.4	706	362.87	13.32	0.51						8	15.1	432	165.98	0.38	81.5
贫农	49						10	20.4	116	54.62	11.6	0.47	1	2	1	76.44	76.44	19	38.78	2005	790.08	0.39	40.92
雇农	3												1		1	75.40	75.40	1	33.33	50	19.22	0.38	16.67
其他	29						2	6.9	24	8.38	0.83	0.35						6	20.69	504	197.33	0.39	173.79

二、每户平均

阶级	1	2	3	4	5	6	7	8	9	10	11	12	13	14	15	16	17	18	19	20	21	22	23
合计	—	—	—	0.17	1.50	—	—	—	12.2	5.59	—	—	—	—	0.01	0.97	—	—	—	19.17	7.52	—	—
地主	—	—	—	1.11	75.66	—	—	—	60.67	27.02	—	—	—	—			—	—	—			—	—
富农	—	—	—	1	67.06	—	—	—	37.15	15.59	—	—	—	—			—	—	—			—	—
中农	—	—	—	0.08	4.54	—	—	—	13.32	6.98	—	—	—	—			—	—	—	8.15	3.13	—	—
贫农	—	—	—			—	—	—	2.37	1.11	—	—	—	—	0.02	1.56	—	—	—	40.92	16.12	—	—
雇农	—	—	—			—	—	—			—	—	—	—	0.33	25.13	—		—	16.67	6.41	—	—
其他	—	—	—			—	—	—	0.83	0.29	—	—	—	—			—	—	—	17.38	68.04	—	—

7.

1930年调查户在外人口的文化状况

8表

一、合计

阶级	学令儿童（7－13岁）	其中：在学人数	十四岁以上的人口	文化状况：文盲	初小程度	高小程度	初中程度	高中程度	大学程度
甲	1	2	3	4	5	6	7	8	9
合计			100	47	35	13	2	1	2
地主			13	3	3	5			2
富农			9	2	3	3	1		
中农			32	13	16	2	1		
贫农			23	16	6	1			
雇农			2	2					
其他			21	11	7	2		1	

二、构成（%）

阶级	学令儿童（7－13岁）	其中：在学人数	十四岁以上的人口	文盲	初小程度	高小程度	初中程度	高中程度	大学程度
合计	100		100	47	35	13	2	1	2
地主	100		100	23.8	23.08	38.46			15.38
富农	100		100	22.22	33.33	33.33	11.12		
中农	100		100	40.63	50	6.25	3.12		
贫农	100		100	69.56	26.09	4.35			
雇农	100		100	100					
其他	100		100	52.38	33.33	9.52		4.77	

1930年农作物播种面积及产量

单位：面积：亩
产量：市斤
产值：元

一、合计　　　　11表

阶级	户数	总播种面积	播种面积合计	产量	粮食作物																					棉花			其他作物	
					小麦			玉米			谷子			高粱			薯类			大豆			其它杂粮							
					播种面积	亩产	产量	播种面积	亩产	产量	播种面积	亩产	产量	播种面积	亩产	产量	播种面积	亩产	产量	播种面积	亩产	产量	播种面积	亩产	总产量	播种面积	亩产	产量	播种面积	产值
甲	1	2	3	4	5	6	7	8	9	10	11	12	13	14	15	16	17	18	19	20	21	22	23	24	25	26	27	28	29	30
合计	156	2762.4	2712.6	344354	964.2	110.94	106967	934.5	116.65	109010.5	463.2	140.51	65086	153.8	122.04	18769	105.2	324.63	33502	44.5	118.47	5272	49.2	116.82	5747.5	36	98.33	3000	13.8	722.98
地主	9	410	394	57713	120	132.91	15950	114	137.19	15640	85	156.82	13330	36	142.22	5120	12	372.08	4465	18	120.55	2170	9	115.33	1038	16	83.13	1330		15.00
富农	13	737	725.5	104557	243	127.04	30870	222	132.42	29397	145	151.17	21920	48	126.88	6090	32.5	373.08	12125	17	131.18	2230	18	106.94	1925	10.5	83.33	875	1	76.00
中农	53	1101	1083.3	129249	397.7	107.45	42733	397.7	112.75	44842.5	178.7	131.03	23415	51.5	108.85	5606	36.9	284.55	10520	9.2	93.47	860	11.6	111.42	1292.5	9.5	83.68	795	8.2	443.76
贫农	49	476.9	472.8	49023	186.5	86.02	16042	183.8	94.51	17371	53.5	117.40	6281	18.3	106.74	1953	19.8	298.58	5912	0.3	40	12	10.6	136.98	1452				4.1	159.22
雇农	3	0.5																											0.5	30.00
其他	29	37	37	3812	17	80.71	1372	17	103.53	1760	1	140	140	2	250	500									40					
二、每户平均																														
合计	—	17.71	17.39	2207.40		—		5.99	—	698.79	2.97	—	417.22	0.98	—	120.31	0.66	—	214.76	0.29	—	33.79	0.31	—	36.84	0.23	—	19.23	0.09	4.63
地主	—	45.56	43.78	6412.56	13.33	—	1772.22	12.67	—	1737.78	9.44	—	1481.11	4	—	568.89	1.33	—	496.11	2	—	241.11	.1	—	115.33	1.78	—	147.78		1.67
富农	—	56.03	55.81	8042.85	18.69	—	2374.62	17.08	—	2261.31	11.15	—	1686.15	3.69	—	468.46	2.5	—	932.69	1.31	—	171.54	1.38	—	148.08	0.81	—	67.31	0.08	5.85
中农	—	20.77	20.44	2438.66	7.5	—	806.28	7.5	—	846.08	3.37	—	441.79	0.97	—	105.77	0.7	—	198.11	0.17	—	12.83	0.22	—	24.39	0.18	—	15.4	0.15	8.35
贫农	—	9.73	9.65	1000.47	3.81	—	327.39	3.75	—	354.51	1.09	—	128.18	0.37	—	39.86	0.4	—	120.7	0.01	—	0.02	0.22	—	29.63		—		0.08	3.25
雇农	—	0.17				—			—			—			—			—			—			—			—		0.17	10.00
其他	—	1.28	1.28	131.45	0.59	—	47.31	0.59	—	60.69	0.03	—	4.83	0.07	—	17.2		—			—			—	1.38		—			

一、合计

1930年农作物播种面积构成

单位面积：亩　　12表

阶级	总播种面积	粮食作物								棉花	其它作物
		合计	小麦	玉米	谷子	高粱	薯类	大豆	其它杂粮		
甲	1	2	3	4	5	6	7	8	9	10	11
合计	2762.4	2712.6	964.2	934.5	463.2	153.8	103.2	44.5	42.2	36	13.8
地主	410	394	120	114	85	36	12	18	9	16	
富农	737	725.5	243	222	145	48	32.5	17	18	10.5	1
中农	1101	1083.3	397.7	297.7	178.7	51.5	36.9	9.2	11.6	9.5	8.2
贫农	476.9	472.8	186.5	183.8	53.5	18.3	19.8	0.3	10.6		4.1
雇农	0.5										0.5
其他	37	37	17	17	1		2				

二、构成（%）

阶级	总播种面积	合计	小麦	玉米	谷子	高粱	薯类	大豆	其它杂粮	棉花	其它作物
合计	100	98.2	34.90	33.83	16.77	5.57	3.74	1.61	1.78	1.30	0.50
地主	100	96.10	29.27	27.80	20.73	8.78	2.93	4.39	2.20	3.90	
富农	100	98.44	32.97	30.12	19.68	6.51	4.41	2.31	2.44	1.42	0.14
中农	100	98.39	36.12	36.12	16.23	4.68	3.35	0.84	1.05	0.86	0.75
贫农	100	99.14	39.11	38.54	11.22	3.84	4.15	0.06	2.22		0.86
雇农	100										100
其他	100	100	45.95	45.95	2.70		5.40				

·10·

1930年房屋和牲畜

13表

一、合计

阶级	户数	佔有房间数	现住房屋			生产用房			出租房屋	牲畜（头）						水井
			间数	其中		间数	其中砖的	租典借入		大牲畜				小牲畜		
				砖的	租典借					牛	马	驴	骡	猪	羊	
甲	1	2	3	4	5	6	7	8	9	10	11	12	13	14	15	16
合计	156	867	653.5	48	55	100.5			168	2	2	20	16	61		29
地主	9	78.5	68		3.5	14				1	1	4	3	9		3
富农	13	119.5	70.5	3		29			20		1	4	8	16		6
中农	53	307	257.5	29	9	46			12.5	1		11	5	24		13
贫农	49	270.5	173.5	9.5	15	7			105			1		10		7
佣农	3	2	6.5		4.5											
其他	29	89.5	77.5	6.5	23	4.5			30.5					2		
二、每户平均																
合计	—	5.56	4.19	0.31	0.35	0.64			1.08	0.01	0.01	0.13	0.1	0.39		0.19
地主	—	8.72	7.56		0.39	1.56				0.11	0.11	0.44	0.33	1		0.33
富农	—	9.19	5.42	0.23		2.23			1.54		0.08	0.31	0.62	1.23		0.46
中农	—	5.79	4.86	0.55	0.17	0.87			0.24	0.02		0.21	0.09	0.54		0.25
贫农	—	5.52	3.54	0.19	0.31	0.14			2.14			0.02		0.2		0.14
佣农	—	0.67	2.17		1.5											
其他	—	3.09	2.67	0.22	0.79	0.16			1.05					0.07		

·11·

1930年占有农业主要生产及生活用具

14表

一、合计

阶级	户数	生产工具						生活用具					
		水車	铁大轮車	胶大轮車	犁耠	种什	耙盖	自行車	手电筒	矿石收音机	热水瓶	被子(条)	钟表
甲	1	2	3	4	5	6	7	8	9	10	11	12	13
合计	156	10	26		31	32	12		1			975	1
地主	9	1.5	8		7	7						113	
富农	13	4.83	11		13	11	4					145	1
中农	53	3.7	6		10	11	5					333	
贫农	49		1		1	2	1		1			218	
佣农	3											9	
其他	29					1	2					157	

二、构成(%)

阶级	户数	水車	铁大轮車	胶大轮車	犁耠	种什	耙盖	自行車	手电筒	矿石收音机	热水瓶	被子(条)	钟表
合计	100	100	100	100	100	100	100	100	100	100	100	100	100
地主	5.77	15	30.77		22.58	21.88						11.59	
富农	8.33	48	42.31		41.94	34.37	33.33					14.87	100
中农	33.97	37	23.08		32.26	34.37	41.67					34.15	
贫农	31.41		3.84			6.25	8.33		100			22.36	
佣农	1.92		3.22									0.92	
其他	10.60					3.13	16.67					16.11	

·12·

一、合计

1930年农付业及其它收入

单位：元　　15表

阶级	户数	人数	植物栽培	出售家畜家禽及其它产品			付业收入	工资收入	在外人口寄回	出租生产生活资料	救济补助及赠送	其它	合计
				猪	鸡鸭及蛋	肥料							
甲	1	2	3	4	5	6	7	8	9	10	11	12	13
合计	156	748	30599.53	829.21	6.70	18.00	5290.99	5761.61	9312.01	1413.82	257.27	2456.50	55945.64
地主	9	54	5173.68	138.14					2196.90	360		150.00	8018.72
富农	13	93	9047.94	188.97			363.80		1363.89	163.60		291.00	11419.20
中农	53	267	11673.69	309.01	3.70		922.06	608.32	2979.05	125.65	70.00	314.40	17005.88
贫农	49	215	4342.01	171.19		18.00	1747.03	2997.81	934.07	81.72	107.27	84.50	10483.60
佣农	3	9	30.00		3.00		190	158.89		21.40			403.29
其他	29	110	332.21	21.90			2068.10	1996.59	1838.10	661.45	80.00	1616.60	8614.95

二、每人平均

阶级	户数	人数	植物栽培	猪	鸡鸭及蛋	肥料	付业收入	工资收入	在外人口寄回	出租生产生活资料	救济补助及赠送	其它	合计
合计	—	—	40.91	1.11	0.01	0.02	7.07	7.70	12.45	1.89	0.34	3.28	74.79
地主	—	—	95.81	2.56					40.08	6.67		2.78	148.49
富农	—	—	97.29	2.03			3.91		14.67	1.76		3.12	122.79
中农	—	—	43.72	1.16	0.01		3.45	2.28	11.16	0.47	0.26	1.18	63.69
贫农	—	—	20.20	0.80	0.02	0.08	8.13	13.93	4.34	0.38	0.49	0.39	48.76
佣农	—	—	3.33		0.33		21.11	17.65		2.38			44.80
其他	—	—	3.02	0.20			18.80	18.15	16.71	6.01	0.72	14.70	78.32

·13·

1930年副业情况

一、合计 16表

阶级	总户数	其中：有副业的户数	从业人数	其中：雇佣	兼业人数	手品价值或工资：元 生产品
甲	1	2	3	4	5	6
合计	156	34	26	2	14	8167.16
地主	9					
富农	13	1	3			363.80
中农	53	6	5	2	4	2178.00
贫农	49	16	10		8	2122.40
雇农	3	1	1			190.00
其他	29	10	7		2	3312.90

二、构成（%）

阶级	总户数	其中：有副业的户数	从业人数	其中：雇佣	兼业人数	生产品
合计	100	100	100	100	100	100
地主	5.77					
富农	8.33	2.94	11.54			4.45
中农	33.97	17.65	19.23	100	28.57	26.67
贫农	31.41	47.06	38.46		57.14	25.99
雇农	1.92	2.94	3.85			2.33
其他	18.60	29.41	26.92		14.29	40.56

·14

1930年负债情况

一、合计　　　　　　　　　　　　　　　　　　　　　　　　单位：元　　17表

阶级	总户数	其中：负债户数	年末负债累计：计	年末负债累计：其中货币	其中：向各类债主借款累计数：地主富农	中农	银行	信用社	钱庄	其它	全年应付利息
甲	1	2	3	4	5	6	7	8	9	10	11
合计	156	26	4755.77	4755.77	604.70		231.00			3920.07	969.55
地主	9	2	381.85	381.85						381.85	93.00
富农	13	3	830.50	830.50	13.00					817.50	211.30
中农	53	8	1866.57	1866.57	165.30					1701.27	332.68
贫农	49	7	454.17	454.17	413.80					40.37	50.60
佃农	3	1	58.20	58.20						58.20	11.65
其它	29	5	1164.48	1164.48	12.60		231.00			920.88	270.32
二、每户平均											
合计	—	—	30.49	30.49	3.88		1.48			25.13	6.22
地主	—	—	42.43	42.43						42.43	10.33
富农	—	—	63.88	63.88	1.00					62.88	16.25
中农	—	—	35.22	35.22	3.12					32.10	6.28
贫农	—	—	9.27	9.27	8.44					0.82	1.03
佃农	—	—	19.40	19.40						19.40	3.88
其它	—	—	40.15	40.15	0.43		7.97			31.75	9.32

·15·

1930年主要生活用品情况

18表

一、合计

阶级	户数	吃饭人口	口粮消费			肉类（斤）	食油（斤）	棉布（尺）		灯油（斤）	煤炭（斤）	烟类		酒（斤）	医药费（元）
			计	其中细粮				计	其中土布			纸烟（盒）	烟叶（斤）		
				计	%										
甲	1	2	3	4	5	6	7	8	9	10	11	12	13	14	15
合计	156	775	255083	62447	24.48	3435	1794	9782	1392	2194	165750	3108	639.8	585	548
地主	9	65	29309	9950	33.95	756	270	996	114	212	22500	275	61	47	17.20
富农	13	106	47180	9410	19.94	813	291	1611	248	292	18200	385	127	104	122.00
中农	53	271	87000	21220	24.39	1122	583	3927	568	753	58650	1088	189	215.5	298.80
贫农	49	215	57084	11562	20.25	370	330	1765	307	603	20800	120	159.80	96	47.00
伙农	3	8	2080	700	33.65	25	14	120	50	18	500		20	10	10.00
其他	29	110	32430	9605	29.62	349	306	1363	105	314.8	45100	1240	83	112.5	53

二、每人平均

阶级	户数	吃饭人口	口粮消费计	其中细粮计	%	肉类	食油	棉布计	其中土布	灯油	煤炭	纸烟	烟叶	酒	医药费
合计	—	—	329.14	80.58	—	4.43	2.31	12.62	1.8	2.83	213.87	4.01	0.83	0.75	0.71
地主	—	—	450.9	153.08	—	11.63	4.15	15.32	1.75	3.26	346.15	4.23	0.94	0.72	0.26
富农	—	—	445.09	88.77	—	7.67	2.75	15.2	2.34	2.75	171.7	3.63	1.2	0.98	1.15
中农	—	—	321.03	78.3	—	4.14	2.15	14.49	2.1	2.78	216.42	4.01	0.7	0.79	1.10
贫农	—	—	265.5	53.78	—	1.72	1.53	8.21	1.43	2.8	96.74	0.56	0.74	0.45	0.22
伙农	—	—	260	87.5	—	3.13	1.75	15	6.25	2.25	62.5		2.5	1.25	1.25
其他	—	—	294.82	87.32	—	3.17	2.78	12.39	0.95	2.86	401	11.27	0.75	1.02	0.48

·16·

1936年调查资料

1936年调查户变动情况

一 合计

1表

阶级	1930年户数	期内变动 分出	迁入	合併	迁出	绝灭	本户期数
甲	1	2	3	4	5	6	7
合计	156	20	3		8	6	165
地主	9						9
富农	13	6					13
中农	53	9	2		2	2	60
贫农	49	5	1		2	3	43
佃农	3						2
其他	29				4	1	38

二、比重（%）

阶级	1930年户数	分出	迁入	合併	迁出	绝灭	本户期数
合计	100	100	100	100	100	100	100
地主	5.78						5.45
富农	8.33	30					7.88
中农	33.97	45	66.67		25	33.33	36.36
贫农	31.41	25	33.33		25	50	26.06
佃农	1.92						1.21
其他	18.59				50	16.67	23.04

·17·

1936年调查户阶级成份的演变

乙表

一、合计

阶级	1930年户数	1936年户数 合计	地主	富农	中农	贫农	佃农	其它
甲	1	2	3	4	5	6	7	8
合计	156	165	9	13	60	43	2	38
地主	9	9	9					
富农	13	19		13	3			3
中农	53	60			45	7		8
贫农	49	50			12	34		4
佃农	3	3				1	2	
其他	29	24				1		23

二、构成（%）

阶级	1930年户数	合计	地主	富农	中农	贫农	佃农	其它
合计	—	100	5.45	7.88	36.36	26.06	1.21	23.04
地主	—	100	100					
富农	—	100		68.42	15.79			15.79
中农	—	100			75.00	11.67		13.33
贫农	—	100			24.00	68.00		8.00
佃农	—	100				33.33	66.67	
其他	—	100				4.17		95.83

1930—1936年调查户阶级演变原因

一、合计　　　　　　　　　　　　　　　　　　　　　　　　3表

阶级	上升					下降					
	户数	剥削或投机获利	土地改革	勤俭及家属成员就业	其他	户数	被剥削或投机失败	分家	土地改革	赌博及其他不正当行为	灾祸或其他意外事故
甲	1	2	3	4	5	6	7	8	9	10	11
合计	13			10	3	25		11		5	9
地主											
富农						6		2		2	2
中农						15		9		2	4
贫农	12			9	3	4				1	3
佃农	1			1							
其他											

二、比重（%）

阶级	户数	剥削或投机获利	土地改革	勤俭及家属成员就业	其他	户数	被剥削或投机失败	分家	土地改革	赌博及其他不正当行为	灾祸或其他意外事故
合计	100			76.92	23.08	100		44.00		20.00	36.00
地主	100	—	—	—	—	100					
富农	100					100		33.34		33.33	33.33
中农	100					100		60		13.33	26.67
贫农	100			75.00	25.00	100				25.00	75.00
佃农	100			100		—	—	—	—	—	—
其他	100										

·19·

1936年人口与劳动力

一、合计　　　　　　　　　　　　　　　　　　　　　　　　　　　　　　　4表

阶级	户数	年末总人口数			在家常住人口						在外人口					
		合计	男	女	年内常住人口		其中：劳动力		年末常住人口		年内人口		其中：劳动力		年末人口	
					男	女	男	女	男	女	男	女	男	女	男	女
甲	1	2	3	4	5	6	7	8	9	10	11	12	13	14	15	16
合计	165	813	404	409	309	393	182	228	309	392	94	17	88	16	95	17
地主	9	71	33	38	21	37	12	17	21	36	12	2	10	2	12	2
富农	13	81	41	40	37	40	21	24	37	40	4		4		4	
中农	60	310	155	155	118	148	67	86	118	148	37	7	36	7	37	7
贫农	43	188	93	95	79	93	46	54	79	93	14	2	14	2	14	2
佃农	2	3	2	1	2	1	2	1	2	1						
其他	38	160	80	80	52	74	34	46	52	74	27	6	24	5	28	6
二、每户平均																
合计	—	5.93	2.45	2.48	1.87	2.38	1.10	1.38	1.87	2.38	0.57	0.01	0.53	0.01	0.58	0.01
地主	—	7.89	3.67	4.22	2.33	4.11	1.33	1.89	2.33	4.00	1.33	0.22	1.11	0.22	1.33	0.22
富农	—	6.23	3.15	3.08	2.85	3.08	1.62	1.85	2.85	3.08	0.31		0.31		0.31	
中农	—	5.17	2.58	2.58	1.97	2.47	1.12	1.43	1.97	2.47	0.62	0.11	0.60	0.11	0.62	0.11
贫农	—	4.37	2.16	2.21	1.84	2.16	1.07	1.26	1.84	2.16	0.33	0.05	0.33	0.05	0.33	0.05
佃农	—	1.50	1.00	0.50	1.00	0.50	1.00	0.50	100	0.50						
其他	—	4.21	2.11	2.11	1.37	1.95	0.89	1.21	1.37	1.95	0.71	0.16	0.63	0.13	0.74	0.16

1936年调查户常住人口劳动力的职业状况

一.合计 5表

阶级	劳动力数	其中：职业状况									
		个体农民	个体手工业者	产业工人	小商贩	乡社干部	各类合作社员	自由职业者	宗教及迷信职业者	旧军政机关人员	其他劳动者
甲	1	2	3	4	5	6	7	8	9	10	11
合计	392	134	8		16			4			29
地主	29	7									
富农	45	19			2			1			1
中农	153	60	1		1						8
贫农	100	40	2		4			1			8
佃农	3	2									
其他	80	6	5		9			2			12

二.各类职业人数占常住人口劳动力的(%)

阶级	劳动力数	个体农民	个体手工业者	产业工人	小商贩	乡社干部	各类合作社员	自由职业者	宗教及迷信职业者	旧军政机关人员	其他劳动者
合计	100	34.18	2.04		4.08			1.02			7.40
地主	100	24.14									
富农	100	42.22			4.44			2.22			2.22
中农	100	39.22	0.65		0.65						5.23
贫农	100	40.00	2.00		4.00			1.00			8.00
佃农	100	66.67									
其他	100	7.50	6.25		11.25			2.50			15.00

一、合计

1936年调查户在外人口劳动力职业状况

6表

阶级	劳动力数	其中：职业状况											
		革命軍政机关国营企业职工	个体手工业者	雇农	小商贩	工商业资本家	旧軍政机关人员	私营企业职工	自由职业者	宗教及迷信职业者	产业工人	各类合作社员	其他劳动者
甲	1	2	3	4	5	6	7	8	9	10	11	12	13
合计	124		3	1	12	5	13	26	5		5		19
地主	12					5	2	2			1		
富农	4				3			1					
中农	43		3		7		3	14	4		2		3
贫农	16				1		2	3			2		7
雇农	20												
其他	29			1	1		6	6	1				9

二、各类职业人数占在外人口劳动力的（%）

阶级	劳动力数	革命軍政机关国营企业职工	个体手工业者	雇农	小商贩	工商业资本家	旧軍政机关人员	私营企业职工	自由职业者	宗教及迷信职业者	产业工人	各类合作社员	其他劳动者
合计	100		2.42	0.80	9.68	4.03	10.48	20.98	4.03		4.03		15.32
地主	100					41.67	16.67	16.67			8.33		
富农	100				75.00			25.00					
中农	100		6.98		16.28		6.98	32.56	9.30		4.65		6.98
贫农	100				6.25		12.50	18.75			12.50		43.75
雇农	100												
其他	100			3.45	3.45		20.69	2069	3.45				31.03

·22·

1936年调查户年内常住人口的文化状况

一、合计　　　　　　　　　　　　　　　　　　　　　　　　7表

阶级	学令儿童（7－13岁）	其中在学人数	十四岁以上人口	文化状况：文盲	初小程度	高小程度	初中程度	高中程度	大学程度
甲	1	2	3	4	5	6	7	8	9
合计	129	35	466	389	51	21	3	2	
地主	6	5	39	22	9	7	1		
富农	16	12	49	35	8	3	2	1	
中农	54	10	173	145	23	5			
贫农	29	6	116	108	6	2			
雇农			3	3					
其他	24	2	86	76	5	4		1	
二、构成（%）									
合计	100	27.13	100	83.48	10.94	4.51	0.64	0.43	
地主	100	83.33	100	56.41	23.08	17.95	2.56		
富农	100	75.00	100	71.43	16.33	6.12	4.08	2.04	
中农	100	18.51	100	83.82	13.29	2.89			
贫农	100	20.69	100	93.10	5.17	1.73			
雇农	100		100	100					
其他	100	8.33	100	88.37	5.81	4.65		1.17	

1956年调查户社外人口的文化状况

8表

一、合计

阶级	学龄儿童（7—13岁）	其中在学人数	十四岁以上的人口	文化状况					
				文盲	初小程度	高小程度	初中程度	高中程度	大学程度
甲	1	2	3	4	5	6	7	8	9
合计	5	2	105	47	39	14	3		2
地主	2	2	12	2	4	4			2
富农			4		3	1			
中农			43	15	20	6	2		
贫农			16	9	6	1			
雇农									
其他	3		30	21	6	2	1		

二、构成（%）

阶级	学龄儿童（7—13岁）	其中在学人数	十四岁以上的人口	文盲	初小程度	高小程度	初中程度	高中程度	大学程度
合计	100	40	100	44.76	37.14	13.33	2.86		1.91
地主	100	100	100	16.67	33.33	33.33			16.67
富农	100		100		75.00	25.00			
中农	100		100	34.88	46.51	13.95	4.66		
贫农	100		100	56.25	37.50	6.25			
雇农	100		100						
其他	100		100	70.00	20.00	6.67	3.33		

1936年农业雇佣

一、合计 9表

阶级	总户数	雇入											雇出										
		农工					短零工						农工					短零工					
	户数	有雇工户数	占户总数(%)	人数	工资(元)	平均工资	户数	占户总数(%)	天数	工资(元)	每户平均雇工(天)	每天平均工资	有出雇户数	占户总数(%)	人数	工资(元)	平均工资(元)	户数	占户总数(%)	天数	工资(元)	每天平均工资	每户平均…
甲	1	2	3	4	5	6	7	8	9	10	11	12	13	14	15	16	17	18	19	20	21	22	23
合计	165	19	11.52	23	1449.82	63.04	28	16.97	850	382.17	30.36	0.45	3	1.82	3	178.84	59.61	24	14.55	1716	641.99	0.37	71.5
地主	9	6	66.67	7	533.48	59.28	7	77.78	505	238.94	72.14	0.47											
富农	13	9	69.23	12	698.15	58.18	2	15.38	35	14.25	17.50	0.41											
中农	60	4	6.67	4	218.19	54.55	16	26.66	290	119.50	18.13	0.41						6	10.00	381	140.94	0.37	63.
贫农	43						2	4.65	10	4.66	5.00	0.47	1	2.33	1	63.75	63.75	13	30.23	855	377.97	0.44	65.
雇农	2												2	1.00	2	115.09	57.55						
其他	38						1		10	4.82	10	0.48						5	13.16	480	123.08	0.26	96

二、每户平均

阶级	1	2	3	4	5	6	7	8	9	10	11	12	13	14	15	16	17	18	19	20	21	22	23
合计	—	—	—	0.14	8.79	—	—	—	5.15	2.32	—	—	—	—	0.02	1.08	—	—	—	10.40	3.89	—	—
地主	—	—	—	0.78	59.28	—	—	—	56.11	26.55	—	—	—	—			—	—	—				—
富农	—	—	—	0.92	53.70	—	—	—	2.69	1.10	—	—	—	—			—	—	—			—	—
中农	—	—	—	0.07	36.37	—	—	—	4.83	1.99	—	—	—	—			—	—	—	6.35	2.35	—	—
贫农	—	—	—			—	—	—	0.23	0.11	—	—	—	—	0.02	1.48	—	—	—	19.88	8.79	—	—
雇农	—	—	—			—	—	—			—	—	—	—	100	57.55	—	—	—			—	—
其他	—	—	—			—	—	—	0.26	0.13.	—	—	—	—			—	—	—	12.63	3.24	—	—

· 25

1936年土地占有与租典

单位：面积：亩
租额：谷市斤；元 10表

一、合计

阶级	总户数	占有耕地					典入			典出			租入耕地						租出耕地						土地使用面积
		户数	耕地			非耕地	户数	耕地	非耕地	户数	耕地	非耕地	户数	粮租		钱租			户数	粮租		钱租			
			计	耕地构成	其中水浇地									面积	租额	面积	租额	未有租价面积		面积	租额	面积	租额	未有租价面积	
甲	1	2	3	4	5	6	7	8	9	10	11	12	13	14	15	16	17	18	19	20	21	22	23	24	25
合计	165	126	1519.3	100	340.75	117.06	13	64.5	0.5	8	39		34	133	7286	116.9	404.25	14	9	44	1159	33.4	116.8	8	1723.3
地主	9	9	301	19.81	67	16.3	2	23		1	4		1	6	200				2	31	500				295
富农	13	12	335.5	22.08	112.5	16.70							2	20	1000	50	200		1			23	88		382.5
中农	60	59	641	42.19	128.25	45.04	2	6.5		3	13		15	49.9	2980	46.9	124.7	3	2	5	169			8	721.3
贫农	43	35	188.4	12.4	27.6	15.86	6	27		1	2		15	55.1	2956	13	53.22	11							292.5
佣农	2																								
其他	38	11	53.4	352	5.4	23.16	3	8	0.5	3	20		3	2	150	7	26.83		4	8	490	10.4	28.8		32

二、每户平均

阶级	1	2	3	4	5	6	7	8	9	10	11	12	13	14	15	16	17	18	19	20	21	22	23	24	25
合计	—	—	9.21	—	2.07	0.71	—	0.39		—	0.24		—	0.81	44.16	0.71	2.45	0.08	—	0.27	7.02	0.20	0.71	0.05	10.44
地主	—	—	33.44	—	7.44	1.81	—	2.56		—	0.44		—	0.67	22.22				—	3.44	55.56				32.78
富农	—	—	25.81	—	8.65	1.28	—			—			—	1.54	76.92	3.85	15.38		—			1.77	6.77		29.42
中农	—	—	10.68	—	2.14	0.75	—	0.11		—	0.22		—	0.83	49.67	0.78	2.08	0.05	—	0.08	2.82			0.13	12.02
贫农	—	—	4.38	—	0.64	0.37	—	0.63		—	0.05		—	1.28	68.74	0.30	1.24	0.26	—						6.80
佣农	—	—		—		—	—			—			—						—						
其他	—	—	1.41	—	0.14	0.61	—	0.21		—	0.53		—	0.05	3.95	0.18	0.71		—	0.21	1.29	0.27	0.76		0.84

注：每户平均系用总户数计算的。

·26·

单位：面积：亩　产量：市斤　产值：元

11表

1936年农作物播种面积及产量

一、合计

阶级	户数	总播种面积	播种面积合计	产量	小麦 播种面积	小麦 亩产	小麦 产量	玉米 播种面积	玉米 亩产	玉米 产量	谷子 播种面积	谷子 亩产	谷子 产量	高粱 播种面积	高粱 亩产	高粱 产量	薯类 播种面积	薯类 亩产	薯类 产量	大豆 播种面积	大豆 亩产	大豆 产量	其它杂粮 播种面积	其它杂粮 亩产	其它杂粮 总产量	棉花 播种面积	棉花 亩产	棉花 产量	其它作物 播种面积	其它作物 …
甲	1	2	3	4	5	6	7	8	9	10	11	12	13	14	15	16	17	18	19	20	21	22	23	24	25	26	27	28	29	3…
合计	165	2574.3	2465.8	327466	902	563.04	105753	868	582.92	103436	377	555.96	53527	17.5	504.42	14706	123.3	1340.27	40550	41.7	402.3	4528	36.3	136.80	4966	91.7	357.3	8013	16.8	10…
地主	9	431	411	59600	143	133.46	19085	126	135.28	17045	73	150.68	11000	25	139.2	3480	14	374.29	5240	20	116	2320	10	143	1430	17	100.29	1705	3	10…
富农	13	564	536.5	76915	190	133.42	25350	175	131.43	23000	108	154.54	16690	28	134.82	3775	18.5	332.43	6150	10	112	1120	7	118.57	830	25.5	95.69	2440	2	1…
中农	60	1083.5	1031.7	136226	378.5	116.21	43987	370.5	119.43	44433	159.5	135.53	21617	43	117.23	5041	51.9	341.30	1802.5	10.7	94.21	1008	17.6	120.17	2115	43.2	77.99	3369	8.6	56…
贫农	43	457.8	448.6	51044	172.5	90.62	15723	178.5	96.11	17155	35.5	115.21	4090	20.5	113.17	2320	38.9	286.25	11135	1	80	80	1.7	318.24	541	6	83.33	500	3.2	24…
雇农	2																													
其他	38	38	38	3681	18	89.33	1608	18	100.17	1803	1	130	130	1	90	90									50					

二、每户平均

阶级	户数	总播种面积	播种面积合计	产量	小麦 播种面积	小麦 亩产	小麦 产量	玉米 播种面积	玉米 亩产	玉米 产量	谷子 播种面积	谷子 亩产	谷子 产量	高粱 播种面积	高粱 亩产	高粱 产量	薯类 播种面积	薯类 亩产	薯类 产量	大豆 播种面积	大豆 亩产	大豆 产量	其它杂粮 播种面积	其它杂粮 亩产	其它杂粮 总产量	棉花 播种面积	棉花 亩产	棉花 产量	其它作物 播种面积	其它作物 …
合计	—	15.00	14.94	1984.64	547	—	640.92	5.26	—	626.88	2.28	—	324.41	0.71	—	89.13	0.75	—	245.76	0.25	—	27.44	0.22	—	30.10	0.56	—	48.56	0.10	6…
地主	—	47.89	45.67	6622.20	15.89	—	2120	14	—	1893.88	8.11	—	1222.22	2.78	—	386.67	1.56	—	582.22	2.22	—	257.78	1.11	—	158.89	1.89	—	189.44	0.33	11…
富农	—	43.38	41.27	5915.54	14.62	—	1950	13.46	—	1769.23	8.31	—	1283.85	2.15	—	290.38	1.42	—	473.10	0.77	—	86.15	0.54	—	63.85	1.96	—	187.69	0.15	9…
中农	—	18.06	17.19	2270.43	6.31	—	733.12	6.18	—	740.55	2.66	—	360.28	0.72	—	84.02	0.87	—	30	0.18	—	16.80	0.29	—	35.25	0.72	—	56.15	0.14	9…
贫农	—	10.65	10.43	1187.06	4.01	—	365.65	4.15	—	398.95	0.83	—	95.12	0.48	—	53.95	0.90	—	258.95	0.02	—	18.60	0.04	—	12.68	0.14	—	11.63	0.07	5…
雇农	—					—			—			—			—			—			—			—			—			
其他	—	100	100	96.87	0.47	—		0.47	—	47.45	0.03	—	3.42	0.0	—	2.37		—			—			—	1.32		—			

·27

一：合计

1936年农作物播种面积构成

单位面积：亩　　12表

阶级	总播种面积	粮食作物								棉花	其它作物
		合计	小麦	玉米	谷子	高粱	薯类	大豆	其它杂粮		
甲	1	2	3	4	5	6	7	8	9	10	11
合计	2574.3	2465.8	902	868	377	117.5	123.3	41.7	36.3	91.7	16.8
地主	431	411	143	126	73	25	14	20	10	17	3
富农	564	536.5	190	175	108	28	18.5	10	7	25.5	2
中农	1083.5	1031.7	378.5	370.5	159.5	43	51.9	10.7	17.6	43.2	8.6
贫农	457.8	448.6	172.5	178.5	35.5	20.5	38.9	1	1.7	6	3.2
雇农											
其它	38	38	18	18	1	1					
二、构成(%)											
合计	100	95.79	35.04	33.72	14.65	4.56	4.79	1.62	1.41	3.56	0.65
地主	100	95.36	33.18	29.23	16.94	5.80	3.25	4.64	2.32	3.94	0.70
富农	100	95.12	33.69	31.01	19.15	4.96	3.28	1.77	1.24	4.52	0.36
中农	100	95.22	34.93	34.19	14.72	3.97	4.79	0.10	1.62	3.99	0.79
贫农	100	97.99	37.68	38.99	7.75	4.48	8.50	0.22	0.37	1.31	0.70
雇农	100										
其它	1.00	100	47.37	47.37	2.63	2.63					

·28·

一、合计　　　　　　　　1936年房屋和牲畜　　　　　　　　13表

阶级	户数	佔有房间数	现住房屋 间数	其中 砖的	其中 租典借	生产用房 间数	其砖中的	租借典入	出借租房典屋	牲畜（头） 大牲畜 牛	马	驴	骡	小牲畜 猪	羊	水井	其中砖井
甲	1	2	3	4	5	6	7	8	9	10	11	12	13	14	15	16	17
合计	165	724.5	621	67	49.5	81			72		3	22	17	51		30	25.4
地主	9	94.5	58	21		16.5			20.			2	4	6		2.7	2.7
富农	13	97.5	61.5	6		16			20		3	2	7	9		7.7	7.2
中农	60	284	248.5	28.5	6	40			1.5			14	6	26		15	15
贫农	43	128.5	140.5	8	14	2						4		9		4.56	
伊农	2	1	4		3												
其他	38	119	108.5	3.5	26.5	6.5			30.5					1			
二、每户平均																	
合计	—	4.39	3.76	0.41	0.30	0.49			0.44		0.02	0.13	0.10	0.31		0.18	0.15
地主	—	10.50	6.44	2.33		1.83			2.22			0.22	0.44	0.67		0.30	0.3
富农	—	7.50	4.73	0.46		1.23			1.54		0.23	0.15	0.54	0.69		0.59	0.59
中农	—	4.73	4.14	0.48	0.10	0.67			0.03			0.23	0.10	0.43		0.25	0.25
贫农	—	2.99	3.27	0.19	0.33	0.05						0.09		0.21		0.11	
伊农	—	0.50	2.00		1.50												
其他	—	3.13	2.86	0.09	0.70	1.71			0.80					0.03			

1936年佔有农业主要生产及生活用具

14表

一、合计

阶级	户数	生产工具						生活用具					备攷
		水車	鉄大轮車	胶大轮車	犁耠	种什	其他	自行車	手电筒	矿石收音机	热水瓶	被褥(条)	
甲	1	2	3	4	5	6	7	8	9	10	11	12	13
合计	165	15.85	22	1	39	28	5	2	2			986	
地主	9	1.5	7		7	7						107	
富农	13	5.83	7		11	11	4					117	
中农	60	7.52	6		17	7		1	1			390	
贫农	43	1	2	1	4	3	1		1			167	
雇农	2											3	
其他	38							1				202	

二、构成(%)

阶级	户数	水車	鉄大轮車	胶大轮車	犁耠	种什	其他	自行車	手电筒	矿石收音机	热水瓶	被褥(条)	备攷
合计	100	100	100	100	100	100	100	100	100	100	100	100	100
地主	5.46	9.46	31.82		17.95	25.00						10.85	
富农	7.8	36.78	31.82		28.21	39.29	80					11.87	
中农	36.36	47.45	27.27		43.59	25.00		50	50			39.55	
贫农	26.06	63.1	9.09	100	10.25	10.71	20		50			16.94	
雇农	1.21											0.30	
其他	23.03							50				20.49	

一、合计　　　　1936年农付业及其它收入　　　　单位：元　15表

阶级	户数	人数	植物栽培	出售家畜家禽及其它产品		付业收入	工资收入	在外人口寄回	出租生产生活资料	其中：房租	救济补助及赠送	其它	合计
				猪	鸡鸭及蛋								
甲	1	2	3	4	5	6	7	8	9	10	11	12	13
合计	165	702	29635.47	877.46	26.9	5964.66	6133.77	8562.94	1369.35		464	2655.71	55690.26
地主	9	58	4757.33	53.72				2209.46	110.30				7130.81
富农	13	77	7319.52	100		376.45	196	756.10	225.60				8973.67
中农	60	266	12546.54	601.42	1.9	829.32	1037.66	3039.22	43.65		135	20	18254.76
贫农	43	172	4680.44	122.32	25	2106.49	1645.74	621.25			137	33	9371.24
佣农	2	3					115.09						115.09
其他	38	126	331.59			2652.4	3139.28	1936.91	989.8		192	2602.71	11844.69

二、每人平均

阶级	户数	人数	植物栽培	猪	鸡鸭及蛋	付业收入	工资收入	在外人口寄回	出租生产生活资料	其中：房租	救济补助及赠送	其它	合计
合计	—	—	42.21	1.25	0.04	8.50	8.74	12.20	1.95		0.66	3.78	79.33
地主	—	—	82.02	0.93				38.09	1.90				122.94
富农	—	—	95.05	1.30		4.89	2.55	9.82	2.93				116.54
中农	—	—	47.17	2.26		3.12	3.90	11.43	0.16		0.51	0.08	68.63
贫农	—	—	27.21	0.71	0.14	12.25	9.57	3.61			0.80	0.19	54.48
佣农	—	—					38.36						38.36
其他	—	—	2.63			21.05	24.91	15.37	7.86		1.52	20.66	94.00

·31·

1936年负债情况

一、合计　　单位：元　　16表

阶级	总户数	其中：负债户数	年末负债累计：计	其中：货币	其中：向各类债主借款累计数：地主富农	中农	银行	信用社	钱庄	其他	全年应付利息
甲	1	2	3	4	5	6	7	8	9	10	11
合计	165	6	670	670	490					180	167
地主	9										
富农	13										
中农	60	3	420	420	420						100
贫农	43	2	100	100	70					30	31
雇农											
其他	38	1	150	150						150	36
二、每户平均											
合计	—	—	4.06	4.06	2.97					1.09	1.01
地主	—	—									
富农	—	—									
中农	—	—	7.00	7.00	7						1.67
贫农	—	—	2.33	2.33	1.63					0.70	0.72
雇农	—	—									
其他	—	—	3.95	3.95						3.95	0.95

·32·

一、合计

1936年付业情况

17表

阶级	总户数	其中有付业的户数	从业人数	其中雇佣	兼业人数	产品价值或工资（元）主产品	产品价值或工资（元）付产品
甲	1	2	3	4	5	6	7
合计	165	27	20		11	35002.31	
地主	9						
富农	13						
中农	60	4	2		2	829.32	
贫农	43	17	12		5	30675.49	
雇农	2	2			4	1050	
其他	38	4	6			2447.5	

二、构成（%）

阶级	总户数	其中有付业的户数	从业人数	其中雇佣	兼业人数	主产品	付产品
合计	100	100	100	100	100	100	100
地主	5.45						
富农	7.88						
中农	36.36	14.8	10		18.18	2.37	
贫农	26.06	62.96	60		45.45	87.64	
雇农	1.21	7.41			36.37	3	
其他	23.04	14.83	30			6.99	

·33·

1936年主要生活用品情况

18表

一、合计

阶级	户数	吃饭人口	口粮消费			肉类(斤)	食油(斤)	棉布(尺)		灯油(斤)	煤炭(斤)	烟类		酒(斤)	医药费(元)
			计	其中:细粮 计	其中:细粮 %			计	其中土布			纸烟(合)	烟叶(斤)		
甲	1	2	3	4	5	6	7	8	9	10	11	12	13	14	15
合计	165	724	248140	68191	27.48	3477	1844	10239	856	2179.5	158339	4136	655.5	711.5	425.2
地主	9	66	29260	10390	35.51	636	258	928	83	244	19600	280	64	52	49.2
富农	13	89	37150	9810	26.41	603	297	1206	150	287	20600	550	80	88	57
中农	60	271	92858	22894	24.65	1308	613	4887	314	835	70150	1574	225	336.5	267
贫农	43	171	49492	12765	25.79	403	309	1692	234	417.5	1889	330	164.5	74	49
雇农	2	1	280	100	35.71		5	26		2			15		
其他	38	126	39100	12232	31.28	527	362	1500	75	394	46100	1402	107	161	3

二、每人平均

阶级	户数	吃饭人口	口粮消费 计	细粮 计	细粮 %	肉类	食油	棉布 计	其中土布	灯油	煤炭	纸烟	烟叶	酒	医药费
合计	—	—	342.76	94.19	27.48	4.80	2.55	14.14	1.18	3.01	218.70	5.71	0.91	0.98	0.59
地主	—	—	443.33	157.42	35.51	9.64	3.91	14.06	1.26	3.70	296.97	4.24	0.97	0.79	0.75
富农	—	—	417.42	110.22	26.41	6.78	3.34	13.55	1.69	3.22	231.46	6.18	0.90	0.99	0.64
中农	—	—	342.65	47.10	24.65	4.83	2.26	18.03	1.16	3.08	258.86	5.81	0.83	1.24	0.99
贫农	—	—	289.43	74.65	25.79	2.36	1.81	9.89	1.37	2.44	110.47	1.93	0.96	0.43	0.29
雇农	—	—	280	100	35.71		5	26		2			15		
其他	—	—	310.32	97.10	31.28	4.18	2.87	11.96	0.60	3.13	365.87	11.13	0.85	1.28	0.02

·34·

1930—1936年反动统治时期所受损失

19表

阶级	总户数	其中受损户数	烧毁房屋(间)	折毁房屋(间)	强占土地(亩)	绑票勒索(元)	砍伐树木(株)	劫去粮食(斤)	劫去衣饰(件)	劫去牲畜(头)	劫去钱财(元)	杀死人数(人)	致伤残废人数(人)	抓壮丁人数(人)	义务劳役天数
甲	1	2	3	4	5	6	7	8	9	10	11	12	13	14	15
合计	165	3		1					4	1	2	2			30
地主	9	1							4	1	2	2			
富农	13														
中农	60	2		1											30
贫农	43														
佣农															
其他	38														

·35·

1946年调查资料

1946年调查户变动情况

一、合计

1表

阶级	1936年户数	期内变动					本期户数
		分出	迁入	合并	迁出	绝灭	
甲	1	2	3	4	5	6	7
合计	165	13	10		9	4	175
地主	9	3			1		8
富农	13	1					8
中农	60	4			3		73
贫农	43	5	2		2	1	50
雇农	2		1				2
其他	38		7		3	3	34
二、比重(%)							
合计	100	100	100	100	100	100	100
地主	5.45	23.08			11.11		4.57
富农	7.88	7.69					4.57
中农	36.36	30.77			33.33		41.71
贫农	26.06	38.46	20		22.22	25	28.57
雇农	1.21		10		33.34		1.14
其他	23.04		70			75	19.44

·36·

1946年调查户阶级成分的演变

一、合计 2表

阶级	1936年户数	1946年户数						
		合计	地主	富农	中农	贫农	雇农	其他
甲	1	2	3	4	5	6	7	8
合计	165	175	8	8	73	50	2	34
地主	9	11	7		3			1
富农	13	14	1	7	5	1		
中农	60	61		1	56	2		2
贫农	43	47			5	37	1	4
雇农	2	3				2	1	
其他	38	39			4	8		27

二、构成（%）

阶级	1936年户数	合计	地主	富农	中农	贫农	雇农	其他
合计	——	100	4.57	4.57	41.71	28.57	1.14	19.44
地主	——	100	63.63		27.27			9.1
富农	——	100	7.14	50	35.72	7.14		
中农	——	100		1.64	91.8	3.28		3.28
贫农	——	100			10.63	78.72	2.13	8.52
雇农	——	100				66.67	33.33	
其他	——	100			10.26	20.51		69.23

一、合计　　　　1936—1946年调查户阶级演变原因　　　　3表

阶级	上升 户数	上升 剥削或投机获利	上升 土地改革	上升 勤俭及家属成员就业	上升 其他	下降 户数	下降 被剥削或投机失败	下降 分家	下降 土地改革	下降 赌博及其他不正当行为	下降 灾祸或其他意外事故
甲	1	2	3	4	5	6	7	8	9	10	11
合计	11	4	1	6		15	2	1	3	3	6
地主						4	1		2		1
富农	1	1				6			1	2	3
中农	1	1				4		1		1	2
贫农	5	2		3		1	1				
雇农	2			2							
其他	2		1	1							
二、比重（%）											
合计	100	36.36	9.09	54.55		100	13.33	6.67	20	20	40
地主	100	—	—	—	—	100	25		50		25
富农	100	100				100			16.67	33.33	50
中农	100	100				100		25		25	50
贫农	100	40		60		100	100				
雇农	100			100		—	—	—	—	—	—
其他	100		50	50							

·38·

一、合计　　　　1946年人口与劳动力　　　　4表

阶级	户数	年末总人口数			在家常住人口						在外人口					
					年内常住人口		其中：劳动力		年末常住人口		年内人口		其中：劳动力		年末人口	
		合计	男	女	男	女	男	女	男	女	男	女	男	女	男	女
甲	1	2	3	4	5	6	7	8	9	10	11	12	13	14	15	16
合计	175	891	470	421	385	395	226	235	383	396	87	26	79	18	87	25
地主	8	56	27	29	21	26	9	12	21	26	6	3	6	3	6	3
富农	8	35	20	15	17	15	12	12	17	15	3		3		3	
中农	73	412	215	197	176	187	99	108	175	187	40	11	35	7	40	10
贫农	50	229	124	105	109	100	67	57	108	101	16	4	15	4	16	4
佃农	2	7	5	2	4	2	2	1	4	2	1		1		1	
其他	34	152	79	73	58	65	37	45	58	65	21	8	19	4	21	8
二、每户平均																
合计	—	5.09	2.69	2.40	2.2	2.26	1.29	1.34	2.19	2.26	0.5	0.15	0.45	0.1	0.5	0.14
地主	—	7	3.38	3.62	2.63	3.25	1.13	1.5	2.63	3.25	0.75	0.38	0.75	0.38	0.75	0.38
富农	—	4.38	2.5	1.88	2.13	1.88	1.5	1.5	2.13	1.88	0.38		0.38		0.38	
中农	—	5.64	2.95	2.69	2.41	2.56	1.36	1.49	2.4	2.56	0.55	0.15	0.48	0.1	0.55	0.14
贫农	—	4.58	2.48	2.1	2.18	2	1.34	1.14	2.16	2.02	0.32	0.08	0.3	0.08	0.32	0.08
佃农	—	3.5	2.5	1	2	1	1	0.5	2	1	0.5		0.5		0.5	
其他	—	4.47	2.32	2.15	1.71	1.91	1.09	1.32	1.71	1.91	0.62	0.24	0.56	0.12	0.62	0.24

1946年调查户常住人口劳动力职业状况

5表

一、合计

阶级	劳动力数	其中：职业状况									
		个体农民	个体手工业者	产业工人	小商贩	乡社干部	各类合作社员	自由职业者	宗教及迷信职业者	旧政权机关人员	其他劳动者
甲	1	2	3	4	5	6	7	8	9	10	11
合计	461	165	8		22			4			33
地主	21	8									1
富农	24	8						1			1
中农	207	89	2		3						9
贫农	124	52	3		8						8
佣农	3	2									
其他	82	6	3		11			3			14

二、各类职业人数占常住人口劳动力的（%）

阶级	劳动力数	个体农民	个体手工业者	产业工人	小商贩	乡社干部	各类合作社员	自由职业者	宗教及迷信职业者	旧政权机关人员	其他劳动者
合计	100	35.78	1.74		4.77			0.87			7.16
地主	100	38.1									4.76
富农	100	33.33						4.17			4.17
中农	100	43.	0.97		1.45						4.35
贫农	100	41.94	2.42		6.45						0.45
佣农	100	66.67									
其他	100	7.32	3.66		13.41			3.66			17.7

·40·

1946年调查户在外人口劳动力职业状况

一、合计 6表

阶级	劳动力数	其中：职业状况 革命单政机关团企业职工	个体手工业者	佃农	小商贩	工商业资本家	旧军政机关人员	私营企业职工	自由职业者	宗教迷信职业者	产业工人	各类合作社社员	其他劳动者
甲	1	2	3	4	5	6	7	8	9	10	11	12	13
合计	97	5	5		9	2	14	22	1		6		15
地主	9					1	2	2					
富农	3				2								1
中农	42	1	2		5		5	12	1		5		4
贫农	19	2					1	3					8
佃农	1	1											
其他	23	1	3		2	1	6	5			1		2

二、各类职业人数占在外人口劳动力的（%）

阶级	劳动力数	革命单政机关团企业职工	个体手工业者	佃农	小商贩	工商业资本家	旧军政机关人员	私营企业职工	自由职业者	宗教迷信职业者	产业工人	各类合作社社员	其他劳动者
合计	100	5.15	5.15		9.28	2.06	14.43	22.68	1.03		6.18		15.46
地主	100					11.11	22.22	22.2					[illegible]
富农	100				66.67								33.33
中农	100	2.38	4.76		11.9		11.9	28.57	2.38		11.9		9.52
贫农	100	10.52					5.26	15.79					42.11
佃农	100	100											
其他	100	4.35	13.04		8.7	4.35	26.09	21.74			4.35		8.7

·41·

1946年调查户年内常住人口的文化状况

一、合计 　　　　　　　　　　　　　　　　　　　　　　7表

阶级	学令儿童(7—13岁)	其中：在校人数	十四岁以上人口	文化状况：文盲	初小程度	高小程度	初中程度	高中程度	大学程度
甲	1	2	3	4	5	6	7	8	9
合计	123	62	528	402	77	37	11	1	
地主	9	8	31	15	8	7	1		
富农	4	2	27	14	4	4	4	1	
中农	59	30	232	180	39	11	2		
贫农	34	14	142	116	19	5	2		
雇农			6	6					
其他	17	8	90	71	7	10	2		
二、构成(%)									
合计	100	50.41	100	76.14	14.58	7.01	2.08	0.19	
地主	100	88.89	100	48.39	25.81	22.58	3.22		
富农	100	50.	100	51.85	14.81	14.82	14.82	3.7	
中农	100	50.85	100	77.59	16.81	4.74	0.86		
贫农	100	41.17	100	81.69	13.38	3.52	1.41		
雇农	100		100	100					
其他	100	47.06	100	78.89	7.78	11.11	2.22		

1946年调查户在外人口的文化状况

8表

一、合计

阶级	学龄儿童（7—13岁）	其中：在校人数	十四岁以上的人口	文化状况					
				文盲	初小程度	高小程度	初中程度	高中程度	大学程度
甲	1	2	3	4	5	6	7	8	9
合计	6	4	98	44	32	14	6		2
地主			9	3	4				2
富农			3		2	1			
中农	3	2	43	17	17	7	2		
贫农	1	1	19	12	6	1			
雇农			1	1					
其他	2	1	23	11	3	5	4		

二、构成（%）

阶级	学龄儿童（7—13岁）	其中：在校人数	十四岁以上的人口	文盲	初小程度	高小程度	初中程度	高中程度	大学程度
合计	100	66.67	100	44.9	32.65	14.29	6.12		2.04
地主	100		100	33.33	44.45				22.22
富农	100		100		66.67	33.33			
中农	100	66.67	100	39.53	39.53	16.28	4.66		
贫农	100	100	100	63.16	31.58	5.26			
雇农	100		100	100					
其他	100	50	100	47.83	13.04	21.74	17.39		

·43·

1946年农业雇用

一、合计

阶级	总户数	雇入											雇出										
		长工					短零工						长工					短零工					
	户数	有雇工户数	占户总数(%)	人数	工资(元)	平均工资	户数	占户总数(%)	天数	工资(元)	每户平均雇工(天)	每天平均工资	有出雇户数	占户总数(%)	人数	工资(元)	平均工资(元)	户数	占户总数(%)	天数	工资(元)	每天平均工资	每户平均
甲	1	2	3	4	5	6	7	8	9	10	11	12	13	14	15	16	17	18	19	20	21	22	23
合计	175	8	4.57	9	547.22	60.80	23	13.14	773	384.45	4.42	0.50	2	1.14	2	112.00	56.00	20	11.43	1427	533.62	0.37	8.
地主	8	4	50	4	263.36	65.84	3	37.5	184	95.97	23	0.52											
富农	8	3	37.5	4	211.10	52.77	3	37.5	280	94.01	35	0.34											
中农	73	1	0.14	1	72.76	72.76	13	17.81	287	188.19	3.91	0.66						5	6.8	205	82.01	0.40	2.
贫农	50						3	6	19	4.97	0.38	0.26						12	24	897	385.61	0.43	17.
雇农	2												2	100	2	112.00	56.00						
其他	34						1	2.9	3	1.31	0.09	0.44						3	8.8	325	66.00	0.20	9.

二、每户平均

阶级	1	2	3	4	5	6	7	8	9	10	11	12	13	14	15	16	17	18	19	20	21	22	23
合计	—	—	—	0.5	2.61	—	—	—	4.42	2.20	—	—	—	—	0.01	0.64	—	—	—	8.15	3.05	—	—
地主	—	—	—	0.5	32.92	—	—	—	23	12.00	—	—	—	—			—	—	—			—	—
富农	—	—	—	0.5	26.39	—	—	—	35	11.75	—	—	—	—			—	—	—			—	—
中农	—	—	—	0.01	1.00	—	—	—	3.93	2.58	—	—	—	—			—	—	—	2.81	1.12	—	—
贫农	—	—	—			—	—	—	0.38	0.10	—	—	—	—			—	—	—	17.94	7.71	—	—
雇农	—	—	—			—	—	—			—	—	—	—	1	56.00	—	—	—			—	—
其他	—	—	—			—	—	—	0.09	0.04	—	—	—	—			—	—	—	9.56	1.94	—	—

1946年土地占有与租典

单位：面积：亩
租额：谷市斤、元　10表

一、合计

阶级	总户数	占有耕地					典入			典出			租入耕地						租出耕地						土地使用面积
		户数	耕地			非耕地	户数	耕地	非耕地	户数	耕地	非耕地	户数	粮租		钱租			户数	粮租		钱租			
			计	耕地构成	其中：水浇地									面积	租额	面积	租额	未价有面租积		面积	租额	面积	租额	未价有面租积	
甲	1	2	3	4	5	6	7	8	9	10	11	12	13	14	15	16	17	18	19	20	21	22	23	24	25
合计	175	136	1545.4	100	411.8	109.98	6	23.5	0.3	6	36		16	168.5	8704	27	110.09	19.5	9	145	9015	3	26.50	24	1575.9
地主	8	8	296	19.15	85	15.8	1	5		1	10								4	64	5120			21	206.
富农	8	8	275	17.79	73.2	9.5							1	10.	400				2	79	3805				206
中农	73	73	741.1	47.96	210.3	47.36	2	5.5		3	12			89.1	4363	18	68.00	19.5	2	2	90			3	856.2
贫农	50	38	181.7	11.76	33.5	23.52	2	6					12	65.4	3745	6	22.87								259.1
佃农	2												1	2	96										2
其他	34	9	51.6	3.34	9.8	13.8	1	7	0.3	2	14		2	2	100	3	19.22		1			3	26.50		46.6
二、每户平均																									
合计			8.83		2.35	0.63		0.13	0.002		0.21			0.96	49.74	0.15	0.63	0.11		0.83	51.51	0.02	0.15	0.14	9.01
地主			37.		10.63	1.98		0.63			1.25									8	640			2.63	25.75
富农			34.38		9.15	1.19								1.25	50					9.88	475.63				25.75
中农			10.15		2.88	0.65		0.08			0.16			1.22	59.77	0.25	0.93	0.27		0.03	1.23			0.04	11.73
贫农			3.03		0.67	0.05		0.01						1.31	7.49	0.01	0.05								5.18
佃农														1	48										1
其他			1.52		0.28	0.41		0.2	0.01		0.41			0.06	2.94	0.08	0.57					0.08	0.78		1.37

註：每户平均系用总户数计算的。

单位：面积：亩
产量：市斤
产值：元

一、合计

1946年农作物播种面积及产量

阶级	户数	总播种面积	粮食作物 播种面积合计	产量	小麦 播种面积	亩产	产量	玉米 播种面积	亩产	产量	谷子 播种面积	亩产	产量	高粱 播种面积	亩产	产量	薯类 播种面积	亩产	产量	大豆 播种面积	亩产	产量	其它杂粮 播种面积	亩产	总产量	棉花 播种面积	亩产	产量	其它作物 播种面积	3…
甲	1	2	3	4	5	6	7	8	9	10	11	12	13	14	15	16	17	18	19	20	21	22	23	24	25	26	27	28	29	3…
合计	175	2323.6	2195.2	282578	839.4	114.12	95796.5	811.6	119.53	97007.5	319	131.18	41847.5	63	120.17	7571	105.5	316.66	33408.5	23.2	109.7	2545	33.5	131.4	4402	111	91.13	10115	17.4	1…
地主	8	295	279	39470	104	127.88	13300	99	134.94	13360	45	154.66	6960	7	125.71	880	7	442.8	3100	13	110.76	1440	4	107.25	430	16	88.13	1410		
富农	8	300	291	40710	101	129.95	13125	101	135.5	13690	54	145.37	7850	10	141	1410	9	322.22	2900	6	122.5	735	10	100	1000	9	103.3	930		
中农	73	1263.2	1181.4	153479	457.3	116.83	53430.5	435.3	118.76	51697.5	173.5	125.61	21793.5	36	115.81	4169	62.6	322.21	20170.5	3.2	90.63	290	13.5	142.81	1928	70.5	90.97	6414	11.3	7…
贫农	50	408.8	387.2	42969	154.3	89.64	13831	153.3	104.76	16060	40.5	113.18	4584	10	111.7	1112	22.1	283.16	6258	1	80	80	6	174	1044	15.5	87.81	1361	6.1	3…
小农	2	4	4	500	2	100	200				2	150	300																	
其它	34	52.6	52.6	5450	20.8	91.83	1910	23	95.65	2200	4	90	360				4.8	204.17	980											

二、每户平均

阶级	1	2	3	4	5	6	7	8	9	10	11	12	13	14	15	16	17	18	19	20	21	22	23	24	25	26	27	28	29	3…
合计	—	13.28	12.54	1614.73	5	—	547.41	4.64	—	554.33	1.82	—	239.13	0.36	—	43.26	0.6	—	190.91	0.12	—	14.54	0.19	—	25.15	0.63	—	57.8	0.1	5…
地主	—	36.88	34.88	4933.75	13	—	1662.5	12.38	—	1670	5.63	—	870	0.88	—	11	0.88	—	387.5	1.63	—	180	0.5	—	53.75	2	—	176.25		
富农	—	37.5	36.38	5088.75	12.63	—	1640.63	12.63	—	1711.25	6.75	—	981.25	1.25	—	176.25	1.13	—	362.5	0.75	—	91.88	1.25	—	125	1.13	—	116.25		
中农	—	17.3	16.18	2102.45	6.26	—	731.92	5.96		708.18	2.38	—	298.54	0.49	—	57.11	0.86	—	276.31	0.04	—	3.97	0.18	—	26.41	0.97	—	87.86	0.15	5…
贫农	—	8.18	7.74	859.38	3.09	—	276.62	3.06	—	321.2	0.81	—	91.68	0.2	—	22.24	0.44	—	125.16	0.02	—	1.6	0.12	—	20.88	0.31	—	27.22	0.12	6…
小农	—	2	2	250	1	—	100		—		1	—	150		—			—			—			—			—			
其它	—	1.55	1.55	160.29	0.61	—	56.18	0.68	—	64.71	0.12	—	10.59		—		0.14	—	28.82		—			—			—			

·4

一、合计

1946年农作物播种面积构成 单位面积：亩 12表

阶级	总播种面积	粮食作物								棉花	其它作物
		合计	小麦	玉米	谷子	高粱	薯类	大豆	其它杂粮		
甲	1	2	3	4	5	6	7	8	9	10	11
合计	2323.6	2195.2	839.4	811.6	319	63	105.5	23.2	33.5	111	17.4
地主	295	279	104	99	45	7	7	13	4	16	
富农	300	291	101	101	54	10	9	6	10	9	
中农	1263.2	1181.4	457.3	435.3	173.5	36	62.6	3.2	13.5	70.5	11.3
贫农	408.8	387.2	154.3	153.3	40.5	10	22.1	1	6	15.5	6.1
佣农	4	4	2		2						
其他	52.6	52.6	20.8	23	4		4.8				
二、构成（%）											
合计	100	94.47	36.12	34.93	13.73	2.71	4.54	1	1.44	4.78	0.75
地主	100	94.58	35.25	33.56	15.25	2.37	2.37	4.42	1.36	5.42	
富农	100	97	33.67	33.67	18	3.33	3	2	3.33	3	
中农	100	93.52	36.2	34.46	13.73	2.85	4.96	0.25	1.07	5.58	0.9
贫农	100	94.72	37.74	37.5	9.91	2.45	5.41	0.24	1.47	3.79	1.49
佣农	100	100	50		50						
其他	100	100	39.54	43.73	7.6		9.13				

·47·

1946年房屋和牲畜

一、合计　　　　13表

阶级	户数	占有房间数	现住房屋 间数	其中 砖的	其中 租典借	生产用房 间数	其中砖的	租借典入	出借租房典屋	牲畜（头） 大牲畜 牛	马	驴	骡	小牲畜 猪	羊	水井	其中砖井
甲	1	2	3	4	5	6	7	8	9	10	11	12	13	14	15	16	17
合计	175	705.5	617.5	69	72.5	76.5			84		3	20	16	51	2	37	
地主	8	69	39.5	19.5	2	11.5			20			1	3	4		4.5	
富农	8	57.5	41.5			11			5		2	1	3	7		5.5	
中农	73	342	292	38.5	10	47			13			14	8	28	2	21	
贫农	50	125	148.5	3	28.5	2			3			3	1	9		6	
雇农	2		5		5									1			
其他	34	112	91	8	27	5			43		1	1	1	2			
二、每户平均																	
合计	—	4.03	3.53	0.39	0.41	0.44			0.48		0.02	0.11	0.09	0.29	0.01	0.21	
地主	—	8.6	4.94	2.44	0.25	1.44			2.5			0.13	0.38	0.5		0.56	
富农	—	7.19	5.19			1.38			0.63		0.25	0.13	0.38	0.88		0.69	
中农	—	4.68	4	0.53	0.14	0.64			0.18			0.19	0.11	0.38	0.03	0.29	
贫农	—	2.5	2.97	0.06	0.57	0.04			0.06			0.06	0.02	0.18		0.12	
雇农	—		2.5		2.5									0.5			
其他	—	3.29	2.68	0.24	0.79	0.15			1.26		0.03	0.03	0.03	0.06			

·48·

1946年佔有农业主要生产及生活用具

14表

一.合计

阶级	户数	生产工具：水車	铁大轮車	胶大轮車	犁耠	种什	耙盖	生活用具：自行車	手电筒	矿石收音机	热水瓶	被褥（条）	备考
甲	1	2	3	4	5	6	7	8	9	10	11	12	13
合计	175	20	16	5	36	21		1	2		7	1095	
地主	8	3.5	5		5	4					1	88	
富农	8	3.5	4		5	4			1		1	64	
中农	73	11	6	3	22	10		1	1		1	531	
贫农	50	2	1	1	4	3					3	239	
佣农	2											7	
其他	34			1							1	166	

二.构成（%）

阶级	户数	水車	铁大轮車	胶大轮車	犁耠	种什	耙盖	自行車	手电筒	矿石收音机	热水瓶	被褥（条）	备考
合计	100	100	100	100	100	100	100	100	100	100	100	100	100
地主	4.58	17.5	31.25		13.89	19.05					14.29	8.04	
富农	4.58	17.5	25		13.89	19.05			50		14.29	5.84	
中农	41.71	55	37.5	60	61.11	47.62		100	50		14.29	48.49	
贫农	28.57	10	6.25	20	11.11	14.28					42.85	21.83	
佣农	1.14											0.64	
其他	19.44			20							14.29	15.16	

·49·

1946年农副业及其它收入

单位：元　　15表

一、合计

阶级	户数	人数	植物栽培	出售家畜家禽及其它产品：猪	鸡鸭及蛋	肥料	副业收入	工资收入	亲人寄回	出租生产生活资料	其中房租	救济补助及赠送	其它	合计
甲	1	2	3	4	5	6	7	8	9	10	11	12	13	14
合计	175	780	28005.60	1077.79	3.20	8.00	7948.80	6355.83	5819.01	1880.58		461.00	1861.65	53421.46
地主	8	47	3778.68	57.58					600.00	484.96			200.00	5121.22
富农	8	32	3722.28	70.00					545.00	333.82				4671.10
中农	73	363	15650.36	546.50	3.20		2890.06	1470.33	2591.45	118.68		120.00	36.00	23726.58
贫农	50	209	4340.53	334.95		8.00	2577.54	1940.11	815.00	49.60		111.00	880.00	11056.73
雇农	2	6	42.95	20.00				112.00						174.95
其他	34	123	470.80	48.76			2481.20	2833.39	967.56	893.52		230.00	745.65	8670.88

二、每人平均

阶级	户数	人数	植物栽培	猪	鸡鸭及蛋	肥料	副业收入	工资收入	亲人寄回	出租生产生活资料	其中房租	救济补助及赠送	其它	合计
合计	—	—	35.90	1.38	0.04	0.01	10.19	8.15	7.46	2.41		0.59	2.39	68.49
地主	—	—	80.40	1.23					12.00	10.32			4.26	108.96
富农	—	—	116.32	2.19					17.03	10.43				145.97
中农	—	—	43.11	1.51	0.01		7.96	4.05	7.97	0.33		0.33	0.1	65.36
贫农	—	—	20.77	1.60		0.04	12.33	9.28	3.90	0.24		0.53	4.21	52.90
雇农	—	—	7.16	3.33				18.67						29.16
其他	—	—	3.83	0.40			20.17	23.04	7.87	7.26		1.87	6.06	70.49

·50·

1946年付业情况

16表

阶级	总户数	其中：有付业的户数	从业人数	其用：雇佣	兼业人数	产品价值或工资（元）	
						主产品	付产品
甲	1	2	3	4	5	6	7
合计	175	37	25		14	17181.61	
地主	8						
富农	8						
中农	73	14	11		4	4000.21	
贫农	50	18	11		8	12253.40	
雇农	2						
其他	34	5	3		2	928.00	
二、构成（%）							
合计	100	100	100	100	100	100	100
地主	4.57						
富农	4.57						
中农	41.71	37.84	44.00		28.57	23.28	
贫农	28.57	48.65	44.00		57.14	71.32	
雇农	1.14						
其他	19.45	13.51	12.00		14.29	5.40	

·51·

一、合计　　　　　　1946年负债情况　　　　　单位：元　　　　17表

阶级	总户数	其中：负债户数	年末负债累计		其中：向各类债主借款累计数						全年应付利息
			计	其中：货币	地主富农	中农	银行	信用社	钱庄	其它	
甲	1	2	3	4	5	6	7	8	9	10	11
合计	175	2	350.00	350.00	50.00					300.00	21.00
地主	8										
富农	8										
中农	73	2	350.00	350.00	50.00					300.00	21.00
贫农	50										
佃农	2										
其它	34										
二、每户平均											
合计	—	—	2.00	2.00	0.29					1.71	0.12
地主	—	—									
富农	—	—									
中农	—	—	4.79	4.79	0.68					4.11	0.29
贫农	—	—									
佃农	—	—									
其它	—	—									

一、合计　　　　1946 年主要生活用品情况　　　　18表

阶级	户数	吃饭人口	口粮消费			肉类（斤）	食油（斤）	棉布（尺）		灯油（斤）	煤炭（斤）	烟类		酒（斤）	医药费（元）
			计	其中：细粮				计	其中：土布			纸烟（合）	烟叶（斤）		
				计	%										
甲	1	2	3	4	5	6	7	8	9	10	11	12	13	14	15
合计	175	787	263124	70681	26.86	3511	1888.5	10896	1002	2350.5	236500	5964	640	653	696.40
地主	8	51	20668	6780	32.8	380	169	742	330	183	13000	400	27	49	37.00
富农	8	36	15780	4770	30.23	366	140	520		155	13900	390	55	44	32.00
中农	73	364	125875	32764	26.0	1745	855	5733	277	1076.5	115100	2679	233.5	250	317.00
贫农	50	209	60454	15050	24.89	566	431	2244	270	551.5	34030	45.0	237.5	214	103.00
佃农	2	4	1200	210	17.5	23	6	95	45	10	1000		18	8	
其它	34	123	39147	11107	28.37	431	287.5	1562	80	374.5	59470	2045	69	88	207.40
二、每人平均															
合计	—	—	334.33	89.31	—	4.46	2.4	13.84	1.27	2.99	300.5	7.58	0.81	0.83	0.88
地主	—	—	405.25	132.94	—	7.45	3.31	14.55	6.47	3.59	254.9	7.84	0.53	0.96	0.73
富农	—	—	438.33	132.5	—	10.16	3.89	14.44		4.31	386.11	10.83	1.53	1.22	0.89
中农	—	—	345.81	90	—	4.79	2.35	15.75	0.76	2.96	316.21	7.36	0.64	0.69	0.87
贫农	—	—	289.25	72	—	2.71	2.06	10.74	1.29	2.64	162.82	2.15	1.14	1.02	0.49
佃农	—	—	300	52.5	—	5.75	1.5	23.75	11.25	2.5	250		4.5	2	
其它	—	—	318.27	90.3	—	3.5	2.34	12.7	0.65	3.04	483.5	16.63	0.73	0.72	1.69

·53·

1937—1945年反动统治时期所受损失

19表

阶级	总户数	其中受损户数	烧毁房屋(间)	拆毁房屋(间)	填占土地(亩)	绑票勒索(元)	砍伐树木(株)	劫去粮食(斤)	劫去衣饰(件)	劫去牲畜(头)	劫去钱财(元)	杀死人数(人)	重伤残废人数(人)	抓丁人数(人)	义务劳役天数
甲	1	2	3	4	5	6	7	8	9	10	11	12	13	14	15
合计	175	104	5	24	32.5	320.00	126	15865	130	7	204.00	5	5	1	28805
地主	8	3			2	100.00		2300	65	1					790
富农	8	4	1				1	4000	6	1	50.00				1120
中农	73	44	4	4	23.5	20.00	20	8565	23	5		2	2	1	12153
贫农	50	35			7	200.00	105		3		84.00	2	1		10896
佃农	2	1													180
其他	34	17		20				1000	33		70.00	1	2		3666

·54·

1957年調査資料

一、合计　　　　1957年调查户变动情况　　　　1表

阶级	1946年户数	期内变动					本期户数
		分出	迁入	合併	迁出	绝灭	
甲	1	2	3	4	5	6	7
合计	175	41			14	2	200
地主	8	2			2		84 上中
富农	8	6			1		
中农	73	18			8	1	52
贫农	50	6			2		12
佃农	2						7 下中
其他	34	9			1	1	45
二、比重(%)							
合计	100	100	100	100	100	100	100
地主	4.6	4.89			14.29		42
富农	4.6	14.63					
中农	41.71	43.90			57.14	50	26
贫农	28.57	14.63			14.29		6
佃农	1.1						3.5
其他	19.42	21.95			7.14	50	22.5

·55·

一、合计　　　　1957年调查户阶级成分的演变　　　　2表

阶级	1946年户数	1957年户数					
		合计	上中农	中农	下中农	贫农	其他
甲	1	2	3	4	5	6	7
合计	175	200	84	52	7	12	45
地主	8	8	4	2			2
富农	8	13	4	6		1	1
中农	73	82	43	20		3	16
贫农	50	54	23	17	4	5	5
雇农	2	2		1		1	
其他	34	41	10	6	2	2	21
二、构成（%）							
合计	—	100	42	26	3.5	6	22.5
地主	—	100	50	25			25
富农	—	100	30.77	46.15	7.69	7.69	7.7
中农	—	100	52.44	24.39		3.66	19.51
贫农	—	100	42.59	31.48	7.41	9.26	9.26
雇农	—	100		50.00		50.00	
其他	—	100	24.39	14.63	4.83	4.88	51.22

··56·

一、合计　　　　19　—19　　年调查户阶级演变原因　　　　3表

阶级	上升					下降					
	户数	剥削或投机获利	土地改革	勤俭及家属成员就业	其他	户数	被剥削或投机失败	分家	土地改革	赌博及其他不正当行为	灾祸或其他意外事故
甲	1	2	3	4	5	6	7	8	9	10	11
合计	110	1	50	42	17	37	3	9	12	5	8
地主						8			8		
富农						13	1	6	4		2
中农	44	1	23	15	5	11	1	3		2	5
贫农	44		23	17	4						
雇农	2		1		1						
其他	20		3	10	7	5	1			3	1
二、比重（%）											
合计	100	0.91	45.45	38.18	15.46	100	8.11	24.32	32.43	13.51	21.63
地主	100	—	—	—	—	100			100		
富农	100					100	7.69	46.15	30.77		15.39
中农	100	2.27	52.27	34.09	11.37	100	9.09	27.27		18.18	45.46
贫农	100		52.27	38.64	9.09	100					
雇农	100		50		50	—	—	—	—	—	—
其他	100		15	50	35	100	20			60	20

·57·

1957年人口与劳动力

4表

一、合计

阶级	户数	年末总人口数			在家常住人口						在外人口					
		合计	男	女	年内常住人口		其中：劳动力		年末常住人口		年内人口		其中：劳动力		年末人口	
					男	女	男	女	男	女	男	女	男	女	男	女
甲	1	2	3	4	5	6	7	8	9	10	11	12	13	14	15	16
合计	200	1179	610	569	494	507	232	252	501	505	109	64	88	43	109	64
上中农	84	475	247	228	204	204	109	115	209	203	37	25	29	19	38	25
中农	52	365	190	175	149	150	69	68	150	149	41	26	30	15	40	26
下中农	7	38	21	17	21	18	9	10	21	17						
其它	45	229	117	112	91	102	30	46	92	103	25	9	23	7	25	9
贫农	12	72	35	37	29	33	15	13	29	33	6	4	6	2	6	4

二、每户平均

阶级	户数	合计	男	女	男	女	男	女	男	女	男	女	男	女	男	女
合计	—	5.90	3.05	2.85	2.47	2.54	1.16	1.26	2.50	2.53	0.55	0.32	0.44	0.22	0.55	0.32
上中农	—	5.65	2.94	2.71	2.43	2.43	1.30	1.37	2.49	2.42	0.44	0.29	0.35	0.23	0.45	0.30
中农	—	7.02	3.65	3.37	2.87	2.88	1.33	1.33	2.88	2.87	0.79	0.50	0.57	0.29	0.78	0.50
下中农	—	5.43	3.00	2.43	3.00	2.57	1.29	1.43	3.00	2.43						
其它	—	5.09	2.60	2.49	2.02	2.27	0.67	1.02	2.04	2.29	0.56	0.20	0.51	0.16	0.56	0.20
贫农	—	6.00	2.92	3.08	2.42	2.75	1.25	1.08	2.42	2.75	0.50	0.33	0.50	0.17	0.50	0.33

一、合计　　　　1957年调查户常住人口劳动力的职业状况　　　　5表

阶级	劳动力数	其中：职业状况									
		个体农民	个体手工业者	产业工人	小商贩	乡社干部	各类合作社社员	自由职业者	宗教迷信职业者	旧军政机关人员	其他劳动者
甲	1	2	3	4	5	6	7	8	9	10	11
合计	484				4	6	238				62
上中农	224				1	4	115				35
中农	137				2	2	77				9
下中农	19						12				
其他	76				1		15				18
贫农	28						19				
二、各类职业人数占常住人口劳动力的（%）											
合计	100				0.83	1.24	49.17				12.81
上中农	100				0.45	1.79	51.34				15.63
中农	100				1.46	1.46	56.20				6.57
下中农	100						63.12				
其他	100				1.32		19.74				23.68
贫农	100						67.35				

·59·

一、合计

1957年调查户在外人口劳动力职业状况

6表

阶级	劳动力数	其中：职业状况											
		革命军政机关国营企业职工	个体手工业者	佃农	小商贩	工商业资本家	旧军政机关人员	私营企业职工	自由职业者	宗教迷信职业者	产业工人	各类合作社社员	其他劳动者
甲	1	2	3	4	5	6	7	8	9	10	11	12	13
合计	131	57	3						1		19		14
上中农	48	19							1		8		2
中农	45	20	1								2		9
下中农													
其他	30	13	2								9		2
贫农	8	5											1
二、各类职业人数占在外人口劳动力的（%）													
合计	100	43.51	2.30						0.76		14.50		10.69
上中农	100	39.58							2.10		16.67		4.17
中农	100	44.44	2.22								4.44		20.00
下中农	100												
其他	100	43.33	6.66								30.00		6.66
贫农	100	62.50											12.50

一、合计　　　　1957 年调查户年内常住人口的文化状况　　　　7表

阶级	学龄儿童（7—13岁）	其中：在学人数	十四岁以上人口	文化状况					
				文盲	初小程度	高小程度	初中程度	高中程度	大学程度
甲	1	2	3	4	5	6	7	8	9
合计	144	120	607	384	111	69	42	1	
上中农	49	41	280	179	55	31	14	1	
中农	56	47	165	99	29	20	17		
下中农	8	6	18	13	2	3			
其他	23	19	107	72	15	12	8		
贫农	8	7	37	21	10	3	3		
二、构成（%）									
合计	100	83.33	100	63.26	18.29	11.37	6.92	0.16	
上中农	100	83.67	100	63.93	19.64	11.10	5	0.33	
中农	100	83.93	100	60.00	17.58	12.12	10.30		
下中农	100	75.00	100	72.22	11.11	16.67			
其他	100	82.61	100	67.29	14.02	11.21	7.48		
贫农	100	87.50	100	56.76	27.02	8.11	8.110		

·61·

一、合计　　　　1957年调查户在外人口的文化状况　　　　8表

阶级	学龄儿童（7—13岁）	其中：在学人数	十四岁以上的人口	文化状况					
				文盲	初小程度	高小程度	初中程度	高中程度	大学程度
甲	1	2	3	4	5	6	7	8	9
合计	14	10	140	56	26	32	11	9	6
上中农	3	3	51	10	11	17	6	4	3
中农	9	5	50	30	9	6	3	1	1
下中农									
其他	2	2	31	13	3	8	2	3	2
贫农			8	3	3	1		1	
二、构成（%）									
合计	100	71.43	100	40.00	18.57	22.86	7.86	6.43	4.28
上中农	100	100	100	19.61	21.57	33.33	11.76	7.84	5.89
中农	100	55.56	100	60.00	18.00	12.00	6.00	2.00	2.00
下中农	100		100						
其他	100	100	100	41.94	9.66	25.8	6.42	9.66	6.42
贫农	100		100	37.5	37.5	12.5		12.5	

一、合计　　　　　　1957年房屋和牲畜　　　　　　13.表

阶级	户数	占有房间数	现住房屋			生产用房			出借租房典屋	牲畜（头）						水井	其中：砖井
			间数	其中		间数	其中：砖的	租借典入		大牲畜				小牲畜			
				砖的	租典借					牛	马	驴	骡	猪	羊		
甲	1	2	3	4	5	6	7	8	9	10	11	12	13	14	15	16	17
合计	200	957.5	670	75.5	14	54.5	1		247			2		71	10	5	5
上中农	84	430.5	293	23.5	4.5	22			120			1		28	8	4	4
中农	52	255.5	186	20.5	8	18.5			59			1		30			
下中农	7	27	20	1.5	1.5	1			7.5					3			
其他	45	187.5	122	27		7	1		58.5					6.5	2	1	1
贫农	12	57	49	3		6			2					3.5			
二、每户平均																	
合计	—	4.79	3.35	0.38	0.07	0.27			1.24			0.01		0.36	0.05	0.03	0.025
上中农	—	5.13	3.49	0.28	0.05	0.26			1.43			0.01		0.33	0.09	0.04	0.05
中农	—	4.91	3.58	0.40	0.02	0.36			1.13			0.02		0.58			
下中农	—	3.86	2.86	0.21	0.21	0.4			1.10					0.43			
其他	—	4.17	2.71	0.60		0.16			1.30					0.14	0.04	0.02	0.02
贫农	—	4.75	4.10	0.25		0.50			0.17					0.29			

·63·

1957年占有农业主要生产及生活用具

一、合计　　　　　　　　　　　　　　　　　　　　　　　　　　14表

阶级	户数	生产工具：水車	铁大轮車	胶大轮車	犁耧	种什	耙盖	生活用具：自行車	手电筒	矿石收音机	热水瓶	被褥（条）	备考
甲	1	2	3	4	5	6	7	8	9	10	11	12	13
合计	198				1	1		52	83	49	159	1499	
上中农	82							33	39	25	65	672	
中农	52				1	1		2	19	9	43	418	
下中农	7							2	1	1	5	35	
其他	45							15	16	11	36	283	
贫农	12								8	3	10	91	

二、构成（%）

阶级	户数	水車	铁大轮車	胶大轮車	犁耧	种什	耙盖	自行車	手电筒	矿石收音机	热水瓶	被褥（条）	备考
合计	100	100	100	100	100	100	100	100	100	100	100	100	100
上中农	41.41							63.46	46.99	51.02	40.88	44.83	
中农	26.26				100	100		3.85	22.89	18.37	27.04	27.89	
下中农	3.54							3.35	1.21	2.05	3.14	2.33	
其他	22.73							28.84	19.28	22.44	22.64	18.88	
贫农	6.06								9.63	6.12	6.30	6.07	

1957年农付业及其它收入

单位：元　　15表

阶级	户数	人数	植物栽培	出售家畜家禽及其它产品				付业收入	工资收入	在外人口寄回	从农业社取得收入	其中：劳动报酬	出租生产生活资料	其中：房租	救济补助及赠送	其它	合计	其中：纯收入
				猪	鸡鸭及蛋	其他	肥料											
甲	1	2	3	4	5	6	7	8	9	10	11	12	13	14	15	16	17	18
合计	200	1001	715.00	1529.29	288.00	40.03	429.94	1510.00	42493.00	9699.00	98939.53	39383.44	7527.66		1032.37	573.47	164776.29	10522
上中农	82	408	194.00	628.97	262.00		236.64	267.00	24358.00	2682.00	57047.96	22708.75	3602.56		192.31		89471.44	55132
中农	52	299	276.00	630.22	26.00		193.30	526.00	3934.00	3156.00	32382.58	12888.64	1650.00		180.00	213.00	43167.10	23673
下中农	7	39	65.00	108.40		9.82					4590.75	1828.29	264.00		40.00	98.47	5176.44	2413
贫农	12	62	140.00	66.00		23.01				210.00	4630.32	1841.76	64.50		168.06	30.00	5331.89	2543
其它	45	193	40.00	95.70		7.2		717.00	14201.00	3651.00	286.92	116.00	1946.60		452.00	232.00	21629.42	21458
二、每人平均																		
合计	—	—	0.71	1.53	0.29	0.04	0.43	1.51	42.45	9.69	98.84	39.34	7.52		1.03	0.57	164.60	105.11
上中农	—	—	0.48	1.54	0.64		0.58	0.65	59.70	6.57	139.82	55.66	8.83		0.47		219.19	135.13
中农	—	—	0.92	2.11	0.09		0.65	1.76	13.16	1.06	108.30	43.10	5.52		0.60	0.71	144.71	79.17
下中农	—	—	1.67	2.78		0.25	0.25				117.71	46.88	6.77		1.03	2.52	132.73	61.89
贫农	—	—	2.26	1.06		0.37				3.38	74.68	29.71	1.04		2.71	0.48	86.00	41.02
其它	—	—	0.21	0.50		0.04		3.72	73.57	18.91	1.49	0.60	10.10		2.34	1.20	112.07	111.18

· 65 ·

1957年付业情况

16表

阶级	总户数	其中：有付业的户数	从业人数	其中：雇佣	兼业人数	产品价值或工资（元）	
						主产品	付产品
甲	1	2	3	4	5	6	7
合计	200	15	16		2	6932.00	
上中农	84	1	1			480.00	
中农	52	4	6			1104.00	
下中农	7						
贫农	12	1	1			60.00	
其他	45	9	8		2	5288.00	
二、构成（%）							
合计	100	100	100	100	100	100	100
上中农	42.00	6.67	6.25			6.92	
中农	26.00	26.67	37.50			15.93	
下中农	3.50						
贫农	6.00	6.66	6.25			0.87	
其他	22.50	60	50		100	76.28	

·66·

一、合计　　　　1957年负债情况　　　　单位：元　　　　17表

阶级	总户数	其中：负债户数	年末负债累计		其中：向各类债主借款累计数						全年支付利息
			计	其中货币	地主富农	中农	银行	信用社	钱庄	其它	
甲	1	2	3	4	5	6	7	8	9	10	11
合计	200	31	1128.00	1128.00			50.00	828.00		250.00	53.795
上中农	84	9	317.00	317.00			50.00	207.00		60.00	11.315
中农	52	14	389.00	389.00				339.00		50.00	22.60
下中农	7	3	172.00	172.00				172.00			11.42
其它	45	2	60.00	60.00						60.00	
贫农	12	3	190.00	190.00				110.00		80.00	8.46
二、每户平均											
合计	—	—	5.64	5.64			0.25	4.14		1.25	0.27
上中农	—	—	3.77	3.77			0.60	2.46		0.71	0.13
中农	—	—	7.48	7.48				6.52		0.96	0.43
下中农	—	—	24.57	24.57				24.57			1.63
其它	—	—	1.33	1.33						1.33	
贫农	—	—	15.83	15.83				9.17		6.67	0.71

·6.73·

一、合计

1957 年主要生活用品情况

13 表

阶级	户数	吃饭人口	口粮消费 计	口粮消费 其中：细粮 计	口粮消费 其中：细粮 %	肉类（斤）	食油（斤）	棉布（尺） 计	棉布（尺） 其中：土布	灯油（斤）	煤炭（斤）	烟类 纸烟（合）	烟类 烟类（斤）	酒（斤）	医药费（元）
甲	1	2	3	4	5	6	7	8	9	10	11	12	13	14	15
合计	200	1001	361357.5	101948	28.21	5542	4070	15556	172	3293	551760	17728	541	904.5	5585.00
上中农	84	408	160352.5	43766	27.21	2202.5	1626	6513	140	1470	248500	9341	283	515.5	2661.3[illegible]
中农	52	299	104103	30706	29.50	1933	1270	4749	32	877	123540	3473	136	54	739.70
下中农	7	39	12767	3618	28.34	107	134	519		89	13990	380	21	10	188.00
其它	45	93	61527	18450	29.99	1055.5	793	2879		669	134580	3854	39	281	1816.00
贫农	12	62	22108	5403	24.46	244	247	896		188	31150	740	62	44	180.00
二、每人平均															
合计	—	—	360.99	101.85	—	5.54	4.07	15.54	0.17	3.29	551.21	17.77	0.54	0.90	5.58
上中农	—	—	394.25	107.27	—	5.40	3.99	15.96	0.34	3.60	609.07	22.89	0.69	1.26	6.52
中农	—	—	348.17	102.70	—	6.46	4.25	15.88	0.11	2.93	413.18	11.62	0.45	1.81	2.47
下中农	—	—	327.36	92.77	—	2.74	3.44	13.31		2.28	358.72	9.74	0.54	0.26	4.82
其它	—	—	318.79	95.60	—	5.47	4.1	14.92		3.47	697.31	19.97	0.20	1.46	9.41
贫农	—	—	356.58	87.23	—	3.94	3.98	14.45		3.03	502.42	8.71	1	0.70	2.90

·68·

1946——1948 年反动统治时期所受损失　　19表

阶级	总户数	其中：受损户数	烧毁房屋(间)	拆毁房屋(间)	埧占土地(亩)	绑票勒索(元)	砍伐树木(株)	劫去粮食(斤)	劫去衣饰(件)	劫去牲畜(头)	劫去钱财(元)	杀死人数(人)	重伤残废人数(人)	抓壮丁人数(人)	义务劳役天数
甲	1	2	3	4	5	6	7	8	9	10	11	12	13	14	15
合计	200	94		40	23.3		631	2020	55	1	86.50	5	2	7	7962
上中农	84	47		23	18.8		129	1200	40		51.00	3		4	1111
中农	52	22		8	4.5		471	820		1	20.00	1	1	2	3968
下中农	7	14									5.00		1		1170
其它	45	13		2			6		15		10.50				337
贫农	12	8		7			25					1		1	1376

·69·

土改收益户分得财产情况　　　　20表

阶级	总户数	其中：收益户数	房屋(间)	土地(亩)	粮食(斤)	牲畜(头)	农具(件)	(1)水车	傢俱(件)	现款(人民币)	取消借款(元)	退还押款	取消欠款	典地改死地	其他
甲	1	2	3	4	5	6	7	8	9	10	11	12	13	14	15
合计	200	60	19.3	406.92	240	2		0.33		30				4	
上中农	84	22	3.5	99											
中农	52	24	5	218.6		0.9								4	
下中农	7	2	2	14											
贫农	12	5	5	45	240					30					
其它	45	7	4	30.32		1		0.33							

·70·

附录

1957年度农业生产合作社经济情况

1957年度农业生产合作社经济情况

一、基本情况

户数	人口数		实际参加社的劳动力数		社内集体经营农业用地(市亩)		社员自留地(市亩)	社公有办公用房(间)	社公有生产用房(间)		社公有水井(口)		社七月一日集体喂养牲畜头数					年末占有主要生产及工作用具件数										备注
	男	女	男	女	旱地	其中：水浇地			计	其中：砖的	计	其中：机井	牛	马	驴	骡	猪	水车	锅驼机	柴油机	电动机	汽油机	铁轮大车	胶轮大车	喷雾器	种什	钟表	
1	2	3	4	5	6	7	8	9	10	11	12	13	14	15	16	17	18	19	20	21	22	23	24	25	26	27	28	29
469	998	909	358	226	3457	2009	112	2	84	48	103	5	13	20	41	16	115	97	3	1	1	1	5	33	8	14	3	

二、农作物播种面积及产量

项目	小麦	谷子	玉米	高粮	薯类	杂粮	大豆	棉花	备注
甲	1	2	3	4	5	6	7	8	9
播种面积	1762	474	1508	100	230	992	128	555	
亩产	147.93	187.82	200.07	696.90	431.09	62.78	158.43	174.63	
总产量	260652	89027	301711	6969	99150	62282	20279	96919	薯类以4斤折1斤粮食

·71·

三、产值与分配

农付业产值					年内分配情况								
植物栽培	动物饲养	付业	其它	合计	总支出	缴税	其中：农业税	生产费用	管理费用	公积金	公益金	生产资料报酬	劳动报酬
甲	1	2	3	4	5	6	7	8	9	10	11	12	13
158952	16331	25370	1899	202552	202552	7380	6989	64522	878	11643	3782	837	113510

四、粮食大豆产销用情况

粮食（大豆除外）产销用情况					大豆产销用情况			
总产量	分给社员	留种	饲料	储积	总产量	分给社员	留种	备考
甲	1	2	3	4	5	6	7	8
819801	656911	60420	79040	23430	20279	20079	200	

1930—1957 年保定农村经济调查资料

蔡家营村

1930—1957年保定农村経済調査資料(之十一)

清苑縣王盘乡蔡家营村前进农社

河北省統計局

1958.9.

目　录

前　言

1930年曾有一批马列主义经济学者，在保定地区十一個村里进行过经济调查。这次在中央科学院和国家统计局的发起下，省统计局重新组织力量，在原有基础上进行了28年来的经济调查。（从1930年延续到1957年），根据本地具体情况，中间选择具有代表性的四個调查观察年度，即1930年、1936年、1946年、1957年，反映28年来各個不同历史时期，农村经济的重大变化。

这個材料是根据十一個调查村中之一王盘乡蔡家营村分户普查资料汇总成的并作了简单的分析。由于时间的紧迫，尚未经过详细审核，所以还是一個很粗糙的材料，缺欠很多，只能供给内部参考。

编制这個材料的目的，主要是及时听取省委及有关市委、县委的指示和意见，其次作为我们初步分析研究的参考，要求各级领导，对这個材料进行审核，并及时给以指示，以便我们将来进一步分析研究和汇总工作中有所遵循。

保定农村经济调查办公室

1958年9月25日

1930年調查資料

1930年调查户阶级成分及构成

2表

	合计	地主	富农	中农	贫农	佃农
甲	1	2	3	4	5	6
全村户数	68	—	6	16	37	9
构成（%）	100	—	8.82	23.53	54.41	13.24

一、合计　　　　　　　　　　1930年人口与劳动力　　　　　　　　　　4表

阶级	户数	年末总人口数			在家常住人口						在外人口					
		合计	男	女	年内常住人口		其中：劳动力		年末常住人口		年内人口		其中：劳动力		年末人口	
					男	女	男	女	男	女	男	女	男	女	男	女
甲	1	2	3	4	5	6	7	8	9	10	11	12	13	14	15	16
合计	68	415.5	199	216.5	196	215.5	131	120	197	214.5	4	2	4	2	2	2
富农	6	50	18	32	16	32	10	19	17	32	1		1		1	
中农	16	116.5	52	64.5	52	64.5	32	27	52	64.5	2		2			
贫农	37	205	104	101	104	100	68	61	104	100		1		1		1
佣农	9	44	25	19	24	19	21	13	24	18	1	1	1	1	1	1
其他																
二、每户平均																
合计	—	6.11	2.93	3.18	2.88	3.17	1.93	1.76	2.90	3.15	0.06	0.03	0.06	0.03	0.03	0.03
富农	—	8.33	3.00	5.33	2.67	3	1.67	3.17	2.83	5.33	0.17		0.17		0.17	
中农	—	7.28	3.25	4.03	3.25	4.03	2	1.69	3.25	4.03	0.33		0.33			
贫农	—	5.54	2.81	2.73	2.81	2.70	1.84	1.65	2.81	2.70		0.03		0.03		0.03
佣农	—	4.89	2.78	2.11	2.67	2.11	2.33	1.44	2.67	2.00	0.11	0.11	0.11	0.11	0.11	0.11
其他	—															

·2·

1930年调查户常住人口劳动力的职业状况　　.5表

一、合计

阶级	劳动力数	其中：职业状况									
		个体农民	个体手工业者	产业工人	小商贩	乡社干部	各类合作社社员	自由职业者	宗教及迷信职业者	旧军政机关人员	其他劳动者
甲	1	2	3	4	5	6	7	8	9	10	11
合计	251	131									
富农	29	8									
中农	59	37									
贫农	129	72									
雇农	34	14									
其他											
二、各类职业人数占常住人口劳动力的（%）											
合计	100	52.19									
富农	100	27.59									
中农	100	62.71									
贫农	100	55.81									
雇农	100	41.18									
其他	100										

·3·

一、合计

1930年调查户在外人口劳动力职业状况

6表

阶级	劳动力数	其中：职业状况											
		革命军政机关国营企业职工	个体手工业者	炉农	小商贩	工商业资本家	旧军政机关人员	私营企业职工	自由职业者	宗教迷信职业者	产业工人	各类合作社社员	其他劳动者
甲	1	2	3	4	5	6	7	8	9	10	11	12	13
合计	6		1						3				2
富农	1								1				
中农	2								2				
贫农	1												1
雇农	2		1										1
其他													
二、各类职业人数占在外人口劳动力的（%）													
合计	100		1.67						50.00				33.33
富农	100								100				
中农	100								100				
贫农	100												100
雇农	100												
其他	100		50.00										50.00

·4·

一、合计　　　　1930年调查户年内常住人口的文化状况　　　　7表

阶级	学龄儿童（7-13岁）	其中：在学人数	十四岁以上人口	文化状况：文盲	初小程度	高小程度	初中程度	高中程度	大学程度
甲	1	2	3	4	5	6	7	8	9
合计	52	16	289	245	40	4			
富农	6	2	33	23	7	3			
中农	20	6	77	60	16	1			
贫农	24	8	141	127	14				
佃农	2		38	35	3				
其他									

二、构成（%）

阶级	学龄儿童（7-13岁）	其中：在学人数	十四岁以上人口	文盲	初小程度	高小程度	初中程度	高中程度	大学程度
合计	100		100	84.78	13.84	1.38			
富农	100		100	69.70	21.21	9.09			
中农	100		100	77.92	20.78	1.30			
贫农	100		100	90.07	9.93				
佃农	100		100	92.11	7.89				
其他	100		100						

·5·

一、合计　　　　1930年调查户在外人口的文化状况　　　　8表

阶级	学龄儿童（7—13岁）	其中：在学人数	十四岁以上的人口	文化状况					
				文盲	初小程度	高小程度	初中程度	高中程度	大学程度
甲	1	2	3	4	5	6	7	8	9
合计			6	2	1		3		
富农			1				1		
中农			2				2		
贫农			1	1					
雇农			2	1	1				
其他									

二、构成（%）

阶级	学龄儿童（7—13岁）	其中：在学人数	十四岁以上的人口	文盲	初小程度	高小程度	初中程度	高中程度	大学程度
合计	100		100	33.33	16.67		50		
富农	100		100				100		
中农	100		100				100		
贫农	100		100	100					
雇农	100		100	50.00	50.00				
其他	100		100						

一、合计

1930年农业雇佣

9表

阶级	总户数	雇入·长工·有户雇工数	雇入·长工·占户总数（%）	雇入·长工·人数	雇入·长工·工资（元）	雇入·长工·平工均资	雇入·短零工·户数	雇入·短零工·占户总数（%）	雇入·短零工·天数	雇入·短零工·工资（元）	雇入·短零工·每户平均雇工（天）	雇入·短零工·每天平均工资	雇出·长工·有工出雇户数	雇出·长工·占户总数（%）	雇出·长工·人数	雇出·长工·工资（元）	雇出·长工·平均工资（元）	雇出·短零工·户数	雇出·短零工·占户总数（%）	雇出·短零工·天数	雇出·短零工·工资（元）	雇出·短零工·每天平均工资	每户平均出雇天数
甲	1	2	3	4	5	6	7	8	9	10	11	12	13	14	15	16	17	18	19	20	21	22	23
合计	68	6	8.82	6	355.58	59.26	9	13.24	710	272.08	78.88	0.38	14	20.58	15	827.2	55.15	27	39.71	3952	1649.85	0.42	146.37
富农	6	5	83.33	5	285.58	57.12	5	83.33	490	197.98	98	0.40											
中农	16	1	6.25	1	70	70.00	4	25	220	74.1	55	0.34											
贫农	37												7	18.92	7	447.96	63.99	23	62.16	3187	1316.3	0.41	138.57
雇农	9												7	77.78	8	379.24	47.41	4	44.44	765	333.55	0.44	191.25

二、每户平均

阶级	1	2	3	4	5	6	7	8	9	10	11	12	13	14	15	16	17	18	19	20	21	22	23
合计	—	—	—	0.09	5.23	—	—	—	10.44	4.00	—	—	—	—	0.22	12.16	—	—	—	58.11	24.26	—	—
富农	—	—	—	0.83	47.60	—	—	—	81.67	33.00	—	—	—	—			—	—	—			—	—
中农	—	—	—	0.06	4.38	—	—	—	13.75	4.63	—	—	—	—			—	—	—			—	—
贫农	—	—	—			—	—	—			—	—	—	—	0.19	12.11	—	—	—	86.14	35.58	—	—
雇农	—	—	—			—	—	—			—	—	—	—	0.89	42.14	—	—	—	85	37.06	—	—

·7·

一、合计

1930年土地占有与租典

单位：面积：亩
租额：谷市斤、元

阶级	总户数	占有耕地 户数	耕地 计	耕地构成	其中水浇地	非耕地	典入 户数	典入 耕地	典入 非耕地	典出 户数	典出 耕地	典出 非耕地	租入耕地 户数	粮租 面积	粮租 租额	钱租 面积	钱租 租额	钱租 未价有面租积	租出耕地 户数	粮租 面积	粮租 租额	钱租 面积	钱租 租额	钱租 未价有面租积	土地佚…
甲	1	2	3	4	5	6	7	8	9	10	11	12	13	14	15	16	17	18	19	20	21	22	23	24	25
合计	68	64	1224.9	100	57.05	45.87	3	9		3	28														1205.
富农	6	6	392.2	25.98	6.1	8.9																			392
中农	16	16	504.8	44.28	25.25	13.2	2	7																	511.
贫农	37	37	289.4	25.73	22.2	21.42	1	2		1	3														288.
佃农	9	5	38.5	3.41	3.5	2.35				2	25														13.
二、每户平均																									
合计	—	—	18.01	—	0.84	0.67	—	0.13		—	0.41		—						—						17.
富农	—	—	65.37	—	1.02	1.48	—			—			—						—						65.
中农	—	—	31.55	—	1.58	0.83	—	0.44		—			—						—						31.
贫农	—	—	7.82	—	0.60	0.58	—	0.05		—	0.08		—						—						7.
佃农	—	—	4.28	—	0.38	0.26	—			—	2.78		—						—						1.

注：每户平均系用总户数计称的。

合计　　1930年农作物播种面积及产量

单位：面积：亩；产量：市斤；产值：元　　11表

级	户数	总播种面积	粮食作物																							棉花			其它作物	
			播种面积合计	产量合计	小麦			玉米			谷子			高梁			薯类			大豆			其它杂粮							
					播种面积	亩产	产量	播种面积	亩产	产量	播种面积	亩产	产量	播种面积	亩产	产量	播种面积	亩产	产量	播种面积	亩产	产量	播种面积	亩产	总产量	播种面积	亩产	产量	播种面积	产值
甲	1	2	3	4	5	6	7	8	9	10	11	12	13	14	15	16	17	18	19	20	21	22	23	24	25	26	27	28	29	30
计	68	1446.2	1402.7	166087.34	446.3	117.94	52640	353.8	107.93	38184.4	157.1	143.88	22603.6	351.2	114.08	40065.3	21.9	212.65	4657	18.3	112.9	2066	54.1	108.57	5871	34.3	88.54	3037	9.2	325.00
农	6	515.2	494.2	64736.1	181	129.76	23486	109	119.27	13000	56.2	172.57	9698.6	114.5	125.13	14327.5	3	250	750	14	112.86	1580	16.5	114.78	18.94	20	90.5	1810	1	38
农	16	511.5	492.7	56146	143.5	114.12	16376	129.5	107.76	13955	54.3	131.01	7114	130.5	112.05	14622	6.7	198.81	1332	3	110	330	25.2	95.91	2417	13.3	85.49	1137	5.5	160
农	37	401.5	398.8	43313.24	117.3	104.76	12288	110.8	96.93	10739.44	44.6	124.01	5531	101.2	104.5	10575.8	12.2	211.07	2575	1.3	120	156	11.4	127	1448				2.7	127
农	9	18	17	1892	4.5	108.89	490	4.5	108.89	490	2	130	260	5	108	540							1	112	112	1	90	90		

每户平均

级	1	2	3	4	5	6	7	8	9	10	11	12	13	14	15	16	17	18	19	20	21	22	23	24	25	26	27	28	29	30
计	—	21.27	20.63	2442.46	6.56	—	774.12	5.20	—	561.54	2.31	—	332.41	5.16	—	589.19	0.32	—	68.49	0.27	—	30.38	0.80	—	86.33	0.50	—	44.66	0.14	4.78
农	—	85.87	82.37	10789.35	30.17	—	3914.33	18.17	—	2166.67	9.37	—	1616.43	19.08	—	2387.9	0.5	—	125	2.33	—	263.33	2.75	—	315.66	3.33	—	301.66	0.17	6.33
农	—	31.97	30.79	3509.13	8.97	—	1023.5	8.09	—	872.18	3.39	—	444.6	8.16	—	913.8	0.42	—	83.25	0.19	—	20.63	1.58	—	151.06	0.83	—	71.06	0.34	10.00
农	—	10.85	10.78	1170.63	3.17	—	332.11	2.99	—	290.25	1.21	—	145.55	2.74	—	285.832	0.33	—	69.59	0.04	—	4.21	0.31	—	39.14		—		0.07	3.43
农	—	2	1.89	210.22	0.5	—	50	0.5	—	54.44	0.22	—	28.89	0.56	—	60		—			—		0.11	—	12.44	0.11	—	10		

一、合计　　　　1930年农作物播种面积构成　　　　单位面积：亩　　　　12表

阶级	总播种面积	粮食作物								棉花	其他作物
		合计	小麦	玉米	谷子	高粱	薯类	大豆	其杂它粮		
甲	1	2	3	4	5	6	7	8	9	10	11
合计	1446.2	1402.7	446.3	353.8	157.1	351.2	21.9	18.3	54.1	34.3	9.2
富农	515.2	494.2	181	109	50.2	114.5	3	14	16.5	20	1
中农	511.5	492.7	143.5	129.5	54.3	130.5	6.7	3	25.2	13.3	5.5
贫农	401.5	398.8	117.3	110.8	44.6	101.2	12.2	1.3	11.4		2.7
佃农	18	17	4.5	4.5	2	5			1	1	
二、构成（%）											
合计	100	96.99	30.86	24.46	10.86	24.28	1.51	1.27	3.75	2.37	0.64
富农	100	95.92	35.13	21.16	10.91	22.22	0.58	2.72	3.20	3.88	0.20
中农	100	96.32	28.05	25.32	10.62	25.51	1.31	0.59	4.92	2.60	1.08
贫农	100	99.33	29.22	27.60	11.11	25.21	3.04	0.32	2.83		0.67
佃农	100	94.44	25	25	11.11	27.78			5.55	5.56	

·10·

1950年房屋和牲畜 13表

一、合计

阶级	户数	占有房间数	现住房屋 间数	现住房屋 其中 砖的	现住房屋 其中 租典借	生产用房 间数	生产用房 其中砖的	生产用房 租典借入	出租典借房屋	牲畜（头） 大牲畜 牛	大牲畜 马	大牲畜 驴	大牲畜 骡	小牲畜 猪	小牲畜 羊	水井	其中：砖井
甲	1	2	3	4	5	6	7	8	9	10	11	12	13	14	15	16	17
合计	68	360.5	315	243	6	51.5	38.5			14.13	3	4	5.5	13		21	18.55
富农	6	73.5	58.5	58.5		15	11			3	2		3	5		2.5	2.5
中农	16	122	93	76		29	20			7.83	1	3	2.5	4		5.6	5.6
贫农	37	143	140	98	3	6	6			3.3		1		3		11.9	11.9
雇农	9	22	23.5	10.5	3	1.5	1.5							1		1	1

二、每户平均

阶级	户数	占有房间数	现住房屋 间数	现住房屋 其中 砖的	现住房屋 其中 租典借	生产用房 间数	生产用房 其中砖的	生产用房 租典借入	出租典借房屋	牛	马	驴	骡	猪	羊	水井	其中：砖井
合计	—	5.30	4.63	3.57	0.09	0.76	0.97			0.21	0.04	0.06	0.08	0.19		0.31	0.27
富农	—	12.25	9.75	9.75		2.50	1.83			0.50	0.33		0.50	0.83		0.42	0.42
中农	—	7.63	5.81	4.75		1.81	1.25			0.49	0.06	0.18	0.16	0.25		0.35	0.35
贫农	—	3.86	3.78	2.65	0.08	0.16	0.16			0.09		0.03		0.08		0.32	0.32
雇农	—	2.44	2.61	1.17	0.33	0.17	0.17							0.11		0.11	0.11

·11·

一、合计　　　　1930年占有农业主要生产及生活用具　　　　14表

阶级	户数	生产工具						生活用具					
		水車	铁轮大車	胶轮大車	犁耠	种什	耙盖	自行車	手电筒	矿石收音机	热水瓶	被褥(条)	备考
甲	1	2	3	4	5	6	7	8	9	10	11	12	13
合计	68	1.5	18.03		32	19.53	25.33					491	
富农	6		6		7	5	9					87	
中农	16	1	9.2		16	9.53	14.33					159	
贫农	37	0.25	2.83		8	4	1					215	
佃农	9	0.25			1	1	1					30	
二、构成(%)													
合计	100	100	100	100	100	100	100	100	100	100	100	100	100
富农	8.82		33.28		21.88	25.60	35.53					17.72	
中农	23.53	66.67	51.03		50	48.80	56.57					32.38	
贫农	54.41	16.67	15.69		25	20.48	3.95					43.79	
佃农	13.24	16.66			3.12	5.12	3.95					6.11	

一、合计　　　　1930年农付业及其它收入　　单位：元　　15表

阶级	户数	人数	植物栽培	畜养家畜家禽及其它产品		付业收入	工资收入	在外人口寄回	其它	合计
				猪	鸡鸭及蛋					
甲	1	2	3	4	5	6	7	8	9	10
合计	68	411.5	14909.23	163.00	49.08	1159.92	2913.46	190	36.38	19421.07
富农	6	48	6050.54	30	2.73		90.91			6174.18
中农	16	116.5	5096.94	84	4.64	307.1	295.56			5788.24
贫农	37	204	3583.9	45	34.71	686.26	1814.2	190	27.28	6381.35
佃农	9	43	177.85	4	7.00	166.56	712.79		9.1	1077.3

二、每人平均

阶级	户数	人数	植物栽培	猪	鸡鸭及蛋	付业收入	工资收入	在外人口寄回	其它	合计
合计	—	—	36.23	0.40	0.12	3.82	7.08	0.4	0.09	47.20
富农	—	—	126.05	0.63	0.06		1.89			128.63
中农	—	—	43.75	0.72	0.04	2.64	2.54			49.68
贫农	—	—	17.57	0.22	0.17	3.36	8.89	0.93	0.13	31.28
佃农	—	—	4.14	0.09	0.16	3.87	16.58		0.21	25.05

·13·

一、合计　　　　　　　　　　1930年付业情况　　　　　　　　　　16表

阶　　级	总户数	其中：有付业的户数	从业人数	其中：伙佣	兼业人数	产品产值或工资（元）主产品	付产品
甲	1	2	3	4	5	6	7
合　计	68	19	3		32	3455.98	
富　农	6						
中　农	16	6			9	685.40	
贫　农	37	11	3		17	2296.02	
伙　农	9	2			6	474.56	

二、构成（%）

阶　　级	总户数	有付业的户数	从业人数	伙佣	兼业人数	主产品	付产品
合　计	100	100	100	100	100	100	100
富　农	8.82						
中　农	23.53	31.58			28.13	19.83	
贫　农	54.41	57.89	100		53.12	66.44	
伙　农	13.24	10.53			18.75	13.73	

·14·

一、合计　　　　　　1936年负债情况　　　　　　单位：元　　　　17表

阶级	总户数	其中：负债户数	年末负债累计		其中：向各类债主借款累计数						全年应付利息
			计	其中：贷币	地主富农	中农	银行	信用社	钱庄	其它	
甲	1	2	3	4	5	6	7	8	9	10	11
合计	68	24	3000.8	3000.8	2909.83	90.95					794.33
富农	6	1	291.04	291.04	291.04						87.31
中农	16	6	979.28	979.28	888.33	90.95					204.41
贫农	37	14	1424.5	1424.5	1424.5						424.3
雇农	9	3	305.96	305.96	305.96						78.31

二、每户平均

阶级	总户数	其中：负债户数	计	其中：贷币	地主富农	中农	银行	信用社	钱庄	其它	全年应付利息
合计	—	—	44.13	44.13	42.79	1.34					11.68
富农	—	—	48.51	48.51	48.51						14.55
中农	—	—	61.21	61.21	55.52	5.68					12.77
贫农	—	—	38.50	38.50	38.50						11.49
雇农	—	—	33.99	33.99	33.99						8.70

·15·

一、合计

1930年主要生活用品情况

（3）

阶级	户数	吃饭人口	口粮消费			肉类（斤）	食油（斤）	棉布（尺）		灯油（斤）	煤炭（斤）	烟类		酒（斤）	医药费（元）
			计	其中：细粮				计	其中：土布			纸烟（合）	烟叶（斤）		
				计	%										
甲	1	2	3	4	5	6	7	8	9	10	11	12	13	14	15
合计	68	402.5	112134	19429	17.33	941	465	9020	8579	864.5	3550	125	361.5	119	33
富农	6	53	22382	8160	36.45	405	147	2000	1823	125	500	120	40	36	26
中农	16	117.5	33125	5878	17.74	252	150.5	2613	2543	233		5	106	31	3
贫农	37	197	48562.09	4965	10.22	268	137	3238	3670	427.5	2250		180.5	52	2
佃农	9	35	8066	426	5.28	16	30.5	569	543	79	800		35		

二、每人平均

阶级	户数	吃饭人口	口粮计	细粮计	%	肉类	食油	棉布计	土布	灯油	煤炭	纸烟	烟叶	酒	医药费
合计	—	—	278.59	48.27		2.34	1.16	22.41	21.31	2.15	8.82	0.31	0.9	0.3	0.9
富农	—	—	422.3	153.96		7.64	2.77	37.74	34.4	2.36	9.43	2.26	0.75	0.68	4.9
中农	—	—	281.91	50.03		2.14	1.28	22.24	21.64	1.98		0.04	0.9	0.26	0.
贫农	—	—	246.51	25.2		1.36	0.7	19.48	18.63	2.17	11.42		0.92	0.26	0.4
佃农	—	—	230.46	12.17		0.46	0.87	16.26	15.51	2.26	22.86		1		0.

·16

1936年调查资料

一、合计

1936年调查户变动情况

1表

阶级	1930年户数	期内变动					本户期数
		分出	迁入	合并	迁出	绝灭	
甲	1	2	3	4	5	6	7
合计	68	9					77
富农	6						5
中农	16	6					23
贫农	37	3					40
雇农	9						6
其他							3

二、比重(%)

阶级	1930年户数	分出	迁入	合并	迁出	绝灭	本户期数
合计	100	100	100	100	100	100	100
富农	8.82						6.49
中农	23.53	66.67					29.87
贫农	54.41	33.33					51.95
雇农	13.24						7.79
其他							3.9

一、合计　　　　1936年调查户阶级成分的演变　　　　2表

阶级	1930年户数	1936年户数						
		合计	地主	富农	中农	贫农	雇农	其他
甲	1	2	3	4	5	6	7	8
合计	68	77		5	23	40	6	3
富农	6	6		5	1			
中农	16	22			22			
贫农	37	40				40		
雇农	9	9					6	3
其他								

二、构成（%）

阶级	1930年户数	合计	地主	富农	中农	贫农	雇农	其他
合计	—	100		6.49	29.87	51.95	7.79	3.9
富农	—	100		83.33	16.78			
中农	—	100			100			
贫农	—	100				100		
雇农	—	100					66.67	33.33
其他	—	100						

·18·

一、合计　　　　1930—1936年调查户阶级演变原因　　　　3表

阶级	上升					下降					
	户数	剥削或投机获利	土地改革	勤俭及家属成员就业	其他	户数	被剥削或投机失利	分家	土地改革	赌博及其他不正当行为	灾祸或其他意外事故
甲	1	2	3	4	5	6	7	8	9	10	11
合计						4				1	3
富农						1				1	
中农											
贫农											
雇农						3					3
二、比重（%）											
合计	100					100				25	75
富农	100					100				100	
中农	100					100					
贫农	100					100					
雇农	100					—	—	—	—	—	—

1936年人口与劳动力

一、合计 4表

阶级	户数	年末总人口数			在家常住人口						在外人口					
		合计	男	女	年内常住人口		其中：劳动力		年末常住人口		年内人口		其中：劳动力		年末人口	
					男	女	男	女	男	女	男	女	男	女	男	女
甲	1	2	3	4	5	6	7	8	9	10	11	12	13	14	15	16
合计	77	403	211	192	194	194	124	118	194	191	17	1	17	1	17	1
富农	5	39	18	21	16	21	6	13	16	21	2		2		2	
中农	23	125	61	64	57	66	38	37	57	64	4		4		4	
贫农	40	202	109	93	103	93	75	59	103	92	6	1	6	1	6	1
佃农	6	33	19	14	18	14	5	9	18	14	1		1		1	
其他	3	4	4								4		4		4	

二、每户平均

阶级	户数	合计	男	女	男	女	男	女	男	女	男	女	男	女	男	女
合计	—	5.27	2.74	2.53	2.52	2.52	1.61	1.53	2.52	2.48	0.22	0.01	0.22	0.01	0.22	0.01
富农	—	7.8	3.6	4.2	3.2	4.1	1.2	2.6	3.2	4.2	0.4		0.4		0.4	
中农	—	5.52	2.65	2.87	2.48	2.87	1.65	1.61	2.48	2.78	0.17		0.17		0.17	
贫农	—	5.06	2.73	2.35	2.58	2.33	1.88	1.48	2.58	2.3	0.15	0.03	0.15	0.03	0.15	0.03
佃农	—	5.5	3.17	2.33	3	2.33	0.83	1.5	3	2.33	0.16		0.17		0.17	
其他	—	1.33	1.33								1.33		1.33		1.33	

·20·

一、合计　　　　1936年调查户常住人口劳动力的职业状况　　　　5表

阶级	劳动力数	其中：职业状况									
		个体农民	个体手工业者	工业工人	小商贩	乡社干部	各类合作社社员	自由职业者	宗教迷信业职者	旧军政机关公务员	其他劳动者
甲	1	2	3	4	5	6	7	8	9	10	11
合计	242	134									
富农	19	4									
中农	75	40									
贫农	134	85									
佃农	14	5									
其他											

二、各类职业人数占常住人口劳动力的(%)

阶级	劳动力数	个体农民	个体手工业者	工业工人	小商贩	乡社干部	各类合作社社员	自由职业者	宗教迷信业职者	旧军政机关公务员	其他劳动者
合计	100	55.83									
富农	100	21.05									
中农	100	53.33									
贫农	100	64.39									
佃农	100	35.71									
其他	100										

·21·

一、合计　　1936年调查户在外人口劳动力职业状况　　6表

阶级	劳动力数	其中：职业状况											
		革命军政机关国营企业职工	个体手工业者	雇农	小商贩	工商业资本家	旧军政机关人员	私营企业职工	自由职业者	宗教迷信职业者	产业工人	各类合作社社员	其他劳动者
甲	1	2	3	4	5	6	7	8	9	10	11	12	13
合计	18		1		1		2	2	1		2		7
富农	2								1				
中农	4				1			1					2
贫农	7		1				1	1			1		2
雇农	1												1
其他	4						1				1		2

二、各类职业人数占在外人口劳动力的（%）

阶级	劳动力数	革命军政机关国营企业职工	个体手工业者	雇农	小商贩	工商业资本家	旧军政机关人员	私营企业职工	自由职业者	宗教迷信职业者	产业工人	各类合作社社员	其他劳动者
合计	100		5.56		5.56		11.11	11.11	5.56		11.11		38.89
富农	100								50				
中农	100				25			25					50
贫农	100		14.30				14.285	14.285			14.285		28.57
雇农	100												100
其他	100						25				25		50

·22·

一、合计　　　　1936年调查户年内常住人口的文化状况　　　　7表

阶级	学令儿童（7—13岁）	其中：在学人数	十四岁以上人口	文化状况：文盲	初小程度	高小程度	初中程度	高中程度	大学程度
甲	1	2	3	4	5	6	7	8	9
合计	58	13	281	229	48	3	1		
富农	6	3	22	15	6	1			
中农	20	5	89	66	21	1	1		
贫农	24	5	146	125	20	1			
佃农	8		24	23	1				
其他									
二、构成（%）									
合计	100	23.21	100	81.49	17.08	1.07	0.36		
富农	100	50.00	100	68.18	27.27	4.55			
中农	100	25.00	100	74.16	23.6	1.12	1.12		
贫农	100	20.83	100	85.62	13.7	0.68			
佃农	100		100	95.83	4.17				
其他	100		100						

一、合计　　　　1936年调查户在外人口的文化状况　　　　8表

阶级	学令儿童（7-13岁）	其中：在学人数	十四岁以上的人口	文化状况					
				文盲	初小程度	高小程度	初中程度	高中程度	大学程度
甲	1	2	3	4	5	6	7	8	9
合计			18	7	7	1	2	1	
富农			2				1	1	
中农			4	1	2	1			
贫农			7	3	4				
佣农			1		1				
其他			4	3			1		
二、构成（%）									
合计	100		100	38.89	38.89	5.56	11.1	5.56	
富农	100		100				50	50	
中农	100		100	25	50	25			
贫农	100		100	42.86	57.14				
佣农	100		100		100				
其他	100		100	75			25		

一、合计　　　　　　　　1936年农业雇佣　　　　　　　　9表

阶级	总户数	雇入·长工·有户雇工数	雇入·长工·占户总数(%)	雇入·长工·人数	雇入·长工·工资(元)	雇入·长工·平均工资	雇入·短零工·户数	雇入·短零工·占户总数(%)	雇入·短零工·天数	雇入·短零工·工资(元)	雇入·短零工·每户平均雇工(天)	雇入·短零工·每天平均工资	雇出·长工·有雇出工户数	雇出·长工·占户总数(%)	雇出·长工·人数	雇出·长工·工资(元)	雇出·长工·平均工资(元)	雇出·短零工·户数	雇出·短零工·占户总数(%)	雇出·短零工·天数	雇出·短零工·工资(元)	雇出·短零工·每天平均工资	雇出·短零工·每户平均…
甲	1	2	3	4	5	6	7	8	9	10	11	12	13	14	15	16	17	18	19	20	21	22	2…
合计	77	5	6.49	5	330.19	66.04	10	12.99	453	265.99	5.88	0.58	11	14.29	15	812.96	54.20	32	41.56	2470	1213.29	0.49	32
富农	5	4	80	4	250.19	62.55	5	100	260	181.11	52	0.70											
中农	23	1	4.35	1	80.00	80.00	5	21.74	193	84.88	8.4	0.44											
贫农	40												5	12.5	5	277.59	55.52	31	77.5	2455	1206.09	0.49	61.
雇农	6												6	100	10	535.37	53.54	1	16.67	15	7.20	0.48	2.
其他	3																						
二、每户平均																							
合计	—	—	—	0.07	4.29	—	—	—	5.88	3.45	—	—	—	—	0.19	10.56	—	—	—	32.08	15.76	—	—
富农	—	—	—	0.8	50.04	—	—	—	52	36.22	—	—	—	—			—	—	—			—	—
中农	—	—	—	0.04	3.48	—	—	—	8.39	3.69	—	—	—	—			—	—	—			—	—
贫农	—	—	—			—	—	—			—	—	—	—	0.13	6.94	—	—	—	61.38	30.15	—	—
雇农	—	—	—			—	—	—			—	—	—	—	1.67	89.23	—	—	—	2.5	1.20	—	—
其他	—	—	—			—	—	—			—	—	—	—			—	—	—			—	—

1936年土地占有与租典

单位：面积：亩；租额：谷市斤、元　　10表

一、合计

阶级	总户数	占有耕地					典入			典出			租入耕地						租出耕地						土地使用面积
		户数	耕地			非耕地	户数	耕地	非耕地	户数	耕地	非耕地	户数	粮租		钱租			户数	粮租		钱租			
			计	耕地构成	其中：水浇地									面积	租额	面积	租额	未有租价面积		面积	租额	面积	租额	未有租价面积	
甲	1	2	3	4	5	6	7	8	9	10	11	12	13	14	15	16	17	18	19	20	21	22	23	24	25
合计	77	73	1026.58	100	59.98	46.37				2	6.5		1	7.6	750										1027.[illegible]
富农	5	5	299.2	29.15	4.6	7.7																			299.2
中农	23	23	383.85	37.39	21.08	14.7				1	3.5				?										380.35
贫农	40	40	322.53	31.42	29.1	21.12				1	3.		1	7.6	750										327.13
雇农	6	5	21	2.04	5.2	2.05																			21
其他	3					0.8																			

二、每户平均

阶级	1	2	3	4	5	6	7	8	9	10	11	12	13	14	15	16	17	18	19	20	21	22	23	24	25
合计	—	—	13.33	—	0.78	0.6	—			—	0.01		—	0.01	9.74				—						13.35
富农	—	—	59.84	—	0.92	1.54	—			—			—						—						59.24
中农	—	—	16.69	—	0.92	0.64	—			—	0.15		—						—						16.54
贫农	—	—	8.06	—	0.73	0.53	—			—	0.08		—	0.19	18.75				—						8.18
雇农	—	—	3.5	—	0.87	0.34	—			—			—						—						3.5
其他	—	—		—		0.27	—			—			—						—						

注：每户平均系用总户数计标的。

26.

一、合计

1936年农作物播种面积及产量

单位：面积：亩；产量：市斤；产值：元

11

阶级	户数	总播种面积	播种面积合计	产量	粮食作物																					棉花			[illegible]	
					小麦			玉米			谷子			高粱			薯类			大豆			其它杂粮							
					播种面积	亩产	产量	播种面积	亩产	产量	播种面积	亩产	产量	播种面积	亩产	产量	播种面积	亩产	产量	播种面积	亩产	产量	播种面积	亩产	总产量	播种面积	亩产	产量	播种面积	[illegible]
甲	1	2	3	4	5	6	7	8	9	10	11	12	13	14	15	16	17	18	19	20	21	22	23	24	25	26	27	28	29	[illegible]
合计	77	1382.48	1294.88	159737	371	118.69	44033	330.80	111.26	36805	180.85	141.72	25631	300.70	117.46	35320	35.80	231	8270	43	128.84	5540	32.73	126.43	4138	80.70	87.11	7030	7.40	[illegible]
富农	5	403.2	383	53061	120	131.5	15780	95	125.37	11910	37	174.59	6460	82	132.68	10880	10	250	2500	25	142.4	3560	14	140.79	1971	19	105.78	2010	1.2	[illegible]
中农	23	490.95	448.85	54716	121.3	121.1	14690	121.3	111.61	13538	66.55	146.12	9724	116	115.2	13374	4	281.25	1125	10	106	1060	9.7	174.43	1207	38.5	82.6	3180	3.6	[illegible]
贫农	40	460.53	436.23	48885	122.7	104.51	12823	107.5	98.77	10617	73.8	122.48	9039	95.2	108.01	10291	20	211.75	4235	8	115	920	9.03	106.31	960	21.7	77.88	1690	2.6	112[illegible]
佃农	6	28.3	26.8	3073	7	105.71	740	7	105.71	740	3.5	116.57	408	7.5	103.33	775	1.8	227.77	410							1.5	100	150		
其他	3																													
二、每户平均																														
合计	—	17.96	16.82	2074.51	4.82	—	571.86	4.3	—	477.99	3.35	—	332.87	3.91	—	458.7	0.47	—	107.4	0.56	—	71.95	0.43	—	53.74	1.05	—	91.3	0.96	3.9[illegible]
富农	—	80.64	76.6	1061.22	24	—	3156	19	—	2382	7.4	—	1292	16.4	—	2176	2	—	500	5	—	712	2.8	—	394.2	3.8	—	402	0.24	9.[illegible]
中农	—	21.35	19.52	2379.04	5.27	—	638.7	5.27	—	538.61	2.89	—	422.78	5.04	—	581.48	0.17	—	48.91	0.43	—	46.09	0.42	—	52.48	1.67	—	138.26	0.16	6.[illegible]
贫农	—	11.51	10.91	1222.13	3.07	—	320.58	2.69	—	265.43	1.85	—	225.98	2.38	—	257.28	0.5	—	105.88	0.2	—	23	0.23	—	24	0.54	—	42.25		2.[illegible]
佃农	—	4.72	4.47	512.17	1.17	—	123.33	1.17	—	123.33	0.58	—	68	1.25	—	129.17	0.3	—	68.33		—			—		0.25	—	25		
其他	—					—			—			—			—			—			—			—			—			

· 27

一、合计　　1936年农作物播种面积构成　　单位面积：亩　　12表

阶级	总播种面积	粮食作物								棉花	其它作物
		合计	小麦	玉米	谷子	高粱	薯类	大豆	其他杂粮		
甲	1	2	3	4	5	6	7	8	9	10	11
合计	1382.98	1294.88	371	330.80	120.85	300.70	35.80	43	32.73	80.70	7.4
富农	403.2	383	120	95	37	82	10	25	14	19	1.2
中农	490.95	448.85	121.3	121.3	66.55	116	4	10	9.7	38.5	3.6
贫农	460.53	436.23	122.7	107.5	73.8	95.2	20	8	9.03	21.7	2.6
雇农	28.3	26.8	7	7	3.5	7.5	1.8			1.5	
其它											

二、构成（%）

阶级	总播种面积	合计	小麦	玉米	谷子	高粱	薯类	大豆	其他杂粮	棉花	其它作物
合计	100	93.63	26.83	23.92	13.08	21.74	2.58	3.11	2.37	5.84	0.53
富农	100	94.99	29.76	23.56	9.18	20.34	2.48	6.2	3.47	4.71	0.3
中农	100	91.42	24.71	4.71	13.55	23.63	0.81	2.04	1.97	7.84	0.74
贫农	100	94.72	26.64	23.34	16.03	20.67	4.34	1.74	1.96	4.71	0.57
雇农	100	94.7	24.73	24.73	12.37	26.5	6.37			5.3	
其它	100										

·28·

一、合计　　　　　　　　　1936年房屋和牲畜　　　　　　　　13表

阶級	户数	占有房间数	现住房屋			生产用房			出借租房典屋	牲畜(头)						水井	其中：砖井
			间数	其中		间数	其中砖的	租借典入		大牲畜				小牲畜			
				砖的	租典借					牛	马	驴	骡	猪	羊		
甲	1	2	3	4	5	6	7	8	9	10	11	12	13	14	15	16	17
合计	77	384.5	339.5	258	4.5	45	20		4.5	16.66	2	6.58	2	14	1	22.83	
富农	5	64	55	55		9	9			3	2	1	2	4		2	
中农	23	138.5	108.5	91.5		30	6			9.33		4.83		8		5.85	
贫农	40	159	155.5	104	2.5	6	5			4.33		0.75		2	1	13.48	
佃农	6	18.5	20.5	7.5	2											1.5	
其他	3	4.5							4.5								
二、每户平均																	
合计	—	4.99	4.41	3.35	0.06	0.58	0.26		0.06	0.22	0.03	0.09		0.03	0.01	0.3	
富农	—	12.8	11	11		1.8	1.8			0.6	0.4	0.2	0.4	0.8		0.4	
中农	—	6.02	4.72	3.98		1.3	0.26			0.41		0.21		0.35		0.25	
贫农	—	3.98	3.89	2.6	0.06	0.15	0.13			0.11		0.02		0.05	0.03	0.34	
佃农	—	3.08	3.42	1.25	0.33											0.25	
其他	—	1.5							1.5								

·29·

一、合计　　　　1936年占有农业主要生产及生活用具　　　　14表

阶级	户数	生产工具						生活用具					
		水車	铁大轮車	胶大轮車	犁铧	耥付	耙盖	自行車	手电筒	矿石收音机	热水瓶	被褥(条)	备放
甲	1	2	3	4	5	6	7	8	9	10	11	12	13
合计	77	2.25	14		38.33	22.86	26.33					490	
富农	5		5		6	4	7					69	
中农	23	1.6	6.66		21	10.53	15.33					162	
贫农	40	0.65	2.33		10.33	7.33	3					234	
佃农	6				1	1	1					25	
其他	3												

二、构成(%)

阶级	户数	水車	铁大轮車	胶大轮車	犁铧	耥付	耙盖	自行車	手电筒	矿石收音机	热水瓶	被褥(条)	备放
合计	100	100	100	100	100	100	100	100	100	100	100	100	100
富农	6.49		35.72		15.65	17.5	26.59					14.08	
中农	29.87	71.11	47.58		54.79	46.06	58.22					33.06	
贫农	51.95	28.89	16.7		26.95	32.07	11.39					47.76	
佃农	7.79				2.61	4.37	3.8					5.1	
其他	3.9												

·30·

一、合计

1936年农付业及其它收入

单位：元　　15表

阶级	户数	人数	植物栽培	出售家畜家禽及其它产品：猪	出售家畜家禽及其它产品：鸡鸭及蛋	付业收入	工资收入	在外合寄回	救济补助及赠送	其它	合计
甲	1	2	3	4	5	6	7	8	9	10	11
合计	77	388	15355.36	187.00	119.20	1076.06	2159.08	523.20	80.00	128.66	19628.56
富农	5	37	5063.53	27.00			87.00				5177.53
中农	23	123	5458.51	160.00	73.40	24.00		49.20	80.00	65.00	5910.11
贫农	40	196	4547.56		41.00	953.98	1529.51	474.00		63.66	7609.71
雇农	6	32	285.76		4.80	98.08	542.57				931.21
其他	3										

二、每人平均

阶级	户数	人数	植物栽培	猪	鸡鸭及蛋	付业收入	工资收入	在外合寄回	救济补助及赠送	其它	合计
合计	—	—	39.58	0.48	0.31	2.77	5.56	1.35	0.21	0.33	50.59
富农	—	—	136.85	0.73			2.35				139.93
中农	—	—	44.38	1.30	0.60	0.20		0.40	0.65	0.53	48.05
贫农	—	—	23.81		0.21	4.99	8.01	2.48	0.42	0.34	38.83
雇农	—	—	12.98		0.22	4.46	24.66				29.10
其他	—	—									

·31·

一、合计

1936年付业情况

16表

阶级	总户数	其中：有付业的户数	从业人数	其中：伃佣	兼业人数	产品价值或工资（元）	
						主产品	付产品
甲	1	2	3	4	5	6	7
合计	77	18	5		29	6562.67	
富农	5	1	2			3600.00	
中农	23						
贫农	40	17	3		29	2962.67	
伃农	6						
其他	3						

二、构成（%）

阶级	总户数	其中：有付业的户数	从业人数	其中：伃佣	兼业人数	主产品	付产品
合计	100	100	100	100	100	100	100
富农	6.49	5.56	40.00			54.86	
中农	29.87						
贫农	51.95	94.44	60.00		100	45.14	
伃农	7.79						
其他	3.90						

·32·

一、合计　　　　1936年负债情况　　　　单位：元　　　　17表

阶级	总户数	其中：负责户数	年末负债累计		其中：向各类债主借款累计数						全年应付利息
			计	其中货币	地主富农	中农	银行	信用社	钱庄	其它	
甲	1	2	3	4	5	6	7	8	9	10	11
合计	77	20	3275.14	3272.14	3047.90	111.95				115.29	821.37
富农	5	1	192.15	192.15	192.15				—		57.65
中农	23	5	1517.79	1517.79	1517.79						363.12
贫农	40	12	1255.20	1255.20	1027.96	111.95				115.29	304.60
佃农	6	2	310.00	310.00	310.00						96.00
其他	3										

二、每户平均

阶级	总户数	其中：负责户数	计	其中货币	地主富农	中农	银行	信用社	钱庄	其它	全年应付利息
合计	—	—	42.53	42.53	39.58	1.45				1.50	10.67
富农	—	—	38.43	38.43	38.43						11.53
中农	—	—	65.99	65.99	65.99						15.79
贫农	—	—	31.38	31.38	25.70	2.80				2.88	7.62
佃农	—	—	51.67	51.67	51.67						16.00
其他	—	—									

·33·

一、合计

1936年主要生活用品情况

18表

阶级	户数	吃饭人口	口粮消费 计	其中：细粮 计	其中：细粮 %	肉类（斤）	食油（斤）	棉布（尺） 计	其中：土布	灯油（斤）	煤炭（斤）	烟类 纸烟（合）	烟类 烟叶（斤）	酒（斤）	医药费（元）
甲	1	2	3	4	5	6	7	8	9	10	11	12	13	14	15
合计	77	378	108859	18683	17.16	1071	615	8433	8303	825	6400	6	372	107	200.97
富农	5	41	16248	5150	31.70	332	108	1378	1378	82	800		45	25	75.00
中农	23	124	37388	6905	18.47	356	222	2735	2605	261	1550		121	28	46.00
贫农	40	191	49628	6123	12.34	368	258	3862	3862	413	3050	6	179	54	76.13
佣农	6	22	5595	505	9.03	15	27	458	458	69	1000		27		3.84
其他	3														

二、每人平均

阶级	户数	吃饭人口	口粮消费 计	其中：细粮 计	其中：细粮 %	肉类（斤）	食油（斤）	棉布（尺） 计	其中：土布	灯油（斤）	煤炭（斤）	烟类 纸烟（合）	烟类 烟叶（斤）	酒（斤）	医药费（元）
合计	—	—	227.99	49.43		2.83	1.63	22.31	21.97	2.18	16.93	0.02	0.98	0.28	0.53
富农	—	—	396.29	125.61		8.1	2.63	33.61	33.61	2	19.51		1.1	0.61	1.83
中农	—	—	301.52	55.69		2.87	1.79	22.06	21.01	2.1	12.5		0.98	0.23	0.37
贫农	—	—	259.83	32.06		1.93	1.35	20.22	20.22	2.16	15.97	0.03	0.94	0.28	0.40
佣农	—	—	254.32	22.95		0.68	1.23	20.82	20.82	3.14	45.45		1.23		0.17
其他															

·34·

1930—1936年反动统治时期所受损失　19表

阶级	总户数	其中：受损户数	烧毁房屋(间)	拆毁房屋(间)	霸占土地(亩)	绑票勒索(元)	砍伐树木(株)	劫去粮食(斤)	劫去衣饰(件)	劫去牲畜(头)	劫去钱财(元)	杀死人数(人)	重伤残废人数(人)	抓壮丁人数(人)	义务劳役天数
甲	1	2	3	4	5	6	7	8	9	10	11	12	13	14	15
合计	77	7			1.5		16	30	26	2		1			822
地主															
富农	5	2					10		16						200
中农	23	3					6			1					600
贫农	40	2			1.5			30	10	1		1			22
雇农	6														
其它	3														

·35·

1946年调查资料

一、合计　　　　1946年调查户变动情况　　　　1表

阶级	1936年户数	期内变动					本户期数
		分出	迁入	合并	迁出	绝灭	
甲	1	2	3	4	5	6	7
合计	77	7					84
富农	5						2
中农	23	2					39
贫农	40	5					40
佃农	6						1
其他	3						2
二、比重(%)							
合计	100	100	100	100	100	100	100
富农	6.49						2.38
中农	29.87	28.57					46.43
贫农	51.95	71.43					47.62
佃农	7.79						1.19
其他	3.9						2.38

·36·

一、合计　　　　　　1946年调查户阶级成分的演变　　　　　　2表

阶级	1946年户数	1946年户数						
		合计	地主	富农	中农	贫农	雇农	其他
甲	1	2	3	4	5	6	7	8
合计	84	84		2	39	40	1	2
富农	2	5		2	3			
中农	39	25			25			
贫农	40	45			10	35		
雇农	1	6			1	4	1	
其他	2	3				1		2

二、构成（%）

阶级	1946年户数	合计	地主	富农	中农	贫农	雇农	其他
合计	—	100		2.38	46.43	47.62	1.19	2.38
富农	—	100		40	60			
中农	—	100			100			
贫农	—	100			22.22	77.78		
雇农	—	100			16.67	66.66	16.67	
其他	—	100				33.33		66.67

一、合计　　　　1937——1946年调查户阶级演变原因　　　　3表

阶级	上升 户数	上升 剥削或投机获利	上升 土地改革	上升 勤俭及家属成员就业	上升 其他	下降 户数	下降 被剥削或投机失败	下降 分家	下降 土地改革	下降 赌博及其他不正当行为	下降 灾祸或其他意外事故
甲	1	2	3	4	5	6	7	8	9	10	11
合计	15		15			3		3			
富农						3		3			
中农											
贫农	10		10								
雇农	5		5								
其他											
二、比重（%）											
合计	100		100			100		100			
富农	100					100		100			
中农	100					100					
贫农	100		100			100					
雇农	100		100			—	—	—	—	—	—
其他											

·38·

一、合计　　　　　　1946年人口与劳动力　　　　　　4表

阶级	户数	年末总人口数			在家常住人口						在外人口					
		合计	男	女	年内常住人口		其中：劳动力		年末常住人口		年内人口		其中：劳动力		年末人口	
					男	女	男	女	男	女	男	女	男	女	男	女
甲	1	2	3	4	5	6	7	8	9	10	11	12	13	14	15	16
合计	84	423	217	206	203	200	135	138	203	201	14	7	14	4	14	5
富农	2	9	5	4	5	3	3	3	5	3		1		1		1
中农	39	214	110	104	104	101	64	69	104	102	6	2	6	2	6	2
贫农	40	191	97	94	90	93	66	65	90	93	7	3	7	1	7	1
雇农	1	2	1	1	1	1	1		1	1						
其他	2	7	4	3	3	2	1	1	3	2	1	1	1		1	1

二、每户平均

阶级	户数	合计	男	女	男	女	男	女	男	女	男	女	男	女	男	女
合计	—	5.03	2.58	2.45	2.42	2.38	1.61	1.64	2.42	2.39	0.16	0.08	0.16	0.05	0.16	0.06
富农	—	4.5	2.5	2	2.5	1.5	1.5	1.5	2.5	1.5		0.5		0.5		0.5
中农	—	5.49	2.82	2.67	2.67	2.59	1.64	1.77	2.67	2.62	0.15	0.05	0.15	0.05	0.15	0.05
贫农	—	4.78	2.43	2.35	2.25	2.33	1.65	1.63	2.25	2.33	0.18	0.08	0.18	0.03	0.18	0.03
雇农	—	2	1	1	1	1	1		1	1						
其他		3.5	2	1.5	1.5	1	0.5	0.5	1.5	1	0.5	0.5	0.5		0.5	0.5

·39·

一、合计　　　　1946年调查户常住人口劳动力的职业状况　　　　.5表

阶级	劳动力数	其中：职业状况									
		个体农民	个体手工业者	产业工人	小商贩	乡社干部	各类合作社社员	自由职业者	宗教迷信职业者	旧军政机关人员	其他劳动者
甲	1	2	3	4	5	6	7	8	9	10	11
合计	273	158	1								
富农	6	3									
中农	133	70									
贫农	131	83	1								
雇农	1	1									
其他	2	1									

二、各类职业人数占常住人口劳动力的(%)

阶级	劳动力数	个体农民	个体手工业者	产业工人	小商贩	乡社干部	各类合作社社员	自由职业者	宗教迷信职业者	旧军政机关人员	其他劳动者
合计	100	57.88	0.37								
富农	100	50									
中农	100	52.63									
贫农	100	63.36	0.76								
雇农	100	100									
其他	100	50									

·40·

一、合计　　1946年调查户在外人口劳动力职业状况　　6表

阶级	劳动力数	其中：职业状况											
		革命军政机关团体在业职工	个体手工业者	佃农	小商贩	工商业资本家	旧军政机关人员	私营企业职工	自由职业者	宗教及迷信职业者	产业工人	各类合作社员	其他劳动者
甲	1	2	3	4	5	6	7	8	9	10	11	12	13
合计	18	5						1					3
富农	1												
中农	8	2											1
贫农	8	3								1			2
佃农													
其他	1							1					

二、各类职业人数占在外人口劳动力的（%）

阶级	劳动力数	2	3	4	5	6	7	8	9	10	11	12	13
合计	100	27.78						5.56					16.67
富农	100												
中农	100	25											12.5
贫农	100	37.5								12.5			25
佃农	100												
其他	100							100					

·41·

一、合计　　　　1946年调查户年内常住人口的文化状况　　　　7表

阶级	学令儿童（7－13岁）	其中：在学人数	十四岁以上人口	文化状况：文盲	初小程度	高小程度	初中程度	高中程度	大学程度
甲	1	2	3	4	5	6	7	8	9
合计	49	24	298	232	58	7		1	
富农	1	1	6	3	1	1		1	
中农	25	16	147	103	39	5			
贫农	22	7	140	122	17	1			
佃农			2	2					
其他	1		3	2	1				

二、构成（%）

阶级	学令儿童（7－13岁）	其中：在学人数	十四岁以上人口	文盲	初小程度	高小程度	初中程度	高中程度	大学程度
合计	100	48.98	100	77.85	19.46	2.35		0.34	
富农	100	100	100	50	16.67	16.67		16.66	
中农	100	64	100	70.07	26.53	3.4			
贫农	100	31.82	100	87.14	12.14	0.72			
佃农	100		100	100					
其他	100		100	66.67	33.33				

一、合计　　　　　　　　1946年调查户在外人口的文化状况　　　　　　　　8表

阶级	学龄儿童(7-13岁)	其中在学人数	十四岁以上的人口	文化状况					
				文盲	初小程度	高小程度	初中程度	高中程度	大学程度
甲	1	2	3	4	5	6	7	8	9
合计			20	8	9	1	2		
富农			1				1		
中农			8	3	3	1	1		
贫农			10	5	5				
佃农									
合计			1		1				

二、构成(%)

阶级	学龄儿童(7-13岁)	其中在学人数	十四岁以上的人口	文盲	初小程度	高小程度	初中程度	高中程度	大学程度
合计	1.00		100	40	45	5	10		
富农	100		100				100		
中农	100		100	37.5	37.5	12.5	12.5		
贫农	100		100	50	50				
佃农	100		100						
其他	100		100		100				

·43·

一、合计

1946年农业雇佣

阶级	总户数	雇入											雇出										
		长工					短零工						长工					短零工					
		有雇工户数	占总户数(%)	人数	工资(元)	平均工资	户数	占总户数(%)	天数	工资(元)	每户平均雇工(天)	每天平均工资	有出雇工户数	占总户数(%)	人数	工资(元)	平均工资(元)	户数	占总户数(%)	天数	工资(元)	每天平均工资	每天平均…
甲	1	2	3	4	5	6	7	8	9	10	11	12	13	14	15	16	17	18	19	20	21	22	23
合计	84	2	2.38	2	105.73	52.87	4	4.76	250	123.30	125	0.49	2	2.38	2	109.46	54.73	32	38.10	1846	1001.57	0.54	57.7
富农	2	2	100	2	105.73	52.87	2	100	180	101.76	90	0.57											
中农	39						2	5.13	70	21.54	35	0.31	1	2.56	1	55.80	55.80	6	15.38	371	195.20	0.53	61.2
贫农	40																	25	62.5	1345	757.37	0.56	53.
雇农	1													100	1	55.66	53.66						
其他	2																1	1	50	130	49.00	0.38	130

二、每户平均

阶级	1	2	3	4	5	6	7	8	9	10	11	12	13	14	15	16	17	18	19	20	21	22	23
合计	—	—	—	0.02	1.26	—	—	—	2.98	1.47	—	—	—	—	0.02	1.30	—	—	—	21.98	11.92	—	—
富农	—	—	—	1	52.87	—	—	—	90	50.88	—	—	—	—			—	—	—			—	—
中农	—	—	—			—	—	—	1.79	0.55	—	—	—	—	0.03	1.43	—	—	—	9.5	5.01	—	—
贫农	—	—	—			—	—	—			—	—	—	—			—	—	—	33.63	18.93	—	—
雇农	—	—	—			—	—	—			—	—	—	—	1	53.66	—	—	—			—	—
其他	—	—	—			—	—	—			—	—	—	—			—	—	—	6.5	24.5	—	—

44

一、合计　　　　1946年土地占有与租典　　　　单位：面积：亩　租额：谷市斤、元　　10表

阶级	总户数	占有耕地					典入			典出			租入耕地						租出耕地						土地使用面积
		户数	耕地			非耕地	户数	耕地	非耕地	户数	耕地	非耕地	户数	粮租		钱租			户数	粮租		钱租			
			计	耕构地成	其中：水浇地									面积	租额	面积	租额	未价有面租积		面积	租额	面积	租额	未价有面租积	
甲	1	2	3	4	5	6	7	8	9	10	11	12	13	14	15	16	17	18	19	20	21	22	23	24	25
合计	84	83	1004.41	100	64.42	44.15	6	23.1		1	4		3	10.5	110										1034.01
富农	2	2	92.6	9.22	1.1																				92.6
中农	39	39	576.38	57.38	26.67	23.33	2	4.8		1	4														577.18
贫农	40	40	335.18	33.37	36.4	20.12	3	14.3					3	10.5	110										359.98
户农	1	1					1	4																	4
其它	2	1	0.25	0.03	0.25	0.7																			0.25

二、每户平均

阶级	1	2	3	4	5	6	7	8	9	10	11	12	13	14	15	16	17	18	19	20	21	22	23	24	25
合计	—	—	11.96	—	0.77	0.53	—	0.28		—	0.05		—	0.13	1.31				—						12.31
富农	—	—	46.3	—	0.55		—			—			—						—						46.3
中农	—	—	14.72	—	0.68	0.61	—	0.12		—	0.10		—						—						14.80
贫农	—	—	8.38	—	0.91	0.50	—	0.36		—			—	0.26	2.75				—						9
户农	—	—		—			—	4		—			—						—						4
其它	—	—	0.13	—	0.13	0.35	—			—			—						—						0.13

一、合计

1946年农作物播种面积及产量

单位：面积：亩　产量：市斤　产值：元　　11表

阶级	户数	总播种面积	粮食作物 播种面积合计	产量	小麦 播种面积	亩产	产量	玉米 播种面积	亩产	产量	谷子 播种面积	亩产	产量	高粱 播种面积	亩产	产量	薯类 播种面积	亩产	产量	大豆 播种面积	亩产	产量	其它杂粮 播种面积	亩产	总产量	棉花 播种面积	亩产	产量	其它作物 播种面积	产值
甲	1	2	3	4	5	6	7	8	9	10	11	12	13	14	15	16	17	18	19	20	21	22	23	24	25	26	27	28	29	30
合计	84	1324.81	1159.78	146843.3	333.15	118.87	39601.5	285.7	111.45	31841	245.23	148.71	36469.3	228.9	115.15	26358.5	31.4	264.97	8320	20.5	121.27	2486	14.9	118.59	1767	156.8	92.19	14456	8.23	487.
富农	2	117.6	105	13445	25	128.80	3220	22	111.36	2450	22	157.27	3460	26	116.35	3025				6	135.00	810	4	120.00	480	12.3	100.49	1236	0.3	19.
中农	39	764.88	664.38	85833	194.2	120.51	23403	166	115.79	19222	137.33	154.34	21196	135	117.24	15827	17.5	262.29	4590	10	112.09	1120	4.35	109.19	475	96.5	99.79	9630	4	237.
贫农	40	438.08	387.15	47366.3	113.7	113.93	12953.5	97.7	104.08	10169	83.9	139.38	11694.3	66.9	111.38	7451.5	13.9	268.35	3730	4.5	123.56	556	6.55	124.00	812	47	75.32	3540	3.93	231.
佃农	1	4	3	174							2	59.50	119	1	55	55										1	50.00	50		
其它	2	0.25	0.25	25	0.25	100	25																							

二、每户平均

阶级	户数	总播种面积	粮食作物 播种面积合计	产量	小麦 播种面积	亩产	产量	玉米 播种面积	亩产	产量	谷子 播种面积	亩产	产量	高粱 播种面积	亩产	产量	薯类 播种面积	亩产	产量	大豆 播种面积	亩产	产量	其它杂粮 播种面积	亩产	总产量	棉花 播种面积	亩产	产量	其它作物 播种面积	产值
合计	—	15.77	13.80	1748.13	3.97	—	471.44	3.4	—	379.06	2.92	—	434.16	2.72	—	313.79	0.37	—	99.05	0.24	—	29.6	0.18	—	21.04	1.87	—	172.1	0.1	58
富农	—	58.8	52.5	6722.50	12.5	—	161	11	—	1225	11	—	1730	13	—	1521.5		—		3	—	405	2	—	240	6.15	—	618	0.15	9.5
中农	—	19.61	17.04	2200.85	4.98	—	600.08	4.26	—	492.87	3.52	—	543.49	3.46	—	405.82	0.45	—	117.69	0.26	—	28.72	0.11	—	121.79	2.47	—	246.92	0.01	6.0
贫农	—	10.95	9.69	1184.16	2.84	—	323.84	2.44	—	254.23	2.1	—	292.36	1.67	—	186.29	0.35	—	93.25	0.11	—	139	0.16	—	20.3	1.16	—	88.5	0.09	5.7
佃农	—	4	3	174		—			—		2	—	119	1	—	55		—			—			—		1	—	50		
其它	—	0.13	0.13	12.5	0.13	—	12.5		—			—			—			—			—			—			—			

一、合计　　　　1945年农作物播种面积构成　　　　单位面积：亩　　　　12表

阶级	总播种面积	粮食作物								棉花	其它作物
		合计	小麦	玉米	谷子	高粱	薯类	大豆	其它杂粮		
甲	1	2	3	4	5	6	7	8	9	10	11
合计	1324.81	1159.78	333.15	285.7	245.23	228.9	31.4	20.5	14.9	156.8	8.23
富农	117.6	105	25	22	22	26		6	4	12.3	0.3
中农	764.68	664.38	194.2	66	137.33	135	17.5	10	4.35	96.5	4
贫农	438.08	387.15	113.7	97.7	83.9	66.9	13.9	4.5	6.55	47	3.93
雇农	4	3			2	1				1	
其它	0.25	0.25	0.25								

二、构成（%）

阶级	总播种面积	合计	小麦	玉米	谷子	高粱	薯类	大豆	其它杂粮	棉花	其它作物
合计	100	87.54	25.15	21.56	18.51	17.28	2.37	1.55	1.12	11.84	0.62
富农	100	89.29	21.26	18.71	18.71	22.11		5.1	3.4	10.46	0.25
中农	100	86.86	25.39	21.70	17.95	17.65	2.29	1.31	0.57	12.62	0.52
贫农	100	88.37	25.95	22.3	19.15	16.27	3.17	1.03	1.5	10.73	0.9
雇农	100	75			50	25				25	
其它	100	100	100								

·47·

一、合计　　　　　　　　1946年房屋和牲畜　　　　　　　　13表

阶级	户数	占有房间数	现住房屋 间数	其中 砖的	其中 典借	生产用房 间数	其中砖的	租借典入	出借租房典屋	牲畜（头） 大牲畜 牛	马	驴	骡	小牲畜 猪	羊	水井	其中：砖井
甲	1	2	3	4	5	6	7	8	9	10	11	12	13	14	15	16	17
合计	84	415	381	285.5	8	42	25			17		6	5	16		24	24
富农	2	19	15	12		4	1			1			1			1	1
中农	39	240.5	202.5	173		38	24			14		4	4	13		11	11
贫农	40	147.5	153.5	92.5	6					2		2		3		12	12
佃农	1		2		2												
其它	2	8	8	8													
二、每户平均																	
合计	—	4.94	4.54	3.4	0.1	0.5	0.3			0.2		0.07		0.19		0.29	0.29
富农	—	9.5	7.5	6		2	0.5			0.5			0.5			0.5	0.5
中农	—	6.17	5.19	4.44		0.97	0.62			0.36		0.1	0.1	0.33		0.28	0.28
贫农	—	3.69	3.84	2.31	0.15					0.05		0.05		0.06		3	3
佃农	—		2		2												
其它	—	4	4	4													

·48

一、合计

1946年占有农业主要生产及生活用具

14表

阶级	户数	生产工具						生活用具					
		水车	铁大轮车	胶大轮车	犁铧	种什	耙盖	自行车	手电筒	矿石收音机	热水瓶	被褥(条)	备致
甲	1	2	3	4	5	6	7	8	9	10	11	12	13
合计	84	3	17		40	22	26						557
富农	2		1		2	1	2						21
中农	39	2	14		29	17	20						274
贫农	40	1	2		8	3	4						259
雇农	1												2
其它	2				1	1							1

二、构成(%)

阶级	户数	水车	铁大轮车	胶大轮车	犁铧	种什	耙盖	自行车	手电筒	矿石收音机	热水瓶	被褥(条)	备致
合计	100	100	100	100	100	100	100	100	100	100	100	100	100
富农	2.38		5.88		5	4.55	7.69						3.77
中农	46.43	66.67	82.35		72.5	77.27	76.92						49.19
贫农	47.62	33.33	11.77		20	13.64	15.39						46.5
雇农	1.19												0.36
其它	2.38				2.5	4.54							0.18

·49·

一、合计　　　　1946年农付业及其它收入　　　　单位：元　　15表

阶级	户数	人数	植物栽培	副业家畜家禽及其它产品		付业收入	工资收入	在外合寄回	救济补助及赠送	其它	合计
				猪	鸡鸭及蛋						
甲	1	2	3	4	5	6	7	8	9	10	11
合计	84	403	16289.89	152.15	47.80	1252.37	1118.46	285.00	111.00	39.00	19295.67
富农	2	8	1443.08								1443.08
中农	39	205	9838.15	152.15	33.00	457.74	251				10732.04
贫农	40	183	4980.50		14.80	794.63	764.80	45.00	95.00	18.00	6712.73
佣农	1	2	25.43				53.66				79.09
其它	2	5	2.73				49.00	240.00	16.00	21.00	328.73

二、每人平均

阶级	户数	人数	植物栽培	猪	鸡鸭及蛋	付业收入	工资收入	在外合寄回	救济补助及赠送	其它	合计
合计	—	—	40.42	0.38	0.12	3.11	2.78	0.70	0.28	0.10	47.88
富农	—	—	180.39								180.39
中农	—	—	47.99	0.74	0.16	2.23	1.22				52.35
贫农	—	—	27.22		0.08	4.34	4.18	0.25	0.52	0.10	36.69
佣农	—	—	12.72				26.83				39.55
其它	—	—	0.55				9.80	48.00	3.20	4.20	65.75

·50·

一、合计　　　　1940年付业情况　　　　16表

阶级	总户数	其中：有付业的户数	从业人数	其中：雇佣	兼业人数	产品价值或工资（元）	
						主产品	付产品
甲	1	2	3	4	5	6	7
合计	84	24	3		48	67382.72	
富农	2						
中农	39	9			11	726.90	
贫农	40	4	3		31	66181.26	
雇农	1	1			6	474.56	
其它	2						

二、构成（%）

阶级	总户数	其中：有付业的户数	从业人数	其中：雇佣	兼业人数	主产品	付产品
合计	100	100	100	100	100	100	100
富农	2.38						
中农	46.43	37.5			22.91	1.08	
贫农	47.62	58.33	100		64.59	98.22	
雇农	1.19	4.17			12.5	0.7	
其他	2.38						

·51·

一、合计　　　　1940年负债情况　　　　单位：元　　　　17表

阶级	总户数	其中：负债户数	年末负债累计 计	其中：货币	其中向各类债主借款累计数 地主富农	中农	银行	信用社	钱庄	其它	全年支付利息
甲	1	2	3	4	5	6	7	8	9	10	11
合计	84	1	96.07	96.07	96.07						24.70
富农	2										
中农	39	1	96.07	96.07	96.07						24.70
贫农	40										
佃农	1										
其它	2										
二、每户平均											
合计	—	—	1.14	1.14	1.14						0.29
富农	—	—									
中农	—	—	2.46	2.46	2.46						0.63
贫农	—	—									
佃农	—	—									
其它	—	—									

1946年主要生活用品情况

一、合计 18表

阶级	户数	吃饭人口	口粮消费 计	口粮消费 其中：细粮 计	口粮消费 其中：细粮 %	肉类（斤）	食油（斤）	棉布（尺） 计	棉布（尺） 其中：土布	灯油（斤）	煤炭（斤）	烟类 纸烟（合）	烟类 烟叶（斤）	酒（斤）	医药费（元）
甲	1	2	3	4	5	6	7	8	9	10	11	12	13	14	15
合计	84	403	117582	18985	16.15	914.8	721	9110	3239	876	5743	15	336	63	221.00
富农	2	10	3980	1310	32.91	44	35	223	183	36	500		20		
中农	39	205	65492	11260	17.19	519	567.5	4632	4016	392.5	343	15	158	50	183.00
贫农	40	182	47030	6345	13.49	340.8	310.5	4198	3983	440.5	4900		158	13	38.00
雇农	1	1	280	40	14.29	7	3	15	15	3					
其它	2	5	800	30	3.75	4	5	42	42	4					

二、每人平均

阶级	户数	吃饭人口	口粮消费 计	细粮 计	细粮 %	肉类（斤）	食油（斤）	棉布 计	其中：土布	灯油（斤）	煤炭（斤）	纸烟（合）	烟叶（斤）	酒（斤）	医药费（元）
合计	—	—	291.77	47.11	—	2.27	1.79	22.61	20.44	2.17	14.25	0.04	0.83	0.16	0.55
富农	—	—	398	131	—	4.4	3.5	22.3	18.3	3.6	50		2		
中农	—	—	319.47	54.92	—	2.53	1.79	22.6	19.6	1.91	1.67	0.07	0.77	0.24	0.89
贫农	—	—	258.4	34.86	—	1.37	1.71	23.07	21.88	2.42	26.92		0.87	0.07	0.21
雇农	—	—	280	40	—	7	3	15	15	3					
其它	—	—	160	6	—	0.8	1	8.4	8.4	0.8					

·53·

1937——1945年反动统治时期所受损失　　19表

阶级	总户数	其中：受损户数	烧毁房屋（间）	拆毁房屋（间）	填占土地（亩）	绑票勒索（元）	砍伐树木（株）	劫去粮食（斤）	劫去衣饰（件）	劫去牲畜（头）	劫去钱财（元）	杀死人数（人）	重伤残废人数（人）	抓壮丁人数（人）	义务劳役人次
甲	1	2	3	4	5	6	7	8	9	10	11	12	13	14	15
合计	84	47		1	7.4	290	57	1064	115	2	41		5	9	10854
富农	2	2					10								1700
中农	41	21		1	5.3	250	26	820	70	2	1		3	5	5634
贫农	40	24			2.1	40	21	244	45		40		2	4	3520
佃农	1														

·54·

1957年调查资料

一、合计　　　　　　　　1957年调查户变动情况　　　　　　　　1表

阶级	1946年户数	期内变动					本户期数
		分去	迁入	合并	迁去	绝灭	
甲	1	2	3	4	5	6	7
合计	84	26			1		109
富农	2						53(上中)
中农	39	19			1		42(中)
贫农	40	7					13(下中)
雇农	1						
其他	2						1

二、比重(%)

阶级	1946年户数	分去	迁入	合并	迁去	绝灭	本户期数
合计	100	100	100	100	100	100	100
富农	2.38						48.62
中农	46.43	73.08			100		38.53
贫农	47.62	26.92					11.93
雇农	1.19						0.92
其他	2.38						

一、合计　　　　1957年调查户阶级成分的演变　　　　2表

阶级	1946年户数	1957年户数						
		合计	地主	上中农	中农	下中农	雇农	其他
甲	1	2	3	4	5	6	7	8
合计	84	109		53	42	13		1
富农	2	2		1	1			
中农	39	57		32	25			
贫农	40	47		20	16	11		
雇农	1	1				1		
其他	2	2				1		1
二、构成(%)								
合计	—	100		48.62	38.53	11.93		0.92
富农	—	100		50	50			
中农	—	100		56.14	43.86			
贫农	—	100		42.55	34.04	23.41		
雇农	—	100				100		
其他	—	100				50		50

·56·

一、合计　　　　1946—1957年调查户阶级演变原因　　　　3表

阶级	上升					下降					
	户数	剥削或投机获利	土地改革	勤俭及家属成员就业	其他	户数	被剥削或投机失败	分家	土地改革	赌博及其他不正当行为	灾祸或其他意外事故
甲	1	2	3	4	5	6	7	8	9	10	11
合计	81		49	32		2			2		
中农	32			32		2			2		
贫农	47		47								
雇农	2		2								雇农上升的2户内含其它户1户

二、比重（%）

阶级	户数	剥削或投机获利	土地改革	勤俭及家属成员就业	其他	户数	被剥削或投机失败	分家	土地改革	赌博及其他不正当行为	灾祸或其他意外事故
合计	100		60.49	39.51		100					
中农	100			100		100					
贫农	100		100			100					
雇农	100		100			—	—	—	—	—	—

一、合计

1957年人口与劳动力

4表

阶级	户数	年末总人口数			在家常住人口						在外人口					
		合计	男	女	年内常住人口		其中劳动力		年末常住人口		年内人口		其中：劳动力		年末人口	
					男	女	男	女	男	女	男	女	男	女	男	女
甲	1	2	3	4	5	6	7	8	9	10	11	12	13	14	15	16
合计	109	544	281	263	223	230	114	116	219	233	62	31	51	19	62	30
上中农	53	222	122	100	92	87	54	54	90	89	32	12	26	7	32	11
中农	42	252	126	126	102	108	47	46	100	111	26	15	21	10	26	15
下中农	13	66	32	34	29	35	13	16	29	33	3	1	3	1	3	1
其他	1	4	1	3							1	3	1	1	1	3
二、每户平均																
合计	—	4.99	2.58	2.41	2.05	2.11	1.05	1.06	2.01	2.14	0.57	0.28	0.47	0.17	0.57	0.27
上中农	—	4.19	2.30	1.89	1.74	1.64	1.02	1.02	1.70	1.68	0.60	0.23	0.49	0.13	0.60	0.21
中农	—	6	3	3	2.43	2.57	1.12	1.10	2.38	2.64	0.62	0.36	0.50	0.24	0.62	0.36
下中农	—	5.08	2.46	2.62	2.23	2.69	1	1.23	2.23	2.54	0.23	0.08	0.23	0.08	0.23	0.08
其他	—	4	1	3							1	3	1	1	1	3

1957年调查户年内常住人口劳动力的职业状况

5表

阶级	劳动力数	其中：职业状况									
		个体农民	个体手工业者	产业工人	小商贩	乡社干部	各类合作社员	自由职业者	宗教迷信职业者	旧军政机关人员	其他劳动者
甲	1	2	3	4	5	6	7	8	9	10	11
合计	230					2	204				
上中农	108					2	91				
中农	93						90				
下中农	29						23				
其他											
二、各类职业人数占常住人口劳动力的（%）											
合计	100					0.87	88.70				
上中农	100					1.85	84.26				
中农	100						96.77				
下中农	100						79.31				
其他	100										

·59·

[illegible]合计

1957年调查户在外人口劳动力职业状况

6表

阶级	劳动力数	其中：职业状况											
		革命军政机关国营企业职工	个体手工业者	雇农	小商贩	工商业资本家	旧军政机关人员	私营企业职工	自由职业者	宗教迷信职业者	产业工人	各类合作社社员	其他劳动者
甲	1	2	3	4	5	6	7	8	9	10	11	12	13
合计	70	40			1			3	1		2	2	6
上中农	33	20						3			2	1	3
中农	31	16			1				1				3
下中农	4	3										1	
其他	2	1											
合计	100	57.14			1.43			4.29	1.43		2.86	2.86	8.57
上中农	100	60.61						9.09			6.06	3.03	9.09
中农	100	51.61			3.23				3.23				9.68
下中农	100	75										25	
其他	100	50											

·60·

一、合计　　　　　1957年调查户年内常住人口的文化状况　　　　　7表

阶级	学龄儿童（7—13岁）	其中在学人数	十四岁以上人口	文化状况					
				文盲	初小程度	高小程度	初中程度	高中程度	大学程度
甲	1	2	3	4	5	6	7	8	9
合计	34	63	274	185	61	19	8	1	
上中农	28	25	125	84	27	8	3	1	
中农	42	33	116	77	26	10	3		
下中农	14	10	33	24	6	1	2		
其他									

二、构成（%）

阶级	学龄儿童（7—13岁）	其中在学人数	十四岁以上人口	文盲	初小程度	高小程度	初中程度	高中程度	大学程度
合计	100	30.75	100	67.22	22.26	6.93	2.92	0.37	
上中农	100	89.25	100	67.20	23.20	6.40	2.4	0.80	
中农	100	78.57	100	66.37	22.41	8.62	2.60		
下中农	100	71.42	100	72.75	18.18	3.03	6.06		
其他	100		100						

··61··

1957年调查户在外人口的文化状况

8表

一、合计

阶级	学龄儿童（7—13岁）	其中：在学人数	十四岁以上的人口	文化状况					
				文盲	初小程度	高小程度	初中程度	高中程度	大学程度
甲	1	2	3	4	5	6	7	8	9
合计	7	6	72	25	23	17	6		1
上中农	2	2	34	11	9	9	4		1
中农	4	3	32	13	12	5	2		
下中农			4	1		3			
其他	1	1	2		2				

二、构成（%）

阶级	学龄儿童（7—13岁）	其中：在学人数	十四岁以上的人口	文盲	初小程度	高小程度	初中程度	高中程度	大学程度
合计	100	85.71	100	34.72	31.94	23.61	8.33		1.4
上中农	100	100	100	32.35	26.47	26.47	11.76		2.95
中农	100	75	100	40.63	37.5	15.63	6.24		
下中农	100	100	100	25		75			
其他	100		100		100				

1957年房屋和牲畜　　13表

一、合计

阶级	户数	占有房间数	现住房屋：间数	现住房屋：其中：砖的	现住房屋：其中：租借	生产用房：间数	生产用房：其中砖的	生产用房：租借收入	出借租房屋	大牲畜：牛	大牲畜：马	大牲畜：驴	大牲畜：骡	小牲畜：猪	小牲畜：羊
甲	1	2	3	4	5	6	7	8	9	10	11	12	13	14	15
合计	109	452.5	413	331	5	33	27		1.5					5	
上中农	53	231	206	167	3	23	23							3.5	
中农	42	176.5	170.50	132.50	2	8	2							1.5	
下中农	13	43.5	41.50	31.50		2	2								
其他	1	1.5							1.5						

二、每户平均

阶级	户数	占有房间数	现住房屋：间数	现住房屋：其中：砖的	现住房屋：其中：租借	生产用房：间数	生产用房：其中砖的	生产用房：租借收入	出借租房屋	大牲畜：牛	大牲畜：马	大牲畜：驴	大牲畜：骡	小牲畜：猪	小牲畜：羊
合计	—	4.15	3.83	3.04	0.05	0.35	0.25		0.01					0.05	
上中农	—	4.36	3.89	3.15	0.06	0.53	0.43							0.07	
中农	—	4.2	4.06	3.15	0.05	0.19	0.05							0.04	
下中农	—	3.35	3.19	2.42		0.15	0.15								
其他	—	1.5							1.5						

·63·

一、合计 | 1957年5有农业主要生产及生活用具 | 14表

阶级	户数	生产工具						生活用具					
		水车	铁大蛇车	胶大蛇车	犁耙	种什	耙盖	自行车	手电筒	矿石收音机	热水瓶	被褥(床)	备考
甲	1	2	3	4	5	6	7	8	9	10	11	12	13
合计	109							1	12	2	16	661	
上中农	53								10	2	11	341	
中农	42								1		3	255	
下中农	13							1	1		2	65	
其他	1												

二、构成(%)

阶级	户数	水车	铁大蛇车	胶大蛇车	犁耙	种什	耙盖	自行车	手电筒	矿石收音机	热水瓶	被褥(床)	备考
合计	100	100	100	100	100	100	100	100	100	100	100	100	100
上中农	48.62								83.34	100	68.75	51.59	
中农	38.53								8.33		18.75	38.58	
下中农	11.93							100	8.33		12.5	9.83	
其他	0.92												

一、合计　　　　　　　　　　1957年农付业及其它收入　　　　　　　　单位：元

15.

阶级	户数	人数	植物栽培	出售家畜家禽及其它产品				付业收入	工资收入
				猪	羊	鸡鸭及蛋	肥料		
甲	1	2	3	4	5	6	7	8	7
合计	109	453	2708	161.60	105	65.60	76.86	864.10	2035.80
上中农	53	179	1034.68	110	105	38.10	24.40	378	826
中农	42	210	1228.47	51.60		27.50	50.66	400.10	699.80
下中农	13	64	444.85				1.80	86	510
其它	1								
二、每人平均									
合计	—	—	5.98	0.36	0.23	0.14	0.17	1.91	4.49
上中农	—	—	5.78	0.61	0.59	0.21	0.14	2.11	4.61
中农	—	—	5.85	0.25		0.13	0.24	1.91	3.33
下中农	—	—	6.95				0.03	1.34	7.97
其它	—	—							

阶级	在外合寄回	从农业社取得收入	其中：劳动报酬	出租生活资料	其中：房租	救济补助及赠送	其它	合计	其中：
甲	8	9	10	11	12	13	14	15	16
合计	3655	20474.00	13326.90	5		847.70	460.30	31458.96	2431
上中农	2235	10597.34	6898.23			397.30	123.30	15869.12	1217
中农	1220	8064.71	5250.10			301.40	305	12349.24	9534
下中农	200	1811.95	1178.57	5		149	32	3240.60	2607
其它									
二、每人平均									
合计	8.07	45.20	29.42	0.01		1.87	1.02	69.45	53
上中农	12.49	59.20	38.54			2.22	0.69	88.65	67.
中农	5.81	38.40	25			1.44	1.45	58.81	45.
下中农	3.13	22.31	18.42	0.08		2.33	0.50	50.64	40.
其它									

·65

一、合计　　　　1957年付业情况　　　　16表

阶级	总户数	其中：有付业的户数	从业人数	其中：雇佣	兼业人数	产品价值或工资（元） 主产品	付产品
甲	1	2	3	4	5	6	7
合计		18			21	60750	
上中农	53	5			6	18500	
中农	42	10			12	34750	
下中农	13	3			3	7500	
其它							
二、构成（%）							
合计	100	100	100	100	100	100	100
上中农		27.78			28.57	30.45	
中农		55.56			54.14	57.2	
下中农		16.66			14.29	12.35	
其它							

·66·

一 合计

1957年负债情况

单位：元　　17表

阶级	总户数	其中负债户数	年末负债累计		其中：向各类债主借款累计数						全年应付利息
			计	其中贷款	地主富农	中农	银行	信用社	钱庄	其它	
甲	1	2	3	4	5	6	7	8	9	10	11
合计	109	25	1014	1014		30	90	240		554	24.29
上中农	53	9	142	142			45	97			10.70
中农	42	13	809	809		130	45	125		509	12.51
下中农	13	3	63	63				18		45	1.08
其它	1										
二、每户平均											
合计	—	—	9.30	9.30		1.19	0.83	2.20		5.08	0.22
上中农	—	—	2.68	2.68			0.85	1.83			0.19
中农	—	—	19.26	19.26		3.10	1.07	2.98		12.12	0.30
下中农	—	—	4.85	4.85				1.38		3.46	0.08
其它	—	—									

·67·

1957年主要生活用品情况

18表

合计

级	户数	吃饭人口	口粮消费 计	口粮消费 其中：细粮 计	口粮消费 其中：细粮 %	肉类(斤)	食油(斤)	棉布(尺) 计	棉布(尺) 其中：土布	灯油(斤)	煤炭(斤)	烟类 纸烟(合)	烟类 烟叶(斤)	酒(斤)	医药费(元)
甲	1	2	3	4	5	6	7	8	9	10	11	12	13	14	15
计	109	453	149758	39422	26.32	928.50	1060	8677	5589	1015.50	92824	384	396	162.60	1208.10
中农	53	179.50	63826	17343	27.17	380.50	458	3843.50	2218	487	38634	226	216.50	74.75	479.90
农	42	210	65794	17054	25.92	417	495	3998	2832	430	42140	138	141.50	20	728.20
中农	13	63.5	20138	5025	24.95	131	107	835.5	539	98.5	12050	20	38	67.85	
究	1														

每人平均

级	户数	吃饭人口	口粮消费 计	口粮消费 其中：细粮 计	口粮消费 其中：细粮 %	肉类(斤)	食油(斤)	棉布(尺) 计	棉布(尺) 其中：土布	灯油(斤)	煤炭(斤)	烟类 纸烟(合)	烟类 烟叶(斤)	酒(斤)	医药费(元)
计	—	—	330.59	87.02	—	2.05	2.34	19.15	12.34	2.24	204.9	0.85	0.87	0.36	2.67
中农	—	—	355.57	96.61	—	2.12	2.55	21.41	12.36	2.71	215.23	1.26	1.21	0.42	2.67
农	—	—	313.3	81.21	—	1.99	2.35	19.04	13.49	2.05	200.66	0.66	0.67	0.09	3.47
中农	—	—	317.13	79.13	—	2.06	1.69	13.16	8.49	1.55	189.76	0.31	0.60	1.70	
究	—	—			—										

1946——1948年反动统治时期所受损失　19表

阶级	总户数	其中:受损户数	烧毁房屋(间)	拆毁房屋(间)	圈占土地(亩)	绑票勒索(元)	砍伐树木(株)	劫去粮食(斤)	劫去衣饰(件)	劫去牲畜(头)	劫去钱财(元)	杀死人数(人)	重伤残废人数(人)	抓壮丁人数(人)	义务劳役天数
甲	1	2	3	4	5	6	7	8	9	10	11	12	13	14	15
合计	84	2													
地主															
富农	2														
中农	39	2												1	320
贫农	40														
佃农	1														
其它	2														

69

1957年土改收益户分得财产情况

综调20表

阶级	总户数	其中收益户数	房屋(间)	土地(亩)	粮食(斤)	牲畜(头)	农具(件)	家俱(件)	现款(人民币)	取消借款(元)	退还押款	取消欠款	典地改死地	其它
甲	1	2	3	4	5	6	7	8	9	10	11	12	13	14
合计	21	8	3	25.8									1	2.33
上中农														
中农														
下中农														
贫农	21	8	3	25.8						60			1	2.33
雇农														

·70·

附　录

1957年度农业生产合作社经济情况

一、基本情况　　　　1957年度农业生产合作社经济情况

户数	人口数		实际参加社的劳动力数		社内集体经营农业用地(市亩)		社员自留地(市亩)	社内公有水井(眼)		以七月一日集体喂养牲畜头数					年末占有主要生产及工作用具件数			备注
	男	女	男	女	旱地	其中水浇地		计	其中机井	牛	马	驴	骡	猪	水车	铁轮大车	双轮单铧犁	
甲		2	3	4	5	6	7	8	9	10	11	12	13	14	15	16	17	18
108	250	222	124	96	1132.3	192.2	47	27		11	2	10	3	30	20	22	1	

二、农作物播种面积及产量

项目	小麦	谷子	玉米	高粱	薯类	杂粮	大豆	棉花	备注
甲		2	3	4	5	6	7	8	9
播种面积	624	96.94	442.58	27.72	81.75	49.8	151.77	214.9	
亩产	76.98	40.38	84.79	85.60	346.54	63.51	32.81	18.12	
总产量	48035	3963	37528	2373	28330	3163	4980	3894	薯类已4斤折成1斤粮

三、产值与分配

农付业产值			年内分配情况									
植物栽培	付业	合计	总支出	缴税	其中农业税	生产费用	管理费用	公积金	公益金	生产资料报酬	劳动报酬	其它
甲		2	3	4	5	6	7	8	9	10	11	12
12295.38	8179	20474.38	20474.38	2697.5	2137.50	540	149	448	150	1327.60	13326.9	1480.38

四、粮食大豆产销用情况

粮食（大豆除外）产销用情况					大豆产销用情况		
总产量	分给社员	留种	饲料	储积	总产量	分给社员	留种
甲		2	3	4	5	6	7
1213392	107542	4810	11040		4980	500	4480

1930—1957年保定农村经济调查资料

综合资料

1930—1957年保定农村经济调查综合资料

河北省統计局

1958.10.

保定地区农村经济调查村分布图

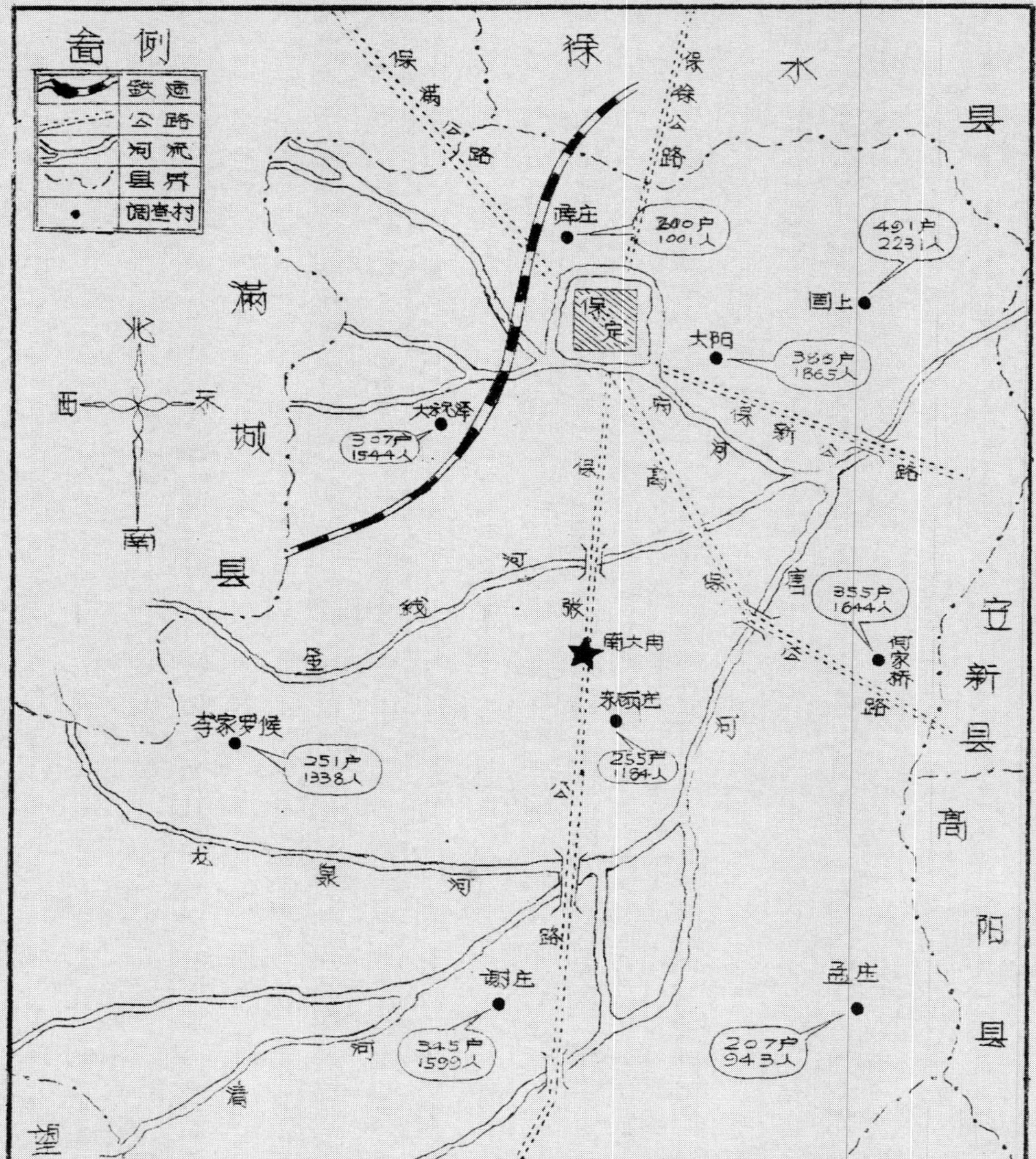

前　言

一、分析表式部分

二、综合资料部分

前　言

1930年曾有一批马列主义经济学者，在保定地区作过一次农村经济调查，共调查了十一个村即现属清苑县的有李家罗侯、何家桥、东顾庄、南邓村、东孟庄、固上、谢庄、梁家营、现属保定市的有大阳、大祝泽、蒋庄。今年春天，由中央科学院和国家统计局的发起，在省委的领导下省人民委员会大力支持下，本局组织四十六人的力量，成立保定农村经济调查办公室，3月底进行试点，4月下旬下乡调查，经过半年的时间，在原有调查十一个村的基础上进行了二十八年来的农村经济调查（从1930年延续到1957年）。全部调查资料分为二部分，一是概况调查资料，一是分户普查资料。分户普查根据本区具体情况，中间选择具有代表性的四个调查观察年度，即1930年（是核对旧资料），1936年是国民党统治时期的"黄金时代"，1946年（是土地改革前一年）。1957年（是合作化后的一年）。反映二十八年来各个不同历史时期农村经济的重大变化。但由于经验和条件所限某些指标的取得和计算方法存在着一定的问题。故必作以下的说明（注）。

这个资料就是根据十一个调查村的分户普查资料，经过整理分析而编制的，编制这个材料的目的，主要是提供省委及有关市县委等部门在研究农村经济时作参考，为了更全面的反映保定农村经济二十八年来的变化，另编写了保定农村经济调查报告。

河北省统计局

（注）附表内的几点说明

一、出佣长工的人口计算：佣工在出佣户内只算常住人口，不计吃饭人口，佣入佣工的户只计算吃饭人数而不算常住人口。薛庄、孙家营、南邓村、东顾庄、李家要侯、何家桥六村的分户卡片上，出佣长工仍按在外人口处理的，使用分户卡片时应注意调整。

二、农付业及其它收入表：

1.植物栽培收入的计算方法：各年度的农作物的价格均按1957年的统购不变价格计算的，但不包括农作物的付产品价值，1957年的统购价格见下表：

计算单位：100斤/元

作物名称	小麦	玉米	谷子	高粱	薯类	大豆	其它杂粮	花生	芝麻	籽棉
价格	10.93	7.58	7.03	6.56	7.14	8.95	8.25	11.37	26.47	26.9

注：①花生带皮　②薯类以四斤折成一斤粮

2.纯收入的计算方法：是植物栽培扣除30%后加上各栏收入。计算1957年度的纯收入。只加"其中劳动报酬"。

3.工资收入包括付业加工的工资和出佣长、短、零工的工资等收入。

付业收入是指自己经营付业的毛利润其中动物饲养收入係指其出售部分，自食、赠送等不包括在内。

三、调查户人口出生死亡情况表，土地变化情况表，调查户负债用途表，主要生活用品情况表中的供神费，应酬费、喜庆费，丧葬费等的资料系是第二批调查固上、东孟庄、谢庄、大阳，大祝泽等五个村的材料。

四、1957年土地占有、农作物播种面积及产量和农作物播种面积构成等资料是第二批调查五个村中四个村（大祝泽村无自留地）所属农业社社员的自留地 及三户单干户（大祝泽村一户大阳村二户）的材料。

五、付业综合表中的工资是替别人家加工的加工费。利润是指自己经营付业的纯收入。

六、关于1930年，1936年，1946年的币制换算成人民币的办法。

1930年银元每1元折成人民币1.819元。

1936年法币每1元折成人民币1.9215元

1946年因币值不稳定，所以折成谷子后，按1957年统购价格每百斤7.93元，折成人民币的。

七、1958年度农业生产合作社的经济情况我们在九月到社里去了解的，所以是预计数。

一、分析表式部分

(一)基本情况的分析

调查户户口、及人口数目（指在家常住人口）

1表

阶级	1930 户数	1930 人数	1930 每户平均人数	1936 户数	1936 人数	1936 每户平均人数	1946 户数	1946 人数	1946 每户平均人数	阶级	1957 户数	1957 人数	1957 每户平均人数
甲	1	2	3	4	5	6	7	8	9		10	11	12
合计	2119	11199	5.29	2272	11258	4.96	2595	12485	4.81	合计	3178	14905	4.69
地主	70	498	7.11	72	447	6.21	71	390	5.49	上中农	996	4355	4.37
富农	169	1365	8.08	173	1184	6.84	147	913	6.21	中〃	1522	7446	4.89
中农	742	4199	5.66	906	4874.67	5.38	1285	6651	5.18	下中〃	507	2556	5.04
贫农	915	4315	4.72	917	4068.83	4.44	996	4251	4.27	贫〃	65	331	5.09
雇农	161	623	3.87	132	487	3.69	45	130	2.89				
其它	62	199	3.21	72	196	2.72	51	150	2.94	其它	88	217	2.47

·1·

调查户（常住）人口及其构成

1. 人口数　　　　2表

阶级	1930年 合计	1930年 常住人口	1930年 在外常住人口	1936年 合计	1936年 常住人口	1936年 在外常住人口	1946年 合计	1946年 常住人口	1946年 在外常住人口	阶级	1947年 合计	1947年 常住人口	1947年 在外常住人口
甲	1	2	3	4	5	6	7	8	9	甲	10	11	12
合计	11852	11199	653	12025	11258	767	13430	12485	945	合计	17304	14906	2398
地主	565	498	67	537	447	90	465	390	75	上中农	5395	4354.79	1040
富农	1441	1365	76	1253	1184	69	968	913	55	中农	8499	7446	1053
中农	4401	4199	202	5133	4874.67	258	7099	6651	448	下中农	2703	2557	146
贫农	4532	4315	217	4325	4068.83	256	4568	4251	317	贫农	353	331	22
雇农	673	623	50	524	487	37	137	130	7	其它	354	217	137
其它	240	199	41	253	196	57	193	150	43				

2. 构成

阶级	1930年 合计	1930年 常住人口	1930年 在外常住人口	1936年 合计	1936年 常住人口	1936年 在外常住人口	1946年 合计	1946年 常住人口	1946年 在外常住人口	阶级	1947年 合计	1947年 常住人口	1947年 在外常住人口
合计	100	94.49	5.51	100	93.62	6.38	100	92.96	7.04	合计	100	86.14	13.86
地主	100	88.14	11.86	100	83.24	16.76	100	83.57	16.13	上中农	100	80.72	19.28
富农	100	94.73	5.27	100	94.49	5.51	100	94.32	5.68	中农	100	87.61	12.39
中农	100	95.41	4.59	100	94.97	5.03	100	93.69	6.31	下中农	100	94.6	5.4
贫农	100	95.21	4.79	100	94.08	5.92	100	93.06	6.94	贫农	100	93.77	6.23
雇农	100	92.57	7.43	100	92.94	7.06	100	94.89	5.11	其它	100	61.3	38.7
其它	100	82.92	17.58	100	77.47	22.53	100	77.72	22.28				

·2·

调查户数的增长

(1) （定基比） 3表

	1930		1936		1946		1957		
	户数	指数（%）	户数	指数（%）	户数	指数（%）	阶级	户数	指数（%）
甲	1	2	3	4	5	6	甲	7	8
合计	2119	100	2272	107.22	2595	122.46	上中农	3178	149.98
地主	70	100	72	102.86	71	101.43	中农	996	×
富农	169	100	173	102.37	147	86.98	下中农	1522	×
中农	742	100	906	122.10	1285	173.18	贫农	507	×
贫农	915	100	917	100.22	996	108.85	其它	65	×
雇农	161	100	132	81.99	45	27.95		88	
其它	62	100	72	116.12	51	82.26			

调查户户的增长变化情况

1.增变数目　　4表

	期初调查户数	期内户的变动					
		分出	迁入	合併	迁出	绝灭	增长户数
甲	1	2	3	4	5	6	7(2+3-4-5-6)
1930—1936	2119	246	20	1	54	58	153
1937—1946	2272	370	35	11	44	68	282
1947—1957	2595	650	66	12	65	56	583

2.佔期初的(‰)

1930—1936	1000	116.10	9.44	0.47	25.48	27.37	72.22
1937—1946	1000	162.85	15.40	4.84	19.37	29.93	124.12
1947—1957	1000	250.48	25.43	4.62	25.05	21.58	224.66

··4·

调查户的阶级构成

1 户数　5表

年份	总户数	地主	富农	上中农	中农	下中农	贫农	雇农	其它
甲	1	2	3	4	5	6	7	8	9
1930年	2119	70	169	—	742	—	915	161	62
1936年	2272	72	173	—	906	—	917	132	72
1946年	2595	71	147	—	1285	—	996	45	51
入社前成份	3002	2.4	44	201	1986	463	245	—	39
1957年	3178	—	—	996	1522	507	65	—	88
乙、构成（%）									
1930年	100	3.30	7.98	—	35.02	—	43.18	7.60	2.92
1936年	100	3.17	7.61	—	39.88	—	40.36	5.81	3.17
1946年	100	2.74	5.66	—	49.52	—	38.38	1.73	1.97
入社前成份	100	—	—	6.70	66.16	15.42	8.16	—	1.29
1957年	100	—	—	31.34	47.89	15.95	2.05	—	2.77

·5·

调查户28年来阶级演变的原因

1. 上升原因及构成　6表

阶级	上升户数	投机或剥削	占上升户数%	土改	占上升户数%	人员就业勤俭及家庭	占上升户数%	其它	占上升户数%
甲	1	2	3	4	5	6	7	8	9
合计	2140	52	2.43	874	40.84	978	45.70	236	11.03
富农	6	6	100						
中农	627	15	2.39			602	96.01	10	1.60
贫农	1307	22	1.68	812	62.13	262	20.05	211	16.14
佃农	150	3	2.00	52	34.67	92	61.33	3	2.00
其它	50	6	12.00	10	20.00	22	44.00	12	24.00

2. 下降的原因及其构成

7表

阶级	下降户数	投机或剥削失败	占下降户数%	土改	占下降户数%	分家	占下降户数%	赌博及其它不正当的行为	占下降户数%	灾祸或其它意外事故	占下降户数%
甲	1	2	3	4	5	6	7	8	9	10	11
合计	836	52	6.22	218	26.08	464	55.50	32	3.83	70	8.37
地主	78	2	2.56	62	79.49			10	12.82	4	5.13
富农	305	10	3.28	155	50.82	103	33.77	10	3.28	27	8.85
中农	422	22	5.21	1	0.24	349	82.70	11	2.61	39	9.24
贫农	18	11	61.11			6	33.33	1	5.56		
其它	13	7	53.85			6	46.15				

·7·

调查户常住人口增长（定基比）

8表

甲	1930年 人口数	1936年 人口数	1936年 为30年的%	1946年 人口数	1946年 为30年的%	1957年 人口数	1957年 为30年的%
	1	2	3	4	5	6	7
合计	11199	11258	100.52	12485	111.48	14906	133.10
地主	498	447	89.67	390	78.23	×	×
富农	1365	1184	86.71	913	66.86	×	×
中农	4199	4874.67	116.11	6651	158.41	×	×
贫农	4315	4068.83	94.30	4251	98.52	×	×
雇农	623	487	78.17	130	20.87	×	×
其它	199	196	98.49	150	75.38	×	×

·8·

调查户每调查年度人口自然增长率（‰）

9表

阶级	1930年		1936年		1946年		1957年		
	出生率	死亡率	出生率	死亡率	出生率	死亡率	阶级	出生率	死亡率
甲	1	2	3	4	5.	6	甲	7	8
合计	12.14	2.53	10.67	3.67	13.11	3.28	合计	18.71	5.97
地主	28.23	—	10.38	—	21.74	—	上中农	18	7.71
富农	25.89	3.70	20.56	10.28	15.94	3.98	中农	19.01	4.55
中农	9.77	3.11	12.42	3.76	13.58	4.10	下中农	22.57	5.94
贫农	9.14	1.92	4.87	4.23	11.04	1.77	贫农	9.17	9.17
佃农	8.13	2.71	7.09	—	—	—	其它		

·9·

调查户常住人口劳动力及其构成

1、劳动力数　10表

阶级	1930年			1936年			1946年			1957年			
	总劳动力数	常住劳力数	在外劳力数	总劳动力数	常住劳力数	在外劳力数	总劳动力数	常住劳力数	在外劳力数	阶级	总劳动力数	常住劳力数	在外劳力数
甲	1	2	3	4	5	6	7	8	9	甲	10	11	12
合计	7544	6979	565	7703	7030	673	8595	7749	846	合计	9447	7697	1750
地主	352	287	65	330	254	76	302	235	67	上中农	3308	2555	753
富农	872	801	71	771	708	63	617	567	50	中农	4555	3789	766
中农	2798	2628	170	3239	3010	229	4456	4095	361	下中农	1240	1124	116
贫农	2865	2683	182	2830.5	2606.5	224	2991	2665	326	贫农	160	142	18
雇农	490	448	42	359.5	327.5	32	91	84	7	其它	184	87	97
其它	167	132	35	173	124	49	138	103	35				
2、构成（%）													
合计	100	92.51	7.49	100	91.26	8.74	100	90.16	9.84	合计	100	81.48	18.52
地主	100	81.53	18.47	100	76.97	23.03	100	77.81	22.19	上中农	100	77.24	22.76
富农	100	91.86	8.12	100	91.83	8.17	100	91.9	8.1	中农	100	83.18	16.82
中农	100	93.92	6.08	100	92.93	7.07	100	91.1	8.9	下中农	100	90.65	9.35
贫农	100	93.65	6.35	100	92.09	7.91	100	89.1	10.9	贫农	100	88.75	11.25
雇农	100	91.43	8.57	100	91.1	8.9	100	92.31	7.69	其它	100	47.28	52.72
其它	100	79.04	20.96	100	71.68	28.32	100	74.64	25.36				

·10·

调查户常住人口劳动力的职业构成

1. 劳动力数　　　　11表

年份	劳动力数	其中：职业状况									
		个体农民	个体手工业者	产业工人	小商贩	乡社干部	各类合作社员	自由职业者	宗教及迷信职业者	旧军政机关人员	其他劳动者
甲	1	2	3	4	5	6	7	8	9	10	11
1930	6979	3529	42		61			14	1		45
1936	7030	3564	47		69			19	2		49
1946	7749	3982	35	1	60			17	3		45
1957	7697	11	3	13	28	147	5774	10	1		79

乙. 构成（%）

年份	劳动力数	个体农民	个体手工业者	产业工人	小商贩	乡社干部	各类合作社员	自由职业者	宗教及迷信职业者	旧军政机关人员	其他劳动者
1930	100	50.49	0.60		0.87			0.20	0.01		0.64
1936	100	50.70	0.67		0.98			0.27	0.03		0.70
1946	100	51.39	0.45	0.01	0.77			0.22	0.04		0.58
1957	100	0.14	0.04	0.17	0.36	1.91	75.01	0.12	0.01		1.03

·11·

调查户在外人口劳动力的职业构成

续2　　　　　　　　　　　　　　　　　　　　　　　　1、劳动力数　12表

年份	劳动力数	其中职业状况							
		个体手工业者	产业工人	小商贩	各类合作社员	自由职业者	宗教及迷信职业者	旧军政机关人员	其它劳动者
甲	1	2	3	4	5	6	7	8	9
1930	565	32	29	66		33	9	90	85
1936	673	24	47	72		25	5	101	118
1946	846	18	45	57		16	6	116	93
1957	1750	7	305	18	45	14		11	126

2、构成（%）

年份	劳动力数	个体手工业者	产业工人	小商贩	各类合作社员	自由职业者	宗教及迷信职业者	旧军政机关人员	其它劳动者
1930	100	5.66	5.13	11.68		5.84	1.59	15.93	15.04
1936	100	3.57	6.98	10.70		3.71	0.74	15.01	17.53
1946	100	2.13	5.32	6.74		1.89	0.71	13.71	10.99
1957	100	0.40	17.43	1.03	2.57	0.80		0.63	7.20

历年农村常住人口文化普及情况

13表

1、各类人数

阶级	1930年 十四岁以上人数	1930年 文盲	1930年 初小	1930年 高小	1930年 初中以上	1936年 十四岁以上人数	1936年 文盲	1936年 初小	1936年 高小	1936年 初中以上	1946年 十四岁以上人数	1946年 文盲	1946年 初小	1946年 高小	1946年 初中以上	阶级	1957年 十四岁以上人数	1957年 文盲	1957年 初小	1957年 高小	1957年 初中以上
甲	1	2	3	4	5	6	7	8	9	10	11	12	13	14	15	甲	16	17	18	19	20
合计	7767	6927	621	185	34	7963	6921	776	234	32	8707	7262	1053	334	58	合计	9071	6732	1377	726	236
地主	328	228	48	39	13	309	214	46	37	12	266	175	45	34	12	上中农	2945	2114	474	261	96
富农	907	717	132	48	10	811	622	124	57	8	630	450	112	48	20	中农	4484	3383	658	335	108
中农	2914	2586	264	62	2	3429.17	2919.17	399	103	8	4613	3772	620	201	20	下中农	1335	1029	191	96	19
贫农	2995	2809	152	31	3	2926.83	2712.83	180	31	3	2990	2682	264	40	4	贫农	182	122	35	21	4
佃农	418	459	17	2		348	330	17	1		96	94	1	1	0						
其它	145	128	8	3	6	139	123	10	5	1	112	89	11	10	2	其它	125	84	19	13	9
2、构成（%）																					
合计	100	89.19	8.00	2.38	0.44	100	86.91	9.75	2.94	0.40	100	83.41	12.09	3.83	0.67	合计	100	74.23	15.18	8.00	2.59
地主	100	69.51	14.63	11.89	3.97	100	69.26	14.89	11.97	3.91	100	65.79	16.92	12.78	4.51	上中农	100	71.78	16.10	8.86	3.26
富农	100	79.05	14.56	5.29	1.1	100	76.69	15.29	7.03	0.99	100	71.43	17.78	7.62	3.17	中农	100	75.44	14.68	7.47	2.41
中农	100	88.74	9.06	2.13	0.07	100	85.13	11.64	3.00	0.23	100	81.77	13.44	4.36	0.43	下中农	100	77.08	14.31	7.19	1.42
贫农	100	93.79	5.07	1.04	0.10	100	92.69	6.15	1.06	0.10	100	89.70	8.83	1.34	0.13	贫农	100	67.03	19.23	11.54	2.20
佃农	100	96.02	3.56	0.42		100	94.83	4.89	0.28		100	97.92	1.04	1.04			1				
其它	100	88.27	5.52	2.07	4.14	100	88.49	7.19	3.60	0.72	100	79.46	9.82	8.93	1.79	其它	100	67.20	15.20	10.40	7.20

·13·

调查户耕地面积佔有情况

14表

1. 面积　　单位：亩

	1930				1936				1946			
	佔有土地户	人数	耕地面积	每人平均	佔有土地户	人数	耕地面积	每人平均	佔有土地户	人数	耕地面积	每人平均
甲	1	2	3	4	5	6	7	8	9	10	11	12
合计	1975	11199	41514.36	3.71	2136	11258	40969.64	3.55	2475	12485	41526	3.35
地主	70	498	6901.87	13.85	72	447	6121	13.69	71	390	4378	11.23
富农	167	1365	10147.55	7.43	173	1184	9207.73	7.78	147	913	6464	7.08
中农	742	4197	16283.34	3.88	906	4874.67	18218.21	3.53	1285	6651	22889	3.49
贫农	856	4315	7491.15	1.74	858	4068.83	6873.41	1.69	940	4251	7634	1.80
雇农	112	623	449.25	0.80	102	487	446.95	0.91	18	130	97	0.75
其它	21	199	191.19	0.96	25	196	102.35	0.52	14	150	64	0.43

2. 构成比（%）

	1	2	3	4	5	6	7	8	9	10	11	12
合计	100	100	100	—	100	100	100	—	100	100	100	—
地主	3.80	4.45	16.63	—	3.37	3.97	15.31	—	2.87	3.12	10.47	—
富农	8.37	12.19	24.44	—	8.09	10.52	23.03	—	5.94	7.31	15.45	—
中农	38.23	37.49	39.22	—	42.42	43.30	43.08	—	51.92	53.27	55.44	—
贫农	42.88	38.53	18.04	—	40.17	36.14	17.20	—	37.98	34.05	18.25	—
雇农	5.61	5.56	1.21	—	4.78	4.33	1.12	—	0.73	1.04	0.23	—
其它	1.05	1.78	0.46	—	1.17	1.74	0.26	—	0.56	1.20	0.15	—

·14·

调查户耕地面积的水浇地情况

1 面积　15表

	1930			1936			1946		
	水浇地（亩）	水浇地佔耕地%	水井（眼）	水浇地（亩）	水浇地佔耕地%	水井（眼）	水浇地（亩）	水浇地佔耕地%	水井（眼）
甲	1	2	3	4	5	6	7	8	9
合计	6969.72	16.79	841	2910.85	19.31	814	9390	22.6	988
地主	990.40	14.34	57	816.3	13.34	50.38	778	17.77	61
富农	1531.96	15.10	150	2029.13	22.04	132	1817	28.81	114
中农	2974.45	18.27	390	3498.8	19.20	424	5195	22.70	578
贫农	1338.24	12.86	228	1466.42	21.33	198	1569	20.55	234
雇农	106.25	21.28	16	92.85	20.77	9.54	20	20.62	71
其它	28.40	14.86		7.35	7.18		11	17.19	0.25
乙 构成									
合计	100	—	100	100	—	100	100	—	1.00
地主	14.21	—	6.78	10.32	—	6.19	8.29	—	6.17
富农	21.98	—	17.84	25.65	—	16.22	19.35	—	11.54
中农	42.68	—	46.37	44.23	—	52.09	55.32	—	58.50
贫农	19.20	—	27.11	18.54	—	24.32	16.71	—	23.68
雇农	1.52	—	1.90	1.17	—	1.17	0.21	—	0.10
其它	0.41	—		0.09	—		0.12	—	0.03

·15·

调查户房屋佔有情况

1.佔有数　　单位：间　16表

	1930			1936			1946			1957			
	佔有房屋	其中：砖房	每户平均	佔有房屋	其中：砖房	每户平均	佔有房屋	其中：砖房	每户平均	阶级	佔有房屋	其中：砖房	每户平均
甲	1	2	3	4	5	6	7	8	9	10	11	12	13
合计	10777	4476.5	5.08	11023	4736	4.85	11249	5131	4.33	合计	11939	6280.5	3.75
地主	1063.50	498.51	15.19	997	497	13.85	793	406	11.17	上中农	4169	2129.5	4.19
富农	1796	876	10.63	1704	841	9.85	1209	691	8.22	中农	5791	3376.50	3.80
中农	4202.33	1764.5	5.06	4856.5	2172.5	5.36	6093	2911	4.74	下中农	1491	688.00	2.49
贫农	3207	1146.5	3.5	2993.5	1074	3.24	2936	1094	2.95	贫农	224	48.5	3.45
佃农	370.5	164.5	2.3	303.5	132.5	2.50	83	8	1.84	其它	264	38	3
其它	137.5	26.5	2.22	168	18.5	2.33	135	21	2.65				
乙、构成（%）													
合计	100	100	—	100	100	—	100	100	—	合计	100	100	—
地主	9.87	11.14	—	9.04	10.49	—	7.05	7.91	—	上中农	34.92	33.91	—
富农	16.66	19.57	—	15.46	17.76	—	10.75	13.47	—	中农	48.50	53.76	—
中农	39.00	39.42	—	44.06	45.87	—	54.16	56.73	—	下中农	12.49	10.95	—
贫农	29.76	25.61	—	27.16	22.68	—	26.10	21.32	—	贫农	1.88	0.77	—
佃农	3.44	3.67	—	2.75	2.80	—	0.74	0.16	—	其它	2.21	0.61	—
其它	1.27	0.59	—	1.53	0.4	—	1.20	0.41	—				—

·16·

调查户牲畜佔有情况

1. 佔有数　17表

甲	1930 大牲畜（头）	1930 猪羊（头）	1930 每户平均 大牲畜	1930 每户平均 猪羊	1936 大牲畜（头）	1936 猪羊（头）	1936 每户平均 大牲畜	1936 每户平均 猪羊	1946 大牲畜（头）	1946 猪羊（头）	1946 每户平均 大牲畜	1946 每户平均 猪羊
甲	1	2	3	4	5	6	7	8	9	10	11	12
合计	953	795	0.45	0.38	938	821	0.41	0.36	1029	831	0.40	0.32
地主	118	71	1.69	1.01	91	51.5	1.26	0.72	70	58	0.99	0.82
富农	234	259	1.38	1.53	199	237	1.15	1.37	133	87	0.90	0.59
中农	490	302	0.66	0.41	517	352	0.57	0.39	651	465	0.51	0.36
贫农	107	156	0.12	0.17	126	174	0.14	0.19	171	215	0.17	0.22
雇农	4	4	0.02	0.02	5	4.5	0.04	0.03	1	3	0.02	0.07
其它	1	3	0.02	0.05		2		0.03	3	3	0.06	0.06

2. 定基增长速度

甲	1930 大牲畜	1930 猪羊	1930 每户平均 大牲畜	1930 每户平均 猪羊	1936 大牲畜	1936 猪羊	1936 每户平均 大牲畜	1936 每户平均 猪羊	1946 大牲畜	1946 猪羊	1946 每户平均 大牲畜	1946 每户平均 猪羊
合计	100	100	—	—	98.43	103.27	—	—	107.97	104.53	—	—
地主	100	100	—	—	77.12	72.54	—	—	59.32	81.69	—	—
富农	100	100	—	—	85.04	91.51	—	—	56.84	33.59	—	—
中农	100	100	—	—	105.51	116.56	—	—	132.86	153.97	—	—
贫农	100	100	—	—	117.76	111.54	—	—	159.81	137.82	—	—
雇农	100	100	—	—	125	112.5	—	—	25	75	—	—
其它	100	100	—	—		66.67	—	—	300	100	—	—

·17·

调查户每户平均拥有耐用用具

1. 占有数　18表

	1930				1936				1946					1957				
	自行车（辆）	手电筒（个）	热水瓶（个）	被褥（条）	自行车（辆）	手电筒（个）	热水瓶（个）	被褥（条）	自行车（辆）	手电筒（个）	热水瓶（个）	被褥（条）	阶级	自行车（辆）	手电筒（个）	矿石收音机（个）	热水瓶（个）	被褥（条）
甲	1	2	3	4	5	6	7	8	9	10	11	12	甲	13	14	15	16	17
合计	7	6	2	12433	21	9	4	13011	17	22	18	14741	合计	121	745	391	1089	1801[illegible]
地主	4	3	1	1011	3.3	3	2	874	1	5	5	712	上中农	79	349	201	514	6200
富农	2	2		2042	9	2	1	1811	6	7	5	1592	中农	18	291	137	394	8606
中农	1			4646	4	3	1	5769	8	8	3	7864	下中农	7	71	32	114	2494
贫农		1		3969	3	1		3862	2	2	4	4261	贫农		16	8	23	382
雇农			1	511	1			412				115	其它	17	18	13	44	333
其他				254	1			283			1	197						
2、每户平均																		
合计	0.33	0.28	0.09	586.74	0.99	0.40	0.18	572.67	0.66	0.85	0.69	568.06	合计	3.81	23.44	12.30	34.27	566.87
地主	5.71	4.29	1.40	1444.30	4.58	4.17	2.78	1213.59	1.41	7.04	7.04	1002.82	上中农	7.93	35.04	20.18	51.61	622.49
富农	1.18	1.18		1208.28	5.20	1.16	0.59	1046.82	4.08	4.76	3.40	1082.99	中农	1.18	19.12	9.00	25.89	565.44
中农	0.13			626.15	0.44	0.33	0.11	636.75	0.62	0.62	0.23	611.98	下中农	1.38	14.00	6.31	22.49	491.91
贫农		0.11		433.77	0.33	0.11		421.16	0.20	0.20	0.40	427.81	贫农		24.62	12.31	35.38	587.60
雇农			0.62	317.39	0.76			312.12					其它	19.32	20.45	14.77	50.00	378.41
其他				409.68	1.39			393.05			1.96	386.27						

·18·

调查户生产工具占有情况

占有数　　19表

	1930				1936				1946			
	水车	大车		其它农具	水车	大车		其它农具	水车	大车		其它农具
		铁轮	胶轮			铁轮	胶轮			铁轮	胶轮	
甲	1	2	3	4	5	6	7	8	9	10	11	12
合计	111	553		2147	182	544	2	2228	248	533	7	2404
地主	9	59		221	15.33	54		188	18	49		179
富农	40	144		527.5	55	129		476.5	62	95	1	340
中农	57	308		1086	96	318	1	1266.5	150	339	4	1555
贫农	5	41		279.5	15	40	1	275	18	50	1	326
佃农				27	0.25	2		19				2
其它		1		6		1		3			1	2
乙、构成												
合计	100	100	100	100	100	100	100	100	100	100	100	100
地主	8.11	10.67		0.29	8.44	9.93		8.44	7.26	9.19	14.29	7.45
富农	36.04	26.04		24.57	30.29	23.71		21.39	25.00	17.83	57.14	14.14
中农	51.35	55.70		50.58	52.87	58.46	50	56.84	60.48	63.60	14.28	64.69
贫农	4.50	7.41		13.02	8.26	7.35	50	12.34	7.26	9.38	14.29	13.56
佃农				1.26	0.14	0.37		0.85				0.08
其它		0.18		0.28		0.18		0.14				0.08

·19·

㈡ 农村择偶关系分析表式

调查户耕地买卖关係及其构成

20表

1.耕地数　　单位：亩

阶级	1930—1936 买入	1930—1936 卖出	1937—1946 买入	1937—1946 卖出	1947—1957 买入	1947—1957 卖出
甲	1	2	3	4	5	6
合计	2075.8	2620.47	3935.35	2196.25	1536.48	921.43
地主	621.5	882.8	1.8	859.65		56.2
富农	386.2	537.97	166.2	328.3	298	221.6
中农	537.2	818.4	902.3	739.3	827.4	451.4
贫农	470	311	2779.4	228.9	391.98	189.23
雇农	51.9	23.8	78.35	13.6	19.1	
其它	9	46.5	7.3	26.5		3

2、构成

阶级	1930—1936 买入	1930—1936 卖出	1937—1946 买入	1937—1946 卖出	1947—1957 买入	1947—1957 卖出
合计	100	100	100	100	100	100
地主	29.94	33.69	0.04	39.14		6.10
富农	18.60	20.53	4.22	14.95	19.39	24.05
中农	25.88	31.23	22.93	33.66	53.85	48.99
贫农	22.64	11.87	70.63	10.42	25.51	20.54
雇农	2.5	0.91	1.99	0.62	1.25	
其它	0.44	1.77	0.19	1.21		0.32

·20·

调查户历年耕地面积的典当关系

1、典入情况　　21表

阶级	1930年				1936年				1946年			
	有典入户数	有典入户数占总户数%	典入耕地（亩）	典入面积占使用面积%	有典入户数	有典入户数占总户数%	典入耕地（亩）	典入面积占使用面积%	有典入户数	有典入户数占总户数%	典入耕地（亩）	典入面积占使用面积%
合计	120	5.66	590.02	1.40	103	4.53	473.48	1.09	122	4.70	699	1.65
地主	8	11.43	109	1.74	5	6.84	73.3	1.31	2	2.82	11	0.27
富农	11	6.51	70.40	0.69	4	2.31	41	0.45	/			
中农	55	7.41	242.87	1.45	42	4.64	169.73	0.92	46	3.58	296	1.27
贫农	39	4.26	138.55	1.69	41	4.47	155.45	2.06	70	7.03	369	4.35
雇农	5	3.11	23.20	4.27	8	6.06	26	5.12	3	6.67	16	14.95
其它	2	3.23	6	15.11	3	4.17	8	15.78	1	1.96	7	13.46

2、典出情况

阶级	1930年				1936年				1946年			
	有典出户数	有典出户占总户数%	典出耕地（亩）	典出面积占原有耕地%	有典出户数	有典出户占总户数%	典出耕地（亩）	典出面积占原有耕地%	有典出户数	有典出户占总户数%	典出耕地（亩）	典出面积占原有耕地%
合计	86	4.06	533.41	1.28	103	4.53	430	1.05	44	1.70	338	0.81
地主	4	0.57	121	0.18	20	27.78	54	0.88	5	7.04	89	2.03
富农	4	0.24	4.5	0.04	3	1.73	51.50	0.56	8	5.44	99	1.53
中农	26	3.50	153.3	0.94	34	3.75	190.20	1.04	25	1.95	123	0.54
贫农	34	3.72	138.6	1.85	30	3.27	93.87	1.36	3	0.03	7	0.09
雇农	15	9.32	51	10.22	14	10.61	13.80	3.09				
其它	3	4.84	65	34.01	4	5.56	26.25	25.65	3	5.88	20	31.25

调查户历年耕地面积的租佃关系

1. 租入情况　　22表

阶级	1930 有租入户数	1930 有租户占总户数%	1930 租入耕地（亩）	1930 租入面积占使用面积%	1936 有租入户数	1936 有租户占总户数%	1936 租入耕地（亩）	1936 租入面积占使用面积%	1946 有租入户数	1946 有租户占总户数%	1946 租入耕地（亩）	1946 租入面积占使用面积%
合计	192	9.06	1762	4.19	182	8.01	1900	4.60	163	6.28	1072	2.53
地主	7	10	189	3.03	8	1.11	485	8.67	2	2.82		
富农	12	7.10	240.70	2.35	8	4.62	169.2	1.84	5	3.40	50	0.80
中农	59	7.95	542.4	3.23	61	6.73	557.1	[illegible].02	58	4.51	510	2.18
贫农	99	10.82	685.9		99	10.80	621.3	8.25	94	9.44	501	5.83
雇农	10	6.21	96	17.67	3	2.27	58.50	11.52	2	4.44	4	3.74
其它	5	7.94	8	20.5	3	4.17	9	17.75	2	3.92	7	13.46

2、租出情况

阶级	1930 有租出户数	1930 有租户占总户数%	1930 租出耕地（亩）	1930 租出地面积占有耕%	1936 有租出户数	1936 有租户占总户数%	1936 出租耕地（亩）	1936 出租地面积占有耕%	1946 有租出户数	1946 有租户占总户数%	1946 出租耕地（亩）	1946 租出地面积占有耕%
合计	49	2.31	1265.53	2.30	50	2.20	1529.75	3.73	48	1.85	641	1.54
地主	15	21.43	807.05	11.69	15	20.83	1022.00	16.70	4	5.63	293	6.69
富农	8	4.73	191.5	1.89	7	4.05	173.65	1.89	15	10.20	142	2.20
中农	9	1.21	143.9	0.88	16	1.77	270.7	1.49	19	1.48	173	0.76
贫农	5	0.55	31	0.41	4	0.40	27	0.39	8	0.80	27	0.35
雇农	4	2.48	11.5	21.3	2	1.52						
其它	18	12.90	80.4	42.07	6	8.33	36.4	35.56	2	3.92	6	9.38

·22·

调查户的地租关系

1.缴纳地租情况 23表

一 合计

阶级	1930年						1936年						1946年					
	粮租(亩)	租额(斤)	折人民币(元)	钱租(亩)	租金(元)	合计(元)	粮租(亩)	租额(斤)	折人民币(元)	钱租(亩)	租金(元)	合计(元)	粮租(亩)	租额(斤)	折人民币(元)	钱租(亩)	租金(元)	合计(元)
甲	1	2	3	4	5	6	7	8	9	10	11	12	13	14	15	16	17	18(15+17)
合计	667.9	31995	2335.64	1094.1	5115.27	7450.91	1092.8	41074	2998.40	807.3	3676.96	6677.48	722	28700.50	2095.13	350	1972.30	4067.43
地主	157.5	9560	697.88	31.5	136.38	834.26	448.5	14520	1057.16	36.5	98	1187.96						
富农	49.7	1760	128.48	191	753.67	882.15	56.7	1850	135.05	112.5	438.27	573.32	47	1325	96.73	3	10	106.73
中农	212.7	9430	686.38	329.7	1493.06	2181.44	286.4	9897	722.48	270.7	1257.83	1982.43	313	11065.50	807.78	197	1050	1857.78
贫农	240.2	10635	776.38	445.7	2177.78	2954.16	284.2	14116	1030.47	337.1	1685.21	2715.68	358	16114	1176.32	143	850.62	2026.94
佃农	7.8	610	44.52	88.2	518.83	563.35	15	541	39.49	43.5	170.82	210.31	2	96	7	2	9.66	16.66
其它				8	35.55	35.55	2	150	10.95	7	26.83	37.78	2	100	7.30	5	52.02	59.32

二、平均每亩租金(元)

阶级	1	2	3	4	5	6	7	8	9	10	11	12	13	14	15	16	17	18
合计	—	47.90	3.50	—	4.68	4.23	—	37.59	2.74	—	4.55	3.51	—	39.75	2.90	—	5.64	3.79
地主	—	60.70	4.43	—	4.33	4.41	—	32.37	2.36	—	2.68	2.39	—			—		
富农	—	35.41	2.59	—	3.95	3.66	—	32.63	2.38	—	3.85	3.39	—	28.19	2.06	—	3.33	2.13
中农	—	44.33	3.24	—	4.53	3.95	—	34.56	2.52	—	4.65	3.56	—	35.35	2.58	—	5.33	3.64
贫农	—	44.28	3.23	—	4.89	4.31	—	49.67	3.63	—	4.99	4.37	—	45.01	3.29	—	5.95	4.05
佃农	—	78.21	5.71	—	5.88	5.87	—	36.07	2.63	—	3.93	3.60	—	48.00	3.50	—	4.83	4.17
其它	—			—	4.44	4.44	—	75	5.48	—	3.83	4.20	—	50.00	3.65	—	10.44	8.47

·23·

2、收租情况

一 合计　　　　　　　　　　　　　　　　　　　　　　　　24表

阶级	1930年						1936年						1946年					
	粮租(亩)	租额(斤)	折人民币(元)	钱租(亩)	租金(元)	合计(元)	粮租(亩)	租额(斤)	折人民币(元)	钱租(亩)	租金(元)	合计(元)	粮租(亩)	租额(斤)	折人民币(元)	钱租(亩)	租金(元)	合计(元)
甲	1	2	3	4	5	6	7	8	9	10	11	12	13	14	15	16	17	18
合计	461.45	27826	2031.30	803.9	5173.01	7204.31	835.2	20843	1521.54	694.55	4342.62	5864.16	309	14277	1042.22	332	2409.88	3452.10
地主	264.05	18666	1362.62	543	3401.68	4764.30	621.50	11469	837.24	400.50	2379.81	3217.05	120	5720	417.56	173	1720.83	2138.39
富农	50	2700	197.10	141.5	1134.69	1331.79	67.40	3100	226.30	106.25	740.41	966.71	79	3805	277.76	63	266	543.76
中农	84.9	3650	266.45	59	243.68	510.13	122.3	5439	397.05	148.40	961.53	1358.58	93	4102	299.45	80	322	621.45
贫农	14	580	42.34	17	84.86	127.20	16	345	25.18	11	96.07	121.25	14	500	36.50	13	74.55	111.05
雇农	6.5	380	27.74	5	14.55	42.29												
其它	42	1850	135.05	38.4	293.55	428.60	8	490	35.77	28.4	164.80	200.57	3	150	10.95	3	26.50	37.45

二、平均每亩租金（租额）

阶级	1	2	3	4	5	6	7	8	9	10	11	12	13	14	15	16	17	18
合计	—	60.30	4.40	—	6.43	5.69	—	24.96	1.82	—	6.25	3.83	—	46.20	3.37	—	7.26	5.24
地主	—	70.69	5.16	—	6.26	5.90	—	18.45	1.35	—	5.94	3.15	—	47.67	3.48	—	9.95	6.81
富农	—	54.00	3.94	—	8.02	6.85	—	46.00	3.36	—	6.97	5.57	—	48.16	3.52	—	4.22	3.83
中农	—	42.99	3.14	—	4.13	3.55	—	44.47	3.25	—	6.48	5.02	—	44.11	3.22	—	4.03	3.59
贫农	—	41.43	3.02	—	4.99	4.10	—	21.56	1.57	—	8.73	4.49	—	35.71	2.61	—	5.73	4.11
雇农	—	58.46	4.27	—	2.91	3.84	—			—			—			—		
其它	—	44.05	3.22	—	7.64	5.33	—	61.25	4.47	—	5.80	5.51	—	50.00	3.65	—	8.83	6.24

历年农村农业雇用关系

1. 雇入情况　　25表

雇用阶级	1930 有雇长工户数	1930 占该阶级户数%	1930 雇入工 长工(人)	1930 雇入工 短工(天)	1930 平均工资 长工(元)	1930 平均工资 短工(元)	1936 有雇长工户数	1936 占该阶级户数%	1936 雇入工 长工(人)	1936 雇入工 短工(天)	1936 平均工资 长工(元)	1936 平均工资 短工(元)	1946 有雇长工户数	1946 占该阶级户数%	1946 雇入工 长工(人)	1946 雇入工 短工(天)	1946 平均工资 长工(元)	1946 平均工资 短工(元)
甲	1	2	3	4	5	6	7	8	9	10	11	12	13	14	15	16	17	18
合计	197	9.07	278.5	20242	62.48	0.48	184	8.10	233	14886	61.95	0.51	116	4.48	135	11446	68.74	0.51
地主	56	80.00	108.5	8194	67.51	0.44	50	71.43	97	5931	65.37	0.54	34	47.89	54	5258	72	0.39
富农	113	66.86	136	6733	83.24	0.51	96	55.49	111	5139	62.86	0.51	58	39.46	63	2762	67.27	0.48
中农	28	3.77	34	5276	52.48	0.49	38	4.19	36	3746	50.79	0.45	24	1.87	18	3423	64.09	0.73
其它				39		0.34				20		0.44				3		0.44

2. 出雇情况

被雇阶级	1930 有出雇长工户数	1930 占该阶级户数%	1930 雇出工 长工(人)	1930 雇出工 短工(天)	1930 平均工资 长工(元)	1930 平均工资 短工(元)	1936 有出雇长工户数	1936 占该阶级户数%	1936 雇出工 长工(人)	1936 雇出工 短工(天)	1936 平均工资 长工(元)	1936 平均工资 短工(元)	1946 有出雇长工户数	1946 占该阶级户数%	1946 雇出工 长工(人)	1946 雇出工 短工(天)	1946 平均工资 长工(元)	1946 平均工资 短工(元)
甲	1	2	3	4	5	6	7	8	9	10	11	12	13	14	15	16	17	18
合计	278	15.29	325.5	52736	59.09	0.42	258	13.20	307	44213	60.65	0.44	102	4.29	132	33604	60.25	0.45
中农	5	0.67	5	9676	50.66	0.39	2	0.22	2	9470	91.90	0.45				8539		0.46
贫农	171	18.69	189.5	34757	59.24	0.42	169	18.43	194.50	30155	58.24	0.44	82	8.23	104	22470	63.27	0.45
雇农	102	63.35	131	7187	59.20	0.47	87	65.91	110.50	3853	64.30	0.43	20	44.44	28	2140	49.05	0.35
其它				1116		0.41				735		0.25				455	.	0.25

历年农村中、下层阶级的负债情况

26表

阶级	1930				1936				1946				阶级	1957			
	有负债户数	有负债户佔该阶层的%	负债金额（元）	支付利息（元）	有负债户数	有负债户佔该阶层的%	负债金额（元）	支付利息（元）	有负债户数	有负债户佔该阶级的%	负债金额（元）	支付利息（元）		有负债户数	有负债户佔该阶级的%	负债金额（元）	支付利息
甲	1	2	3	4	5	6	7	8	9	10	11	12	13	14	15	16	17
合计	383	18.07	52730.84	11669.12	691	30.41	20198.13	4537.11	57	2.20	3495.04	640.18	合计	796 3178	25.05	22934.39	1217.54
													上中农	203 996	20.38	6317.57	393.38
													中农	410 1522	26.94	11644.71	543.28
中农	144 742	19.41	29015.08	5750.84	314 906	34.66	10001.63	2137.51	28 1284	2.18	2233.80	361.80	下中农	166 507	32.74	3885.11	251.5
贫农	200 915	21.86	19414.62	4900.41	293 917	31.95	9130.25	2156.27	28 996	2.81	1196.24	255.88	贫农	12 65	18.46	534	28.07
佃农	32 161	19.88	2724.76	651.36	41 132	31.06	820.21	207.33	1 45	2.22	65.00	22.5					
其它	7 62	11.29	1576.38	366.51	43 72	59.72	246.07	36.00	51				其它	5 88	5.68	553	1.31
	有负债户每户平均																
合计	—	—	137.68	30.47	—	—	29.23	6.57	—	—	61.32	11.23	合计	—	—	28.81	1.53
	—	—			—	—			—	—			上中农	—	—	31.12	1.94
	—	—			—	—			—	—			中农	—	—	28.40	1.33
中农	—	—	201.49	39.94	—	—	31.85	6.81	—	—	79.78	12.92	下中农	—	—	23.40	1.52
贫农	—	—	97.07	24.50	—	—	31.16	7.36	—	—	42.72	9.14	贫农	—	—	44.50	2.34
佃农	—	—	85.15	20.36	—	—	20.01	5.06	—	—	65.00	22.50		—	—		
其它	—	—	225.20	52.36	—	—	5.72	0.84	—	—			其他	—	—	11060	0.26

借债对象及其构成

1.借债数　　单位：元　　27表

阶级	1930				1936				1946				阶级	1957			
	合计	其中			合计	其中			合计	其中				合计	其中		
		地富	银行	钱庄		地富	银行	钱庄		地富	银行	钱庄			中农	银行	信用社
甲	1	2	3	4	5	6	7	8	9	10	11	12	甲	13	14	15	16
合计	52730.84	41551.48	231.00	1168.92	20198.13	16405.22		1115.92	3495.04	2427.24	40.00	36.00	合计	22934.39	912.17	310	17036.28
中农	29015.08	23837.16		429.55	10001.63	8537.48		732.64	2233.80	1359.80		36.00	上中农	6317.57	151.17	152	4770.26
贫农	19414.62	15764.44		448.47	9130.22	7168.52		382.41	1196.24	1002.44	40		中农	11644.71	622	158	8551.97
雇农	2724.76	1755.38		290.96	820.21	699.21			65.00	65.00			下中农	3865.11	139		3377.11
其它	1576.38	194.50	231.00		246.07								贫农	534			324.00
													其它	553			13.00

二　构成　%

阶级	1930 合计	地富	银行	钱庄	1936 合计	地富	银行	钱庄	1946 合计	地富	银行	钱庄	阶级	1957 合计	中农	银行	信用社
合计	100	78.80	0.44	2.22	100	81.22		5.52	100	69.45	1.14	1.03	合计	100	3.98	1.36	74.28
中农	100	82.15	—	1.48	100	85.36		7.33	100	60.90		1.61	上中农	100	2.39	2.50	75.51
贫农	100	81.20	—	2.31	100	78.51		4.19	100	83.84	3.34		中农	100	5.34	1.36	73.44
雇农	100	64.42	—	16.87	100	85.25			100	100			下中农	100	3.58		86.92
其它	100	12.34	14.65		100				100				贫农	100			60.67
													其它	100			2.35

·27·

各调查村在反动时期所受损失

28表

年度	损失户数	烧毁房屋(间)	拆毁房屋(间)	霸佔土地(亩)	绑票勒索(元)	砍伐树木(株)	劫去粮食(斤)	劫去衣饰(件)	劫去牲畜(头)	劫去钱财(元)	杀死人数(人)	重伤残废人数(人)	抓壮丁人数(人)	义务劳役人数(人)
甲	1	2	3	4	5	6	7	8	9	10	11	12	13	14
合计	2967	108	110	452.40	34902.62	6410	271553	5367	219	6792.67	65	114	131	457725
1930—36	297	6	4	57.8	3027.27	302	12932	202	32	734.48	8	8	14	87581
1937—46	1541	93	63	354.5	30698.35	3072	149497	4060	142	4026.07	34	83	56	267835
1947—5.7	1129	9	43	40.10	1177	2436	109124	1105	45	2032.12	23	23	61	102307

·28·

历年土地平均价格表

单位：元 29表

年　　份	卖　　出	典　　出
甲	1	乙
1930 — 1936	41.07	13.79
1937 — 1946	33.55	19.50
1947 — 1957	22.78	19.62

·29·

(三) 农业及副业生产情况

调查户各种农作物播种面积构成

1.面积　　　　单位：亩　30表

年度	总播种面积	粮食作物								棉花	其它作物
		合计	小麦	玉米	谷子	高粱	薯类	大豆	其它杂粮		
甲	1	2	3	4	5	6	7	8	9	10	11
1930	53053.85	50589.95	16489.58	11215.15	7173.8	9333.4	1731.26	1630.92	2955.84	1276.13	1187.77
1936	52344	49198	16197	10901	6884	8714	1980	1663	2859	1881	1265
1946	53838	49372	16194	11212	6723	8583	2268	1816	2576	2728	1738
1957	1596.1	642	54.1	369.1	12.2	8.3	128.4	3.5	66.6	6.5	947.4
1958											

2.构成

年度	总播种面积	合计	小麦	玉米	谷子	高粱	薯类	大豆	其它杂粮	棉花	其它作物
1930	100	95.35	31.08	21.25	13.52	17.59	3.26	3.08	5.57	2.41	2.24
1936	100	93.99	30.94	20.83	13.15	16.65	3.78	3.18	5.46	3.59	2.42
1946	100	91.70	30.08	20.83	12.49	15.94	4.21	3.37	4.78	5.07	3.23
1957	100	40.23	3.39	23.13	0.76	0.52	8.05	0.22	4.16	0.41	59.36
1958	100										

·30·

调查户各阶级的农作物播种面积构成

31表

1.面积　　单位：亩

阶级	1930年				1936年				1946年				阶级	1957年			
	合计	粮食	棉花	其它	合计	粮食	棉花	其它	合计	粮食	棉花	其它		合计	粮食	棉花	其它
甲	1	2	3	4	5	6	7	8	9	10	11	12	甲	13	14	15	16
合计	53053.85	50589.95	1276.13	1187.77	52344	49198	1,881	1265	53838	49372	2728	1738	合计	1596	642	6.5	947.4
地主	7668.02	7367.47	205	95.55	6730.1	6399.35	210.5	120.5	4865	4555	173	137	上中农	392.66	153.71	0.5	238.45
富农	12779.4	12127.28	402.3	249.82	11653.01	10885.38	547.7	219.93	7937	7364	416	157	中农	853.59	333.17	2	518.42
中农	21165.5	20198.2	492.03	475.27	23236.66	21768.5	902.28	565.77	29824	27134	1658	1032	下中农	331.5	141.28		190.42
贫农	10665.38	10167.85	150.8	346.73	10041.11	9494.73	201	345.38	11013	10135	471	407	贫农	17.88	13.78	4	0.1
雇农	701.88	655.85	26	20	622.9	589.9	20	13	140	127	10	3					
其它	73.7	73.3		0.4	60.7	60.3		0.4	59	57		2	其它				

2.构成（%）

阶级	1930年				1936年				1946年				阶级	1957年			
	合计	粮食	棉花	其它	合计	粮食	棉花	其它	合计	粮食	棉花	其它		合计	粮食	棉花	其它
合计	100	95.36	2.40	2.24	100	93.99	3.59	2.42	100	91.70	5.07	3.23	合计	100	40.23	0.41	59.36
地主	100	96.08	2.67	1.25	100	95.09	3.13	1.78	100	93.63	3.56	2.81	上中农	100	39.15	0.12	60.73
富农	100	94.90	3.15	1.95	100	93.41	4.70	1.89	100	92.78	5.24	1.98	中农	100	39.03	0.24	60.73
中农	100	95.43	2.32	2.25	100	93.68	3.88	2.44	100	90.98	5.56	3.46	下中农	100	42.59		57.41
贫农	100	95.34	1.41	3.25	100	94.56	2	3.44	100	92.02	4.28	3.70	贫农	100	77.07	22.37	0.56
雇农	100	93.45	3.70	2.85	100	94.70	3.21	2.09	100	90.71	7.14	2.15		100			
其它	100	99.46		0.04	100	99.34		0.66	100	96.61		3.39	其它	100			

·31·

调查户历年粮、棉总产量增长情况

32表

	粮	食								
	1930	1936	1946	1957	1958	1930	1936	1946	1957	1958
甲	1	2	3	4	5	6	7	8	9	10
合计	5848538.74	5904360	5918757	6514878.21		102654	147333	228203	492263.6	
地主	953938.5	829829	575114	—	—	18914	20345	17970	—	—
富农	1398563.6	1318387	849816	—	—	34430	48264	38704	—	—
中农	2313362.1	2625765	3307295	—	—	33786	63650	131716	—	—
贫农	1096983.54	1050227	1166832	—	—	12402	13764	39303	—	—
雇农	77652	736930	13711	—	—	3122	1310	510	—	—
其它	8099	6459	5989	—	—	—	—	—	—	—
定基比										
合计	100	100.95	101.20	111.39		100	143.54	222.32	479.58	
地主	100	86.99	60.29	—	—	100	107.57	95.01	—	—
富农	100	94.27	60.77	—	—	100	140.18	112.41	—	—
中农	100	113.50	142.96	—	—	100	188.39	389.85	—	—
贫农	100	95.74	106.37	—	—	100	110.98	316.91	—	—
雇农	100	94.90	176.57	—	—	100	41.96	16.34	—	—
其它	100	79.75	73.95	—	—	—	—	—	—	—

·32·

调查户（按每人平均）历年主要农作物收益

33表

1.收益数量　　　　单位：斤

	粮		食			棉		花		
	1930	1936	1946	1957	1958	1930	1936	1946	1957	1958
甲	1	2	3	4	5	6	7	8	9	10
合计	522.24	524.46	474.07	437.09		9.17	13.09	18.28	33.03	
地主	1915.54	1856.44	1474.65	—	—	37.98	45.51	46.08	—	—
富农	1024.54	1113.50	930.80	—	—	25.22	40.76	42.39	—	—
中农	550.93	538.62	497.26	—	—	8.05	13.06	19.80	—	—
贫农	254.23	258.10	274.48	—	—	2.87	3.38	9.25	—	—
佃农	124.64	151.32	105.47	—	—	5.01	2.69	3.92	—	—
其它	406.98	329.54	399.27	—	—				—	—
2.动态数列（定基比）										
合计	100	100.43	90.78	83.70		100	142.75	199.35	360.20	
地主	100	96.91	76.98	—	—	100	119.83	121.33	—	—
富农	100	108.68	90.58	—	—	100	161.62	168.08	—	—
中农	100	97.77	90.26	—	—	100	162.24	245.96	—	—
贫农	100	101.52	107.97	—	—	100	117.77	322.30	—	—
佃农	100	121.41	84.62	—	—	100	53.69	78.24	—	—
其它	100	80.97	98.11	—	—	100	—	—	—	—

各调查年度农作物单位面积产量比较

1.产量

单位：亩斤 34表

阶级	1930 粮食	其中 小麦	玉米	薯类	杂粮	棉花	1936 粮食	其中 小麦	玉米	薯类	杂粮	棉花	1946 粮食	其中 小麦	玉米	薯类	杂粮	棉花	1957 粮食	其中 小麦	玉米	薯类	杂粮	棉花	1958 粮食	其中 小麦	玉米	薯类	杂粮	棉花
甲	1	2	3	4	5	6	7	8	9	10	11	12	13	14	15	16	17	18	19	20	21	22	23	24	25	26	27	28	29	30
合计	115.61	113.63	106.23	266.16	107.89	80.44	112.74	116.78	112.63	277.78	109.47	78.32	107.08	112.03	113.54	279.22	141.34	63.35	128.31	87.33	148.46	395.62	84.13	99.72	321.88	159.98	283.48	706.13	205.73	131.14
地主	129.48	129.51	116.16	285.5	109.28	92.26	123.15	127.65	126.60	282.33	101.81	96.65	118.21	141.89	110.04	305.88	119.78	103.87	×	×	×	×	×	×	×	×	×	×	×	×
富农	109.43	112.89	106.89	281.03	100.29	85.68	112.98	119.44	115.43	270.81	104.98	88.12	107.02	115.2	110.15	280.16	103.81	93.03	×	×	×	×	×	×	×	×	×	×	×	×
中农	109.3	111.98	105.99	261.63	109.75	68.67	113.	116.08	112.29	287.81	111.7	70.54	105.48	110.85	114.03	282.97	121.25	52.02	×	×	×	×	×	×	×	×	×	×	×	×
贫农	102.85	104.1	99.65	256.76	112.99	82.24	104.59	106.37	102.67	265.56	115.77	68.48	106.92	108.85	111.69	266.24	119.03	83.45	×	×	×	×	×	×	×	×	×	×	×	×
雇农	110.64	115.48	105.96	261.52	133.52	120.08	118.31	119.11	109.93	239.66	129.49	65.5	97.56	102.67	88.05	289	126.2	51	×	×	×	×	×	×	×	×	×	×	×	×
其它	109.89	96.67	104.14	233.33			106.41	97.12	102.86	250				92.13	97.08	196.67			×	×	×	×	×	×	×	×	×	×	×	×

2、动态数例（定基比）

阶级	1	2	3	4	5	6	7	8	9	10	11	12	13	14	15	16	17	18	19	20	21	22	23	24	25	26	27	28	29	30
合计	100	100	100	100	100	100		102.77	106.02	104.37	101.46	97.36		98.59	106.88	104.91	131	78.75												
地主	100	100	100	100	100	100		98.56	108.99	98.89	93.16	104.76		109.56	94.76	107.14	109.61	112.58	×	×	×	×	×	×	×	×	×	×	×	×
富农	100	100	100	100	100	100		105.8	107.99	96.36	104.68	102.97		102.05	103.05	99.69	103.51	108.71	×	×	×	×	×	×	×	×	×	×	×	×
中农	100	100	100	100	100	100		103.66	105.94	110.01	101.78	102.72		98.99	107.59	108.16	110.48	75.75	×	×	×	×	×	×	×	×	×	×	×	×
贫农	100	100	100	100	100	100		102.18	103.03	103.43	102.46	83.27		104.56	112.08	103.69	105.35	101.47	×	×	×	×	×	×	×	×	×	×	×	×
雇农	100	100	100	100	100	100		103.14	103.75	91.64	96.98	54.55		88.91	83.1	110.51	94.52	42.47	×	×	×	×	×	×	×	×	×	×	×	×
其它	100	100	100	100	100	100		100.46	98.77	107.14				95.3	93.22	84.29			×	×	×	×	×	×	×	×	×	×	×	×

农作物复种率

1、面积　　35表

阶级	1930年			1936年			1946年			1957年		
	使用面积(亩)	播种面积(亩)	复种指数%	使用面积(亩)	播种面积(亩)	复种指数%	使用面积(亩)	播种面积(亩)	复种面积%	使用面积(亩)	播种面积(亩)	复种面积%
甲	1	2	3(2÷1)	4	5	6(5÷4)	7	8	9(8÷7)	10	11	12(11÷10)
合计	42038.92	53053.85	126.20	41347.9	52344	126.59	42361.7	53838	127.09	43052.7	60389.45	140.27
地主	6247.32	7668.02	122.74	5592.3	6730.1	120.35	4106	4865	118.49	×	×	×
富农	10262.65	12779.4	124.52	9192.77	11653.01	126.76	6232	7937	127.36	×	×	×
中农	16769.31	21165.5	126.22	18472.64	23236.66	125.79	23345	29824	127.75	×	×	×
贫农	8176.59	10665.38	130.44	7531.54	10041.11	133.32	8508.7	11013	129.29	×	×	×
佃农	543.35	701.85	129.17	507.95	622.9	122.63	1171	140	119.66	×	×	×
其它	39.70	73.7	185.84	50.7	60.7	119.72	52	59	113.46	×	×	×
乙、构成												
合计	100	100	—	100	100	—	100	100	—			
地主	14.86	14.45	—	13.52	12.86	—	9.52	9.04	—	×	×	×
富农	24.41	24.09	—	22.23	22.26	—	14.81	14.74	—	×	×	×
中农	39.89	39.90	—	44.68	44.39	—	55.25	55.40	—	×	×	×
贫农	19.45	20.10	—	18.22	19.18	—	20.05	20.45	—	×	×	×
佃农	1.29	1.32	—	1.23	1.19	—	0.25	0.26	—	×	×	×
其它	0.01	0.14	—	0.12	0.12	—	0.12	0.11	—	×	×	×

·35·

調查户經营付.叶情况

单位：元 36表

阶级	1930				1936				1946				1957				
	常住人口劳动力	从业人数	从业人口占劳动力%	每从业者平均纯收入	常住人口劳动力	从业人数	从业人口占劳动力%	每从业者平均纯收入	常住人口劳动力	从业人数	从业人口占劳动力%	每从业者平均纯收入	阶级	常住人口劳动力	从业人数	从业人口占劳动力%	每从业者平[illegible]
甲	1	2	3	4	5	6	7	8	9	10	11	12	甲	13	14	15	16
合计	6979	694	9.94	90.29	7030	610	8.68	91.09	7749	623	8.04	65.82	合计	7697	737	9.58	38
地主	287	15	5.23	541.81	254	7	2.76	654.44	235	3	1.28	39.07	上中农	2555	150	5.87	46
富农	801	35	4.37	154.05	708	16	2.26	141.30	567	8	1.41	42.15	中农	3289	427	11.27	38
中农	2628	245	9.32	82.86	3010	240	7.97	85.04	4095	265	6.47	73.40	下中农	1124	147	13.08	26.[illegible]
貧农	2683	325	12.11	65.72	2606.5	300	11.51	78.62	2665	329	12.35	57.81	贫农	142	5	3.52	22.[illegible]
佃农	448	44	9.82	54.07	327.5	26	7.94	59.18	184	6	7.14	30.85	其它	87	8	9.20	253.
其它	132	30	22.73	136.82	124	21	16.94	151.82	103	12	11.65	157.75					

0.36..

调查户经营付业的收入及其动态（指纯收入）　37表

1、经营收入　　单位：元

阶级	1930年 有付业的户数	1930年 有付业的户数佔该阶层的%	1930年 经营收入	1930年 构成%	1936年 有付业户数	1936年 有付业户数佔该阶层的%	1936年 经营收入	1936年 构成%	1946年 有付业的户数	1946年 有付业户数佔该阶层的%	1946年 经营收入	1946年 构成%	阶级	1957年 有付业的户数	1957年 有付业户数佔该阶层的%	1957年 经营收入	1957年 构成%
甲	1	2	3	4	5	6	7	8	9	10	11	12	甲	13	14	15	16
合计	484	22.84	62662.06	100	460	20.25	55563.82	100	488	18.81	41004.53	100	合计	621	19.54	28615.72	100
地主	7	10.00	8127.17	12.97	4	5.56	4581.07	8.24	1	1.41	117.20	0.28	上中农	135	13.55	7030.86	24.57
富农	23	13.61	5391.90	8.61	13	7.51	2260.73	4.07	5	3.40	337.20	0.82	中农	352	23.13	15480.55	54.10
中农	152	20.49	21301.15	33.99	180	19.87	20410.69	36.73	210	16.34	19451.44	47.44	下中农	122	24.06	3962.31	13.86
贫农	250	27.32	21358.07	34.08	230	25.08	23584.53	42.45	457	25.80	19020.59	46.39	贫农	5	7.69	110.00	0.39
佇农	30	18.63	2379.08	3.80	19	14.39	1538.65	2.77	5	11.11	185.10	0.45	其它	7	7.95	2027.00	7.08
其它	22	35.48	4104.69	6.55	14	19.44	3188.15	5.74	10	19.61	1893.00	4.62					

2、动态数例（定基比）

阶级	1	2	3	4	5	6	7	8	9	10	11	12	阶级	13	14	15	16
合计	100	—	100	—	95.04	—	88.67	—	100.83	—	65.44	—	合计	128.31	—	45.67	
地主	100	—	100	—	57.14	—	56.30	—	14.29	—	1.44	—	上中农	×	×	×	×
富农	100	—	100	—	56.52	—	41.93	—	21.74	—	6.25	—	中农	×	×	×	×
中农	100	—	100	—	118.42	—	95.82	—	138.15	—	91.32	—	下中农	×	×	×	×
贫农	100	—	100	—	92.00	—	110.42	—	102.80	—	89.06	—	贫农	×	×	×	×
佇农	100	—	100	—	63.33	—	64.67	—	16.67	—	7.78	—	其它	×	×	×	×
其它	100	—	100	—	63.64	—	77.67	—	45.45	—	46.12	—					

·37·

调查户各种付业的构成和增长变化

38表

付种 业类	1930			1936			1946			1957		
	合计	构成%	指数%	合计	构成%	指数%	合计	构成%	指数%	合计	构成%	指数%
全部纯收入	62662.06	100	100	55563.82	100	88.67	41004.53	100	65.44	28615.72	100	45.67
其中：纺织业	24613.93	39.28	100	17377.57	31.27	70.60	8806.24	21.48	35.78	8786.00	30.70	35.70
编织业	1790.67	2.86	100	2125.93	3.83	118.72	2515.34	6.13	140.47	4794.96	16.76	267.77
食品加工	1408.50	2.25	100	998.41	1.80	70.17	496.62	1.21	35.26	120.00	0.42	8.52
独立工匠	1379.03	2.20	100	2760.67	4.97	200.19	2326.38	5.67	168.70	1578.80	5.52	114.49
运输业	1877.17	3	100	2061.63	3.71	109.83	3639.67	8.88	193.89	250.00	0.87	13.32
缝洗业	415.04	0.66	100	619.80	1.12	149.34	374.35	0.91	90.20	2740.03	9.58	660.18
熬淋业	716.25	1.14	100	455.22	0.82	63.56	391.40	0.95	54.65	616.40	2.15	86.06
猪毛加工业	1516.47	2.42	100	836.18	1.51	55.14	1087.25	2.65	71.70	102.00	0.36	6.73
饮食业	4097.54	6.54	100	4058.55	7.30	9905	4313.57	10.52	105.27	1658.00	5.79	40.46
动物饲养业	21.87	0.03	100	76.86	0.14	351.44						
打鱼业			100	28.82	0.05		29.08	0.07		7.00	0.02	
小商小贩	14021.35	22.38	100	16209.99	29.17	115.61	11975.42	29.21	85.41	7933.53	27.72	56.58

·38·

调查户纯收入的主要构成

1、收入

单位：元 39表

阶级	1930年			1936年			1946年			1957年			
	全部纯收入	其中		全部纯收入	其中		全部纯收入	其中		阶级	全部纯收入	其中	
		农业收入	付业收入		农业收入	付业收入		农业收入	付业收入			农业社收入	个体收入
甲	1	2	3	4	5	6	7	8	9	甲	10	11	12
合计	571450.13	402264.39	62468.08	596635.86	425092.75	61451.26	579548.93	451312.41	56224.86	合计	920154.59	565489.04	266871.35
地主	88008.47	64823.56	9757.09	72875.12	57189.85	4714.72	51040.24	43368.49	1087.78	上中农	383111.79	227817.62	132340.99
富农	113721.65	96643.07	8429.45	107315.87	94760.25	4932.43	67775.31	61427.27	2394.46	中农	390909.38	258258.77	89345.56
中农	193000.52	154551.47	17066.81	239017.70	190110.57	21139.18	300769.10	253816.50	36098.40	下中农	108694.09	68538.57	20589.48
贫农	141624.90	79794.49	21150.60	142739.81	77739.29	24476.04	144386.06	91209.32	22761.79	贫农	13817.51	10574.59	1888.41
雇农	20567.43	5642.21	1906.82	18723.97	4882.42	1352.54	4762.70	1023.39	449.47	其它	23621.84	299.54	22706.91
其它	14527.16	809.59	4157.31	15963.39	410.39	4836.35	10817.57	467.44	3452.96				

2、构成（%）

阶级	1	2	3	4	5	6	7	8	9	阶级	10	11	12
合计	100	70.39	10.93	100	71.25	10.30	100	86.87	10.82	合计	100	61.46	29.00
地主	100	73.66	11.09	100	78.48	6.47	100	84.97	2.13	上中农	100	59.47	34.54
富农	100	84.98	7.41	100	88.30	4.60	100	90.64	3.53	中农	100	66.07	22.86
中农	100	80.08	8.84	100	79.54	8.84	100	84.39	8.68	下中农	100	63.06	18.94
贫农	100	56.34	14.93	100	54.46	17.15	100	63.17	15.76	贫农	100	76.53	13.67
雇农	100	27.43	9.27	100	26.08	7.22	100	21.49	9.44	其它	100	1.27	96.13
其它	100	5.57	28.62	100	2.57	30.30	100	4.32	31.74				

（四）收支情况（水平）的分析

调查户每人平均收入及增长变化情况

1. 收入数　　单位：元　40表

阶级	1930年 总收入	1930年 纯收入	1936年 总收入	1936年 纯收入	1946年 总收入	1946年 纯收入	阶级	1957年 总收入	1957年 纯收入
甲	1	2	3	4	5	6	甲	7	8
合计	66.42	51.03	69.18	53.00	61.91	46.42	合计	91.96	61.73
地主	232.28	176.72	217.86	163.03	178.53	130.87	上中农	124.78	87.97
富农	113.61	83.31	124.96	90.64	103.07	74.23	中农	81.95	52.50
中农	61.75	45.96	65.74	49.03	61.58	45.22	下中农	67.51	42.53
贫农	40.75	32.82	43.28	35.08	43.16	33.97	贫农	63.43	41.74
雇农	36.31	33.01	42.74	38.45	40.01	36.64	其他	110.01	108.86
其他	74.74	73.	82.34	81.45	73.46	72.12			
2. 动态数列（定基比）									
合计	100	100	104.16	103.86	89.49	87.58	合计	138.45	120.97
地主	100	100	93.79	92.25	81.95	80.14	上中农	×	×
富农	100	100	122.99	108.80	82.48	81.30	中农	×	×
中农	100	100	105.46	106.68	93.67	92.23	下中农	×	×
贫农	100	100	106.88	105.89	92.72	96.84	贫农	×	×
雇农	100	100	117.71	116.48	93.61	95.29	其他	×	×
其他	100	100	173.46	111.58	89.22	88.55			

·40·

調查户(每人平均)收入及其动态

單位：元　41表

收入项目	1930年			1936年			1946年			1957年		
	合计	构成%	指数%	合计	构成%	指数%	合计	构成%	指数%	合计	构成%	指数%
甲	1	2	3	4	5	6	7	8	9	10	11	12
全部收入	66.42	100	100	69.18	100	104.14	61.91	100	93.21	91.96	100	138.45
其中：纯收入	51.03	76.83	100	53.00	76.1	103.29	46.42	74.98	90.97	61.73	67.13	120.97
1.农业收入	51.31	77.25	100	53.94	77.97	105.13	51.64	83.41	100.64	6.19	6.73	12.66
2.付业收入	5.58	8.4	100	5.56	8.04	99.64	4.50	7.27	80.65	2.98	3.24	53.41
3.工资收入	5.40	8.13	100	5.37	7.76	99.44	3.05	4.93	56.48	6.44	7.00	119.26
4.其它非生产性收入	4.13	6.22	100	4.31	6.23	104.36	2.72	4.39	65.86	10.05	10.93	243.34
其中：在外人口寄回	2.38	3.58	100	2.97	4.29	124.79	1.77	2.86	74.37	7.12	7.74	299.16
出租生产资料	0.93	1.43	100	0.74	1.07	115.05	0.41	0.66	44.09	0.60	0.65	64.52
補助救济赠送	0.13	0.2	100	0.16	0.23	170.92	0.19	0.31	146.15	1.56	1.7	120.0
5.从农业社取得收入			100							66.30	72.1	
其中：劳动报酬			100							37.94	41.27	

-41-

註：付业包括动物飼养和采集臭猎。

調查户(每人平均)各项收入及其动态

1、构成　　单位：元　42表

阶级	1930年 合计	1.农业收入	2.付业收入	3.工资收入	4.非生产性收入	其中：在外人寄回	1936年 合计	1.农业收入	2.付业收入	3.工资收入	4.非生产性收入	其中：在外人寄回	1946年 合計	1.农业收入	2.付业收入	3.工资收入	4.非生产性收入	其中：在外人寄回
甲	1	2	3	4	5	6	7	8	9	10	11	12	13	14	15	16	17	18
合计	66.42	51.31	5.58	5.40	4.13	2.38	69.18	53.94	5.46	5.37	4.41	2.97	61.91	51.64	4.45	3.05	2.77	1.77
地主	232.28	185.77	19.55	2.08	24.88	11.89	217.86	182.77	10.55	1.72	22.82	11.27	178.53	158.86	2.79		16.88	9.46
富农	113.61	101.11	0.17	0.53	5.80	3.66	124.94	114.33	4.17	0.29	6.15	5.03	103.07	96.12	2.62	0.31	4.02	3.10
中农	61.75	52.59	4.07	2.54	2.55	1.69	65.74	55.71	4.33	2.88	2.82	2.21	61.58	54.52	3.93	1.52	1.61	1.27
贫农	40.75	26.42	4.45	7.77	2.11	1.19	43.28	27.29	6.04	7.77	2.18	1.72	43.16	30.65	5.34	5.05	2.12	1.26
佣农	36.31	12.73	3.00	18.60	1.98	1.16	42.74	14.32	2.78	20.03	5.61	5.06	40.01	11.25	3.52	22.12	3.12	3.11
其他	74.74	5.81	20.89	13.94	34.10	13.89	82.34	2.99	24.67	19.88	37.80	11.25	73.46	4.45	22.39	22.57	23.55	9.12

阶级	1957年 合计	1.农业社收入	其中：劳动报酬	2.付业收入	3.工资收入	4.非生产性收入	其中：在外人寄回	5.植物栽培…
甲	19	20	21	22	23	24	25	26
合计	91.96	66.50	33.94	2.98	6.44	10.05	7.12	6.[cut off]
上中农	124.78	87.32	52.31	3.73	12.21	15.52	12.51	6[cut off]
中农	81.35	52.21	34.68	16.65	3.11	7.58	5.36	2.[cut off]
下中农	67.51	49.65	26.95	2.31	2.03	6.63	2.50	6.[cut off]
贫农	63.43	52.92	31.35	2.48	0.13	5.50	1.75	2.[cut off]
其它	110.01	2.45	1.33	0.94	66.02	34.32	21.64	0.[cut off]

2. 动态数例（定基比）

阶级	1	2	3	4	5	6	7	8	9	10	11	12	13	14	15	16	17	18
合计	100	100	100	100	100	100	104.16	105.13	97.85	99.44	106.78	124.79	93.20	100.64	79.75	56.48	67.07	74.37
地主	100	100	100	100	100	100	93.79	98.39	53.96	82.69	91.72	94.79	76.86	85.51	14.27		67.85	79.56
富农	100	100	100	100	100	100	109.97	113.07	67.59	54.72	106.03	137.43	90.72	95.06	42.46	58.49	69.31	84.70
中农	100	100	100	100	100	100	106.46	105.93	106.39	113.39	110.50	130.77	99.72	103.67	96.56	59.84	63.14	75.15
贫农	100	100	100	100	100	100	106.21	103.29	135.73	100	103.32	144.53	105.91	116.01	120	64.99	100.47	105.88
佣农	100	100	100	100	100	100	117.71	112.49	92.67	107.69	283.33	436.21	110.19	88.37	117.33	118.92	157.58	268.10
其它	100	100	100	100	100	100	110.17	51.40	118.09	142.61	102.05	80.99	98.29	76.74	109.57	161.91	69.06	65.66

阶级	19	20	21	22	23	24	25	26
合计	138.45	×	×	53.41	119.26	243.34	299.16	×
×	×	×	×	×	×	×	×	×
×	×	×	×	×	×	×	×	×
×	×	×	×	×	×	×	×	×
×	×	×	×	×	×	×	×	×
×	×	×	×	×	×	×	×	×
×	×	×	×	×	×	×	×	×

· 42

调查户（每人平均）口粮消费及其动态

43表

	1930年		1936年		1946年		1957年		
	口粮（斤）	基数%	口粮（斤）	为30年的%	口粮（斤）	为30年的%	阶级	口粮（斤）	为30年的%
甲	1	2	3	4	5	6	甲	7	8
合计	315	100	318	100.95	319	101.27	合计	353	112.06
地主	430	100	429	99.77	409	95.12	上中农	369	×
富农	397	100	396	99.75	386	97.22	中农	353	×
中农	322	100	324	100.62	328	101.86	下中农	341	×
贫农	268	100	277	103.36	280	104.48	贫农	351	×
佣农	252	100	255	101.19	264	104.76			
其他	278	100	287	102.88	304	109.35	其他	326	×

調查户（每人平均）主要生活用品及其动态

1.水平　　44表

阶级	1930年 肉类（斤）	1930年 食油（斤）	1930年 煤炭（斤）	1930年 棉布（尺）	1936年 肉类（斤）	1936年 食油（斤）	1936年 煤炭（斤）	1936年 棉布（尺）	1946年 肉类（斤）	1946年 食油（斤）	1946年 煤炭（斤）	1946年 棉布（尺）	阶级	1957年 肉类（斤）	1957年 食油（斤）	1957年 煤炭（斤）	1957年 棉布（尺）
甲	1	2	3	4	5	6	7	8	9	10	11	12	甲	13	14	15	16
合计	2.84	1.9	49.38	13.46	2.94	1.98	50.88	14.51	2.61	2.05	64.85	14.22	合计	2.32	2.84	276.74	17.19
地主	9.94	3.86	121.51	20.62	9.05	3.77	115.64	19.73	6.10	3.54	11.42	18.00	上中农	3.34	3.26	343.05	18.7
富农	5.69	2.94	75.37	17.84	5.86	3.08	61.5	19.42	5.13	3.17	9.06	16.84	中农	1.94	2.68	446.21	18.34
中农	2.67	1.92	40.77	14.39	2.79	1.98	50.87	14.84	2.67	2.044	74.4	14.70	下中农	1.36	2.48	217.97	11.77
贫农	1.13	1.27	30.48	10.17	1.3	1.4	30.53	12.12	1.54	1.57	57.2	12.56	贫农	3.3	3.03	255.03	10.79
雇农	1.01	1.14	14.77	11.99	1.07	1.2	22.32	11.93	1.63	3.86	32.00	10.24	其它	5.30	4.06	720.18	14.55
其它	2.89	2.35	286.1	11.56	6.05	2.45	254.18	10.87	3.23	2.21	40.18	12.34					

2.动态数列（定基比）

阶级	1930年 肉类	1930年 食油	1930年 煤炭	1930年 棉布	1936年 肉类	1936年 食油	1936年 煤炭	1936年 棉布	1946年 肉类	1946年 食油	1946年 煤炭	1946年 棉布	阶级	1957年 肉类	1957年 食油	1957年 煤炭	1957年 棉布
合计	100	100	100	100	103.52	104.21	103.04	107.80	88.73	103.54	127.46	98.00	合计	126.09	149.47	560.43	127.04
地主	100	100	100	100	91.05	97.67	95.17	95.68	67.40	93.90	98.75	91.23	×	×	×	×	×
富农	100	100	100	100	102.99	104.76	81.60	108.86	87.54	102.94	14.73	86.71	×	×	×	×	×
中农	100	100	100	100	104.49	103.13	124.77	103.13	95.70	103.23	140.26	99.06	×	×	×	×	×
贫农	100	100	100	100	115.04	110.24	100.16	119.17	118.46	112.14	187.36	103.63	×	×	×	×	×
雇农	100	100	100	100	105.94	105.26	151.12	99.50	152.34	306.67	143.37	85.83	×	×	×	×	×
其它	100	100	100	100	209.34	104.26	88.84	94.03	53.39	90.20	15.81	113.52	×	×	×	×	×

·44·

调查户（每人平均）烟、酒、医药费的支出及其动态

1. 水平　　45表

	1930年				1936年				1946年				1957年				
	纸烟（合）	烟叶（斤）	酒（斤）	医药费（元）	纸烟（合）	烟叶（斤）	酒（斤）	医药费（元）	纸烟（合）	烟叶（斤）	酒（斤）	医药费（元）	阶级	纸烟（合）	烟叶（斤）	酒（斤）	医药费（元）
甲	1	2	3	4	5	6	7	8	9	10	11	12	甲	13	14	15	16
合计	1.53	0.1	0.65	0.63	1.69	1	0.54	0.59	1.84	1.00	0.41	0.66	合计	4.74	0.93	0.29	2.01
地主	8.71	0.84	1.3	1.08	6.47	0.82	1.02	1.22	5.63	0.66	0.90	0.88	上中农	8.58	1.13	0.49	2.91
富农	3.05	1.06	1.67	1.69	4.59	1	1.31	0.88	3.06	1.44	0.81	1.08	中农	2.63	0.87	0.16	1.53
中农	0.9	0.98	0.39	0.51	1.05	0.93	0.43	0.71	1.62	0.89	0.32	0.77	下中农	2.55	0.81	0.25	1.37
贫农	0.41	1.03	0.49	0.32	0.66	1.09	0.34	0.33	1.03	1.11	0.38	0.34	贫农	6.93	6.87	0.29	1.37
佃农	0.79	1.03	0.25	0.82	0.54	1.31	0.22	0.10	2.10	2.05	0.24	0.14	其它	22.4	0.25	1.35	8.69
其他	6.39	0.73	1.1	0.65	7.61	0.93	1.23	0.10	14.40	0.61	0.93	1.45					

2. 动态数列（定基比）

	1	2	3	4	5	6	7	8	9	10	11	12	甲	13	14	15	16
合计	100	100	100	100	110.46	1000	83.08	93.65	108.88	100	75.93	111.86	合计	309.80	930.00	44.62	319.05
地主	100	100	100	100	74.28	97.62	78.46	112.96	87.02	80.49	88.24	72.13	×	×	×	×	×
富农	100	100	100	100	150.49	94.34	78.44	52.07	65.36	144.	61.83	122.73	×	×	×	×	×
中农	100	100	100	100	116.67	94.90	110.26	139.23	154.29	95.7	74.72	108.45	×	×	×	×	×
贫农	100	100	100	100	100.98	105.83	69.39	103.13	15.61	101.83	111.76	103.03	×	×	×	×	×
佃农	100	100	100	100	71.05	127.18	88.00	31.25	388.89	150.49	109.09	14.00	×	×	×	×	×
其他	100	100	100	100	119.09	127.4	111.82	15.38	189.22	65.59	75.61	145.00					

土改收益户分得财产情况

所级	总户数	其中：收益户数	房屋(间)	土地(亩)	粮食(斤)	牲畜(头)	农具(件)	(1)水车	(2)大车	(3)犁耙耧什	家具(件)	(1)箱子	(2)柜子	(3)缸	(4)桌子	现款(元)	取消借款(元)	退还押款(元)	取消欠款(元)	典地改死地(亩)	衣服(件)	门(付)	锅(个)	棉花(斤)	檩条(根)	树(棵)	木柴(斤)	其他
甲	1	2	3	4	5	6	7	8	9	10	11	12	13	14	15	16	17	18	19	20	21	22	23	24	25	26	27	2[illegible]
合计	2595	1055	567	6873	44144	39	120	3.66	10	32	398	7	61.33	80	106	1125	487	20		533.7	234	2	4	196	4	2	200	15
中农	1285	567	270.5	3463	23663	15.7	32	1.33	5	15	160	5	50.33	31	24	818	19			303		1						5
贫农	996	462	284.5	3271	19625	18.8	86	2	5	17	233	2	11.	49	82	307	468	20		226	234	1	4		4	2	200	9[illegible]
佃农	45	4	6	71	136	2														4								[illegible]
其他	51	22	6	68	720	2.5	2	0.33			5									0.2								[illegible]

·46

二 综合资料部分

（一）1930年调查资料

1930年调查户阶级成分及构成

第2表

	合计	地主	富农	中农	贫农	佣农	其它
甲	1	2	3	4	5	6	7
合计	2119	70	169	742	915	161	62
构成(%)	100	3.30	7.97	35.02	43.18	7.6	2.93

1930年人口与劳动力

一、合计　　　　　　　　　　　　　　　　　　续4表

阶级	户数	年末总人口数			在家常住人口						在外人口					
		合计	男	女	年内常住人口		其中：劳动力		年末常住人口		年内人口		其中：劳动力		年末人口	
					男	女	男	女	男	女	男	女	男	女	男	女
甲	1	2	3	4	5	6	7	8	9	10	11	12	13	14	15	16
合计	2119	11851	6309	5542	5759	5460	3661	3318	5791	5443	524	129	487	78	518	99
地主	70	570	266	304	209	289	104	183	209	294	57	10	57	8	57	10
富农	169	1461	722	739	634	731	341	460	655	732	69	7	66	5	67	7
中农	742	4392	2262	2130	2106	2093	1337	1291.5	2104	2096	162	40	144	26	158	34
贫农	915	4516	2507	2009	2331	1884	1511	1171.5	2344	1981	165	52	157	25	163	28
佃农	161	674	427	247	385	238	302	146	386	236	39	11	33	9	41	11
其它	62	238	125	113	94	105	66	66	93	104	32	9	30	5	32	9

二、每户平均

阶级	户数	合计	男	女	男	女	男	女	男	女	男	女	男	女	男	女
合计	—	5.59	2.98	2.61	2.72	2.57	1.73	1.57	2.74	2.57	0.25	0.06	0.23	0.04	0.24	0.04
地主	—	8.14	3.80	4.34	2.99	4.14	1.49	2.61	2.99	4.20	0.81	0.14	0.81	0.14	0.81	0.14
富农	—	8.65	4.21	4.37	3.73	4.33	2.02	2.72	3.88	4.34	0.41	0.04	0.39	0.03	0.39	0.04
中农	—	5.92	3.05	2.87	2.84	2.82	1.80	2.95	2.84	2.82	0.22	0.05	0.19	0.03	0.21	0.05
贫农	—	4.94	2.74	2.20	2.54	2.17	1.65	1.28	2.56	2.17	0.18	0.06	0.17	0.03	0.18	0.03
佃农	—	4.19	2.65	1.54	2.39	1.49	1.56	0.91	2.4	1.47	0.23	0.07	0.20	0.05	0.25	0.07
其它	—	3.84	2.02	1.82	1.51	1.69	1.06	1.06	1.50	1.68	0.52	0.14	0.48	0.08	0.52	0.14

·48·

1930年调查户常住人口劳动力的职业状况

一、合计 续5表

阶级	劳动力数	其中：职业状况									
		个体农民	个体手工业者	产业工人	小商贩	乡社干部	各类合作社员	自由职业者	宗教迷信职业者	党政机关人员	其它劳动者
甲	1	2	3	4	5	6	7	8	9	10	11
合计	5979	3524	42		61			14	1		45
地主	287	46			3			3			
富农	801	308	2		4			3			1
中农	2628.5	1336	18		6			2			9
贫农	2682.5	1531	12		26			3			18
雇农	448	286	5						1		2
其它	132	17	5		22			3			15

二、各类职业人数占常住人口劳动力的（%）

阶级	劳动力数	个体农民	个体手工业者	产业工人	小商贩	乡社干部	各类合作社员	自由职业者	宗教迷信职业者	党政机关人员	其它劳动者
合计	100	50.49	0.6		0.87			0.20	0.01		0.64
地主	100	16.03			1			1			
富农	100	38.45	0.25		0.50			0.37			0.12
中农	100	50.85	0.63		0.23			0.08			0.34
贫农	100	57.07	0.45		0.97			0.11			0.67
雇农	100	63.84	1.12						0.22		0.45
其它	100	12.88	3.79		16.67			2.27			11.36

·49·

1930年调查户在外人口劳动力职业状况

续6表

一、合计

阶级	劳动力数	其中：职业状况											
		军部军政机关国营企业职工	个体手工业者	佃农	小商贩	工商业资本家	旧军政机关人员	私营企业职工	自由职业者	宗教及迷信职业者	产业工人	各类合作社员	其它劳动者
甲	1	2	3	4	5	6	7	8	9	10	11	12	13
合计	565	1	32	8	66	19	90	99	33	9	29		85
地主	65				3	12	13	12	7		1		
富农	71		2		15	2	13	10	3	4			6
中农	170		5	1	17	2	34	33	8	2	12		33
贫农	182	1	14	2	26	1	24	39	5	3	15		26
佃农	42		11	5	2			4	1		1		11
其它	35				3	2	6	1	9				9

二、各类职业人数占在外人口劳动力的（%）

阶级	1	2	3	4	5	6	7	8	9	10	11	12	13
合计	100	0.18	5.66	1.42	11.68	3.36	15.93	17.52	5.84	1.59	5.13		15.04
地主	100				4.61	18.46	19.99	18.46	10.77		1.54		
富农	100		2.82		21.12	2.82	18.31	14.08	4.22	5.63			8.45
中农	100		2.94	0.59	10.00	1.18	20.00	19.41	4.71	1.18	7.06		19.41
贫农	100	0.55	7.69	1.1	14.29	0.55	13.19	21.43	2.75	1.65	8.24		14.29
佃农	100		26.19	11.90	4.76			9.52	2.38		2.38		26.19
其它	100				8.57	5.71	17.14	2.86	25.71				25.71

·50·

1930年调查户年内常住人口的文化状况

一、合计　　　　　　　　　　　　　　　　　　　　　　　　续7表

阶级	学龄儿童（7-13岁）	其中：在学人数	14岁以上人口	文化状况					
				文盲	初小程度	高小程度	初中程度	高中程度	大学程度
甲	1	2	3	4	5	6	7	8	9
合计	1554	348	7767	6927	621	185	21	11	2
地主	81	37	328	228	48	39	7	4	2
富农	197	82	907	717	132	48	7	3	
中农	580	130	2914	2586	264	62		2	
贫农	616	84	2995	2808	152	31	3		
佣农	63	6	478	458	17	2			
其它	17	9	145	128	8	3	4	2	

二、构成（%）

阶级	学龄儿童（7-13岁）	其中：在学人数	14岁以上人口	文盲	初小程度	高小程度	初中程度	高中程度	大学程度
合计	100	22.39	100	89.19	8.00	2.38	0.26	0.14	0.03
地主	100	45.68	100	69.51	14.63	11.89	2.14	1.22	0.61
富农	100	41.62	100	79.05	14.56	5.29	0.77	0.33	
中农	100	22.41	100	88.74	9.06	2.13		0.07	
贫农	100	13.64	100	93.77	5.07	1.04	0.10		
佣农	100	9.52	100	96.02	3.56	0.42			
其它	100	52.94	100	88.27	5.52	2.07	2.76	1.38	

1930年调查户在外人口的文化状况

一、合　计　　　　续8表

阶级	学龄儿童(7-13岁)	其中：在学人数	14岁以上的人口	文化状况					
				文盲	初小程度	高小程度	初中程度	高中程度	大学程度
甲	1	2	3	4	5	6	7	8	9
合计	23	9	570	309	132	80	33	7	9
地主	3	2	61	11	9	22	9	3	7
富农	2	2	67	13	27	16	7	3	1
中农	12	5	173	96	44	24	8		1
贫农	5		188	133	39	10	6		
雇农			43	37	4	2			
其他	1		38	19	9	6	3	1	

二、构成(%)

阶级	学龄儿童(7-13岁)	其中：在学人数	14岁以上的人口	文盲	初小程度	高小程度	初中程度	高中程度	大学程度
合计	100	39.13	100	54.21	23.16	14.03	5.79	1.23	1.58
地主	100	66.67	100	18.03	14.75	36.07	14.75	4.92	11.48
富农	100	100	100	19.40	40.3	23.88	10.45	4.48	1.49
中农	100	41.67	100	55.49	25.43	13.87	4.63		0.58
贫农	100	0	100	70.75	20.74	5.32	3.19		
雇农	100	—	100	86.05	9.30	4.65			
其他	100	0	100	50	23.68	15.79	7.90	2.63	

1930年调查户人口出生死亡情况表

续9表

阶级成分	户数	年内常住人口	年内出生	年内死亡	年内出生率（‰）	年内死亡率（‰）	年内净增殖率（‰）	上年常住人口数	备考
甲	1	2	3	4	5	6	7	8	9
合计	1152	5986	72	15	12.14	2.53	9.61	5929	
地主	50	355	7		28.23		28.23	248	
富农	109	829	21	3	25.89	3.70	22.19	811	
中农	415	2266	22	7	9.77	3.11	6.66	2251	
贫农	456	2073	19	4	9.14	1.92	7.22	2076	
雇农	98	371	3	1	8.13	2.71	5.42	369	
其他	24	72							

注：因相隔了年，一般农民对当年出生及死亡的婴儿忘记不报，故出生和死亡率可能稍低。

·53·

1930年农业雇用

第10表

一、合计

阶级	总户数	雇入·长工·有雇工户数	雇入·长工·占总户数(%)	雇入·长工·人数	雇入·长工·工资(元)	雇入·长工·平均工资	雇入·短零工·户数	雇入·短零工·占总户数(%)	雇入·短零工·天数	雇入·短零工·工资(元)	雇入·短零工·每户平均雇工(天)	雇入·短零工·每天平均工资	雇出·长工·有出雇工户数	雇出·长工·占总户数(%)	雇出·长工·人数	雇出·长工·工资(元)	雇出·长工·平均工资(元)	雇出·短零工·户数	雇出·短零工·占总户数%	雇出·短零工·天数	雇出·短零工·工资(元)	雇出·短零工·每天平均工资	雇出·短零工·每户平均出雇天数
甲	1	2	3	4	5	6	7	8	9	10	11	12	13	14	15	16	17	18	19	20	21	22	23
总计	2119	197	9.30	278.5	17501.58	62.48	307	14.49	20683	9861.63	67.37	0.48	277	13.12	225.5	19234.00	57.08	631	29.78	52736	22083.10	0.42	84
地主	701	56	8	138.5	2335.31	67.51	47	67.14	8174	3644.28	174	0.44											
富农	169	113	66.88	136	8232.34	60.34	99	58.58	6733	3451.76	68	0.51											
中农	742	28	3.77	34	1784.40	52.48	133	17.92	5276	2574.37	40	0.48	5	0.67	5	253.3	50.66	160	21.56	9676	3754.37	0.39	61
贫农	915						25	2.73	441	180.56	18	0.42	171	18.69	137.5	11225.15	59.24	388	42.41	34757	14516.5	0.42	90
雇农	161												102	63.35	131	7755.31	59.20	76	43.48	7187	3357.90	0.47	103
其他	62						3	4.84	39	13.36	13	0.34						13	20.97	1116	453.88	0.41	86

二、每户平均

阶级	1	2	3	4	5	6	7	8	9	10	11	12	13	14	15	16	17	18	19	20	21	22	23
合计	—	—	—	0.13	8.21	—	—	—	9.76	4.65	—	—	—	—	0.15	9.08	—	—	—	24.88	10.42	—	—
地主	—	—	—	1.55	104.65	—	—	—	11.06	52.02	—	—	—	—			—	—	—			—	—
富农	—	—	—	0.8	49.66	—	—	—	39.84	20.42	—	—	—	—			—	—	—			—	—
中农	—	—	—	0.05	2.40	—	—	—	7.1	3.47	—	—	—	—	0.001	0.34	—	—	—	13.04	5.06	—	—
贫农	—	—	—			—	—	—	0.5	0.2	—	—	—	—	0.23	12.27	—	—	—	37.98	15.86	—	—
雇农	—	—	—			—	—	—			—	—	—	—	0.81	48.17	—	—	—	44.64	20.86	—	—
其他	—	—	—			—	—	—	0.65	0.22	—	—	—	—			—	—	—	17.98	7.30	—	—

注：1. 长工和短工工资内不包括伙食部分。 2. 中农出雇户系本户出雇及雇入各一者。

1930土地占有与租典

单位：面积：亩
租额：谷市斤，元　　续11表

一、合计

阶级	总户数	占有耕地 户数	耕地 计	耕地构成	其中水浇地	非耕地	典入 户数	典入 耕地	典入 非耕地	典出 户数	典出 耕地	典出 非耕地	租入耕地 户数	粮租 面积（亩）	粮租 租额（斤）	钱租 面积（亩）	钱租 租额（元）	未有租价面积（亩）	租出耕地 户数	粮租 面积（亩）	粮租 租额（斤）	钱租 面积（亩）	钱租 租额（元）	未有租价面积（亩）	土地使用面积
序	1	2	3	4	5	6	7	8	9	10	11	12	13	14	15	16	17	18	19	20	21	22	23	24	25
合计	2119	1975	41512.36	100	6969.72	1535.75	120	590.02		86	533.4	0.2	190	667.9	31895	1094.1	5115.27	66.60	49	461.45	27826	803.9	5173.01	95.30	42038.9
地主	70	70	6901.87	16.63	770.4	130.3	8	109		4	121		7	157.5	9560	31.5	136.38		15	264.05	18666	543.00	3401.68	24.5	6247.3
富农	169	167	10147.55	24.41	1531.96	272.24	11	70.4		4	4.5		12	49.7	1760	191	753.67		8	50	2700	141.5	1134.69		10262.65
中农	742	742	16283.34	39.22	2974.45	579.59	55	242.87		26	153.3	0.2	59	212.7	9430	329.7	1493.06	3.45	9	84.9	3650	59	243.68	36.6	16769.3
贫农	915	856	7491.25	18.05	1338.26	430.02	39	138.55		34	138.61		98	240.2	10635	445.7	2177.78	30.5	5	14	580	17	84.86		8176.57
雇农	161	112	433.25	1.2	106.25	42.85	5	23.2		15	51		10	7.8	610	88.2	518.83	1.6	4	6.5	380	5	14.55	14.2	543.3
其他	62	21	191.1	0.46	28.4	48.75	2	6		3	65		5			8	35.55		8	42	1850	38.4	293.55	20	39.7

二、每户平均

阶级	总户数	占有耕地 户数	耕地 计	耕地构成	其中水浇地	非耕地	典入 户数	典入 耕地	典入 非耕地	典出 户数	典出 耕地	典出 非耕地	租入耕地 户数	粮租 面积（亩）	粮租 租额（斤）	钱租 面积（亩）	钱租 租额（元）	未有租价面积（亩）	租出耕地 户数	粮租 面积（亩）	粮租 租额（斤）	钱租 面积（亩）	钱租 租额（元）	未有租价面积（亩）	土地使用面积
合计	—	—	19.59	—	3.29	0.72	—	0.28		—	0.25		—	0.30	15.10	0.51	2.41	0.02	—	0.21	13.13	0.38	2.44	0.04	19.83
地主	—	—	98.6	—	14.15	1.86	—	1.56		—	1.73		—	2.04	136.57	0.66	1.95		—	3.49	266.66	7.59	48.59	0.35	89.6
富农	—	—	60.04	—	9.1	1.61	—	0.42		—	0.03		—	0.29	10.41	1.13	4.46		—	0.29	15.98	0.84	6.714		60.73
中农	—	—	21.95	—	4.01	0.81	—	0.33		—	0.21		—	0.27	12.71	0.44	2.01	0.03	—	0.11	4.92	0.08	0.33	0.05	22.5
贫农	—	—	8.19	—	1.46	0.47	—	0.15		—	0.15		—	0.26	11.62	0.46	2.38	0.01	—	0.02	0.63	0.02	0.93		8.93
雇农	—	—	3.1	—	0.66	0.27	—	0.14		—	0.32		—	0.05	3.79	0.55	3.22	0.01	—	0.04	2.36	0.03	0.09	0.09	3.37
其他	—	—	3.08	—	0.46	0.79	—	0.09		—	1.04		—			0.13	0.57		—	0.68	29.84	0.62	4.74	0.15	0.64

注：每户平均系用总户数计算的。

·55·

1930—1936年土地变动情况

单位：面积：亩　价值：元

综10表

阶级	总户数	土地变动户数	买进		赎回		典入		典入典绝		卖出		赎出		典出		典出典绝	
			数量	价值	数量	价值	数量	价值	数量	找出金额	数量	价值	数量	价值	数量	价值	数量	找入金额
甲	1	2	3	4	5	6	7	8	9	10	11	12	13	14	15	16	17	18
合计	1152	532	2075.9	87397.67	268.6	7049.83	79.7	1822.95	5	91	2620.47	107633.28	100.9	2840	173.9	2398.22	12	45.7
地主	50	44	621.5	30844.42	48	172.8	13.3	238.37			882.8	35635.61	14	268.5	102	848.58	12	45.7
富农	109	72	386.2	14526.22	54	780	7	27.28			537.97	26559.21	9.9	548				
中农	415	199	537.2	20085.85	153.3	5820.38	13.1	216.1			818.4	29049.84	12.4	3022.5	53.3	1156.29		
贫农	456	182	470	[illegible]	13.3	276.65	44.3	1368.5	5	91	311	13040.52	64.6	1701.01	18.6	393.65		
佃农	98	26	51.9	2208.43			2	72.7			23.8	1334.4						
其他	24	9	9	150							46.5	1903.7						

注：土地变动户数系按户员计称。

1930年农作物播种面积及产量

单位：面积：亩；产量：市斤；产值：元　　续19表

一、合计

乡别	户数	总播种面积	粮食作物		小麦			玉米			谷子			高粮			薯类			大豆			其它杂粮			棉花			其它作物	
			播种面积合计	产量	播种面积	亩产	产量	播种面积	亩产	产量	播种面积	亩产	产量	播种面积	亩产	产量	播种面积	亩产	产量	播种面积	亩产	产量	播种面积	亩产	总产量	播种面积	亩产	产量	播种面积	产值
甲	1	2	3	4	5	6	7	8	9	10	11	12	13	14	15	16	17	18	19	20	21	22	23	24	25	26	27	28	29	30
合计	2119	53053.	50589.	5848538.74	16489.58	113.63	1873724.4	11275.15	106.23	1177931.54	7173.8	122.55	879126.6	9333.4	100.11	931366.	1731.26	266.16	460791	1630.92	112.72	183841.5	2955.84	107.89	318896.5	1276.13	80.44	102654	1187.77	50906
地主	70	7668.02	7367.41	953938.5	2783.8	127.51	360535	1548.6	116.16	179882	851.7	143.67	122366	1097.73	131.21	144037.5	113	285.5	32261	525.5	125.59	65935	447.14	109.28	48862	205	92.26	18914	95.55	4170.13
富农	169	12779.4	12127.28	1398503.6	4007.7	112.89	452694	2577.9	106.89	275563.5	1985.4	126.4	250851.1	2012.45	95.3	191779.5	389.61	281.03	109494	381.45	106.75	40718.5	770.77	108.29	77303	402.3	85.58	34430	249.82	9906.7
中农	742	21165.5	20193.22	2313362.1	6219.53	111.98	696462.4	4546.58	105.99	481892.1	3004.75	119.43	358853	3877.7	97.33	377398.1	790.35	261.63	206464	532.67	108.26	57666	1226.62	109.75	134626.5	492.03	68.67	33786	475.27	18394.5
贫农	915	10665.38	10167.85	1016983.54	3245.2	104.1	337823	2408.42	99.65	239969.94	1267.65	109.6	138926.5	2167.57	92.53	200555.1	413.6	256.76	106197	168.3	102.93	17323	497.11	112.99	56169	150.8	82.24	12402	346.78	17482.9
雇农	161	701.85	655.85	77652	204.35	115.48	23599	164.65	105.96	17446	59.3	124.62	7390	168.65	115.67	19507	21.7	261.52	5675	23	93	2139	14.2	133.52	1896	26	120.08	3122	20	922.8
其它	62	73.7	73.3	8099	27	96.67	2610	29	104.14	3020	5	128	640	9.3	117.1	1089	3	233.33	700						40				0.4	30.00

二、每户平均

乡别	户数	总播种面积	粮食播种面积合计	粮食产量	小麦播种面积	小麦亩产	小麦产量	玉米播种面积	玉米亩产	玉米产量	谷子播种面积	谷子亩产	谷子产量	高粮播种面积	高粮亩产	高粮产量	薯类播种面积	薯类亩产	薯类产量	大豆播种面积	大豆亩产	大豆产量	其它杂粮播种面积	其它杂粮亩产	其它杂粮总产量	棉花播种面积	棉花亩产	棉花产量	其它作物播种面积	其它作物产值
合计	—	25.04	23.87	2760.05	7.78	—	884.25	5.32	—	555.89	3.39	—	414.88	4.4	—	440.94	0.82	—	217.46	0.77	—	86.76	1.39	—	150.49	0.60	—	48.44	0.56	24.0
地主	—	109.54	105.25	13627.69	39.73	—	5150.49	22.12	—	2569.74	12.17	—	1748.9	15.68	—	2057.68	1.61	—	517.52	7.51	—	942.79	6.39	—	698.03	2.93	—	270.19	1.36	59.5
富农	—	75.74	71.76	8275.17	23.73	—	2678.66	15.25	—	1630.55	11.75	—	1484.92	11.90	—	1134.79	2.31	—	647.89	2.26	—	240.94	4.56	—	457.44	2.38	—	203.73	1.48	58.6
中农	—	28.52	27.22	3117.74	8.38	—	938.63	6.13	—	649.45	4.05	—	483.63	5.23	—	508.62	1.07	—	278.25	0.72	—	77.72	1.65	—	181.44	0.66	—	45.53	0.64	24.7
贫农	—	11.66	11.11	1158.89	3.55	—	369.21	2.63	—	262.29	1.39	—	151.83	2.37	—	219.19	0.45	—	116.06	0.18	—	18.93	0.54	—	61.39	0.16	—	13.55	0.38	19.11
雇农	—	4.36	4.07	482.31	1.27	—	146.58	1.02	—	108.36	0.37	—	45.9	1.05	—	121.16	0.13	—	35.25	0.14	—	13.29	0.09	—	11.78	0.16	—	19.39	0.12	5.73
其它	—	1.19	1.19	130.63	0.44	—	42.27	0.47	—	48.71	0.08	—	10.32	0.15	—	17.56	0.05	—	11.29		—			—	0.65		—		0.01	0.48

1950年农作物播种面积构成

一、合计　　　　单位面积：亩　　续14表

阶级	总播种面积	粮食作物 合计	小麦	玉米	谷子	高粱	薯类	大豆	其它杂粮	棉花	其它作物
甲	1	2	3	4	5	6	7	8	9	10	11
合计	53053.35	50589.85	16489.58	11275.15	7173.8	9333.4	1731.26	1630.92	2955.84	1276.13	1187.77
地主	7668.02	7367.47	2783.8	1548.6	851.7	1097.73	113	505.5	447.14	205	95.55
富农	12779.4	12127.28	4009.7	2577.9	1985.4	2012.45	389.61	381.45	770.77	402.30	249.82
中农	21165.5	20198.2	6219.53	4546.58	3004.75	3877.7	780.35	532.67	1226.62	492.03	475.27
贫农	10665.38	10167.85	3245.2	2408.42	1267.65	2167.57	413.6	168.3	497.11	150.8	346.76
雇农	701.85	655.85	204.35	164.65	59.3	168.65	21.7	23	14.2	26	20
其它	73.7	73.3	27	29	5	9.3	3				0.4

二、构成（%）

阶级	总播种面积	粮食作物 合计	小麦	玉米	谷子	高粱	薯类	大豆	其它杂粮	棉花	其它作物
合计	100	95.35	31.08	21.25	13.52	17.59	3.26	3.08	5.57	2.41	2.24
地主	100	96.08	36.30	20.20	11.11	14.32	1.47	6.85	5.83	2.67	1.25
富农	100	94.90	31.38	20.17	15.54	15.75	3.05	2.98	6.03	3.15	1.95
中农	100	95.43	29.39	21.48	14.20	18.32	3.73	2.52	5.79	2.33	2.25
贫农	100	95.34	30.43	22.58	11.89	20.32	3.88	1.58	4.66	1.41	3.25
雇农	100	93.45	29.12	23.46	8.45	24.03	3.09	3.28	2.02	3.7	2.85
其它	100	99.46	36.64	39.35	6.78	12.62	4.07				0.54

·58·

1930年房屋和牲畜

一、合计

综15表

阶级	户数	占有房间数	现住房屋			生产用房			出租典借房屋	牲畜						水井	其中：砖井
			间数	其中		间数	其中：砖的	租典借入		大牲畜				小牲畜			
				砖的	租典借					牛	马	驴	骡	猪	羊		
甲	1	2	3	4	5	6	7	8	9	10	11	12	13	14	15	16	17
合计	2119	10727	8680.5	4476.5	346	2167	931	7	282.5	187	135	390	241	792	3	841	584
地主	70	1063.5	620.5	498.5	3.5	427.5	315.5		19	7	28	14.5	68	71		57	44
富农	169	1796	1206	876	3	553	251		40	27	34	66	107	259		150	128
中农	742	4202.33	3372	1764.5	79.5	858.5	286	3	54.33	125	67	243	54.5	300	2	390	256
贫农	915	3207	2941	1146.5	147.5	282	62		131.5	26	5.5	63.5	11	155	1	228	146
雇农	161	370.5	388	164.5	59	34.5	11.5		7	2		1.5		4		16	10
其他	62	137.5	153	26.5	53.5	11.5	5	4	30.5			1		3			

二、每户平均

阶级	户数	占有房间数	现住房屋间数	其中砖的	租典借	生产用房间数	其中砖的	租典借入	出租典借房屋	牛	马	驴	骡	猪	羊	水井	其中：砖井
合计	—	5.08	4.10	2.11	0.16	1.02	0.44	0.003	0.13	0.09	0.06	0.18	0.11	0.37	0.001	0.4	0.28
地主	—	15.19	8.86	7.12	0.05	6.11	4.51		0.27	0.1	0.39	0.54	0.97	1.01		0.81	0.63
富农	—	10.63	7.14	5.18	0.02	3.27	1.49		0.24	0.16	0.20	0.39	0.63	1.53		0.89	0.76
中农	—	5.66	4.54	2.37	0.11	1.16	0.38	0.004	0.07	0.17	0.09	0.46	0.07	0.40	0.003	0.53	0.35
贫农	—	3.5	3.21	1.25	0.16	0.31	0.07		0.14	0.03		0.07	0.01	0.17	0.001	0.25	0.16
雇农	—	2.3	2.41	1.02	0.37	0.21	0.07		0.04	0.01		0.01		0.02		0.10	0.07
其他	—	2.22	2.47	0.43	0.86	0.18	0.08		0.48			0.01		0.05			

·59·

1930年占有农业主要生产及生活用具

续16表

一、合计

阶级	户数	生产工具						生活用具					
		水车	铁轮大车	木轮大车	犁耠	耕什	耙盖	自行车	手电筒	矿石收音机	热水瓶	被褥（条）	自致
甲	1	2	3	4	5	6	7	8	9	10	11	12	13
合计	2119	111	553		895	591	661	7	6		2	12423	
地主	70	9	59		82	67	72	4	3		1	1011	
富农	169	40	144		206	145.5	176	2	2			2042	
中农	742	57	308		455	299.58	331	1				4646	
贫农	915	5	41		142	74.45	63		1			3969	
雇农	161				9	2	16				1	511	
其他	62		1		1	2	3					354	

二、构成（%）

阶级	户数	水车	铁轮大车	木轮大车	犁耠	耕什	耙盖	自行车	手电筒	矿石收音机	热水瓶	被褥（条）	自致
合计	100	100	100	100	100	100	100	100	100	100	100	100	100
地主	3.3	8.11	10.67		9.16	11.34	10.89	66.67	50		50	8.13	
富农	7.97	36.04	26.04		23.02	24.62	26.63	33.33	33.33			16.42	
中农	35.02	51.35	55.70		50.84	50.75	50.08					37.38	
贫农	43.18	4.50	7.41		15.87	12.61	9.53		16.67			31.82	
雇农	7.6				1.00	0.34	2.42				50	4.11	
其他	2.93		0.18		0.11	0.34	0.45					2.04	

1930年农付业及其它收入

单位：元　　续17表

阶级	户数	人数	植物栽培	饲养家畜家禽及其它产品						采集渔猎收入	付业收入	工资收入	在外人口寄回	出租生产生活资料	其中：房租	政府补助及赠送	其它	合计	其中：纯收入
				猪	兔	蜂	鸡鸭及蛋	其它	肥料										
甲	1	2	3	4	5	6	7	8	9	10	11	12	13	14	15	16	17	18	19
合计	2119	11199	574663.42	12519.76	34.56	109.14	1156.55	1249.95	31.11	810.77	46553.24	60504.21	26636.5	10382.97	293.7	1480.8	7717.05	742850.03	571450.13
地主	70	498	92605.09	715.80			13.54	1200.50			7827.25	1037.10	5915.56	5952.31			522.85	115790.00	88008.47
富农	169	1365	138061.53	3174.68		72.76	63.85	10.27		184	4923.89	719.25	5004.18	1750.90		120	1054.80	155140.11	113721.6
中农	742	4199	220787.81	5474.65	34.56	36.38	546.71	16.78		109	10848.43	10675.42	7093.91	1097.55	253.7	292.71	2222.95	259236.86	193000.5
贫农	915	4315	113992.13	3039.83			435.16	8.80	31.11	340.21	17295.49	33526.81	5129.83	220.21	40	738.14	1064.82	175822.54	141624.9
雇农	161	623	8060.31	54.90			88.20	13.60		117.56	1629.86	11772.13	732.75	35.95		249.95	231.18	22986.39	20567.4
其它	62	193	1156.55	52.90			9.09			60.00	4028.32	2273.50	2760.27	1326.45		80.00	2620.45	14874.13	14527.1
二、每人平均																			
合计			51.31	1.12	0.003	0.01	0.10	0.11	0.003	0.07	4.16	5.40	2.38	0.93	0.03	0.13	0.69	66.42	51.03
地主			185.77	1.44			0.03	2.41			15.7	2.08	11.87	11.94			1.05	232.28	176.72
富农			101.11	2.33		0.05	0.05	0.01		0.13	3.61	0.53	3.66	1.28		0.09	0.77	113.61	83.31
中农			52.59	1.3	0.01	0.01	0.13	0.01		0.03	2.58	2.54	1.69	0.26	0.06	0.07	0.53	61.75	45.96
贫农			26.42	0.7			0.1	0.002	0.01	0.08	4.01	7.77	1.18	0.05	0.001	0.17	0.25	40.75	32.8
雇农			12.73	0.08			0.14	0.02		0.19	2.57	18.6	1.16	0.06		0.39	0.37	36.31	33.01
其它			5.81	0.3			0.05			0.3	20.24	13.94	13.87	6.66		0.4	13.17	74.74	73.0

…61.

1930年十一个村付业综合情况（一）

续18页

阶级成份	总户数	经营付业 户数	经营付业 人数	其中：兼营人数	其中：雇用人数	全年所得利润或取得的工资（元）	织布 户数	经营人数 计	经营人数 其中：兼营	出售产品 品名	出售产品 数量	出售产品 价值	全年所得利润
甲	1	2	3	4	5	6	7	8	9	10	11	12	13
合计	2119	484	694	597	10.5	62662.06	52	84	73	布	5453	12391	3689.90
地主	70	7	15	11	4	8127.17							
富农	169	23	35	20	2.5	5391.90							
中农	742	152	245	220	4	21301.15	16	18	17	〃	826	2981	834.01
贫农	915	250	325	293		21358.07	32	53	48	〃	3807	5968	2394.02
雇农	161	30	44	37		2379.08	4	13	8	〃	720	3442	461.88
其它	62	22	30	16		4104.69							

·62·

（二）

阶级成分	加工布							纺线						
	户数	经营人数			加工产品		全年取得工资	户数	经营人数		运售产品			全年所得利润
		计	其中：		品名	数量			计	其中：兼营	品名	数量	价值	
			兼营	专用										
甲	14	15	16	17	18	19	20	21	22	23	24	25	26	27
合计	111	222	199	4	布	14924	20064.07	15	17	16	线	377	503	250.71
地主	2	6	6	—	〃	400	636.92							
富农	5	5	4	2	〃	1014	1007.74							
中农	41	113	103	2	〃	7890	10707.9	3	4	4	〃	38	132	22.53
贫农	53	82	74		〃	4370	6095.82	6	7	6	〃	169	298	71.25
雇农	8	12	11		〃	900	765.68	5	5	5	〃	135		136.43
其他	2	4	1		〃	350	450	1	1	1	〃	35	72	20

·63：

（三）

阶级成份	加工线						纺袜子						
	户数	经营人数		加工产品		全年所得工资	户数	经营人数		出售产品			全年所得利润
		计	其中：兼营	品名	数量			计	其中：兼营	品名	数量	价值	
甲	28	29	30	31	32	33	34	35	36	37	38	39	40
合计	20	21	20	线	352	209.07	1	1	1	袜子	320		400.18
地主													
富农													
中农	4	4	3	〃	82	58.73							
贫农	14	15	15	〃	220	129.15	1	1	1	〃	320		400.18
雇农	1	1	1	〃	10	3							
其它	1	1	1	〃	40	18.19							

(四)

阶级成份	编席							编芨篓					
	户数	经营人数		出售产品			全年所得利润	户数	经营人数		出售产品		全年所得利润
		计	其中:兼营	品名	数量	价值			计	其中:兼营	数量	价值	
甲	41	42	43	44	45	46	47	48	49	50	51	52	53
合计	17	24	24	编席	1712	3357.6	1335.04	1	2		10000	1500	300
地主													
富农	1	2	2		50	150	21.8						
中农	5	5	5		157	364	160						
贫农	9	13	13		955	1325.3	544.5						
雇农	1	1	1		250	38.2	159.76						
其它	1	3	3		300	1200	450	1	2		10000	1500	300

· 65 ·

（五）

阶级成份	榨油								豆饼贩			
	户数	经营人数			出售产品			全年所得利润	户数	经营人数		全年所得利润
		计	其中：		名称	数量	价值			计	其中：	
			兼营	雇用							兼营	
甲	54	55	56	57	58	59	60	61	62	63	64	65
合计	5	10	10			225	493.37	155.63	1	2	2	39.29
地主									1	2	2	39.29
富农												
中农	5	10	10		菜油	225	493.37	155.63				
贫农												
雇农												
其他												

（六）

阶级成份	猪毛贩				蔬菜						
	户数	经营人数		全年所得利润	户数	经营人数		出售产品			全年所得利润
		计	其中：兼营			计	其中：兼营	品名	数量	价值	
甲	66	67	68	69	70	71	72	73	74	75	76
合计	4	4	2	1516.47	31	33	30		559570		1995.13
地主											
富农	1	1		1280							
中农					4	4	4		47000		111.48
贫农	3	3	2	236.47	22	24	23		437450		1359.75
雇农					1	1			23750		190
其他					4	4	3		51370		333.9

·67·

（七）

阶级成份	杂货				鲜货				百货			
	户数	经营人数		全年所得利润	户数	经营人数		全年所得利润	户数	经营人数		全年所得利润
		计	其中：兼营			计	其中：兼营			计	其中：兼营	
甲	77	78	79	80	81	82	83	84	85	86	87	88
合计	64	64	61	5187.33	15	17	16	1221	3	3	1	341.28
地主	1	1	1	36.38								
富农	1	1	1	120								
中农	16	16	16	788.24					1	1		218.28
贫农	35	35	32	2938.19	15	17	16	1221	2	2	1	123
雇农	6	6	6	316.54								
其他	5	5	5	985.98								

（八）

阶级成份	商贩				木工				药铺			
	户数	经营人数		全年所得利润	户数	经营人数		全年所得利润	户数	经营人数		全年所得利润
		计	其中：兼营			计	其中：兼营			计	其中：兼营	
甲	89	90	91	92	93	94	95	96	97	98	99	100
合计	6	6	6	607.61	23	25	25	1157.58	3	3	1	760.71
地主												
富农	1	1	1	53.57	2	2	2	84.57	2	2	1	215.07
中农	3	3	3	419.03	17	19	19	904.73	1	1	—	545.7
贫农	2	2	2	134.61	4	4	4	168.29				
雇农												
其他												

·69·

（九）

阶级成份	饮食业				染房				酱厂			
	户数	经营人数 计	其中：兼营	全年所得利润	户数	经营人数 计	其中：兼营	全年所得利润	户数	经营人数 计	其中：兼营	全年所得利润
甲	101	102	103	104	105	106	107	108	109	110	111	112
合计	36	43	31	4097.54	17	22	14	3927.09	1	1	1	545.7
地主												
富农	2	5		509.32	2	1	1	109.1	1	1	1	545.7
中农	9	10	7	879.5	10	13	12	1991.14				
贫农	21	24	21	2146.1	2	2	1	758.5				
佃农	3	3	3	289.82								
其它	1	1		272.8	3	6		1068.35				

（十）

阶级成份	布庄				小炉匠				轧花			
	户数	经营人数		全年所得利润	户数	经营人数		全年所得工资	户数	经营人数		全年所得工资
		计	其中：兼营			计	其中：兼营			计	其中：兼营	
甲	113	114	115	116	117	118	119	120	121	122	123	124
合计	1	3	3	3440	2	3	3	148.88	3	3	3	229.88
地主	1	3	3	3440								
富农												
中农									1	1	1	42
贫农					2	3	3	148.88	2	2	2	187.88
雇农												
其它												

·71·

（十一）

阶级成份	理发				换破烂				补鞋			
	户数	经营人数		全年所得工资	户数	经营人数		全年所得利润	户数	经营人数		全年所得工资
		计	其中：兼营			计	其中：兼营			计	其中：兼营	
甲	125	126	127	128	129	130	131	132	133	134	135	136
合计	1	2	2	54.56	2	2	2	45.47	1	1		182.5
地主												
富农												
中农									1	1		182.5
贫农												
雇农	1	2	2	54.56								
其它					2	2	2	45.47				

（十二）

阶级成份	搭棚				木柴贩				运输			
	户数	经营人数		全年所得工资	户数	经营人数		全年所得利润	户数	经营人数		全年所得利润
		计	其中：兼营			计	其中：兼营			计	其中：兼营	
甲	137	138	139	140	141	142	143	144	145	146	147	148
合计	1	1		160	1	3		540	12	17	12	1877.17
地主									1	2	1	63
富农									2	5	1	880
中农									6	6	6	475.78
贫农					1	3	—	540	3	4	4	458.39
佃农												
其它	1	1		160								

·73·

（十三）

阶级成份	养蜂				牲口贩子				拆洗业			
	户数	经营人数		全年所得利润	户数	经营人数		全年所得利润	户数	经营人数		全年所得利润
		计	其中：兼营			计	其中：兼营			计	其中：兼营	
甲	149	150	151	152	153	154	155	156	157	158	159	160
合计	1	1	1	21.87	1	1	1	200	2	2	1	109.54
地主	1	1	1	21.87								
富农												
中农					1	1	1	200	1	1	1	15
贫农									1	1		94.54
雇农												
其它												

·74·

(十四)

阶级成份	豆腐房						粉房					
	户数	经营人数		出售产品		全年所得利润	户数	经营人数		出售产品		全年所得利润
		计	其中：兼营	数量	价值			计	其中：兼营	数量	价值	
甲	161	162	163	164	165	166	167	168	169	170	171	172
合计	9	11	10	49050	1372.07	400.04	4	9	7	20200	18550	245
地主												
富农							3	8	6	19300	18200	165
中农	1	1	1	11920	207.37	54.57	1	1	1	900	350	80
贫农	8	10	9	37130	1164.7	345.47						
雇农												
其他												

（十五）

阶级成份	磨豆							缝纫				拣[illegible]豆			
	户数	经营人数			出售产品		全年所得利润	户数	经营人数		全年所得利润	户数	经营人数		全年所得利润
		计	其中：兼营	雇用	数量	价值			计	其中：兼营			计	其中：兼营	
号	173	174	175	176	177	178	179	180	181	182	183	184	185	186	187
合计	5	9	7		24972	5339.2	763.46	2	4	3	123	1	1	1	18
地主															
富农															
中农	2	4	2		13596	3801.7	592.9								
贫农	3	5	5		11376	1537.5	170.56	2	4	3	123	1	1	1	18
雇农															
其它															

·76·

（十六）

阶级成份	油坊							熬碱盐						
	户数	经营人数		出售产品			全年所得利润	户数	经营人数		出售产品			全年所得利润
		计	其中：兼营	品名	数量	价值			计	其中：兼营	品名	数量	价值	
甲	189	190	191	192	193	194	195	196	197	198	199	200	201	202
合计	2	5	1		45378	10182	1697.22	7	11	9		44634	1340	716.25
地主														
富农														
中农	1	4			45000	9822	1637.1	2	4	4		1160	224	224
贫农	1	1	1		378	360	60.12	5	7	5		43474	1116	492.25
雇农														
其它														

·77·

1930年负债情况

单位：元　[illegible]

一、合计

阶级	总户数	其中：负债户数	年末负债累计：计	其中：货币	其中：向各类债主借款累计数：地主富农	中农	银行	信用社	钱庄	其它	全年应付利息
甲	1	2	3	4	5	6	7	8	9	10	11
合计	2119	423	70809.41	69892.56	50808.71	1097.64	231.00		6818.41	11879.65	14564.97
地主	70	14	9875.04	9875.04	3474.20				4829.49	1571.35	1160.05
富农	169	26	8123.53	7548.45	5783.03				720.00	1620.5	1756.80
中农	742	144	29015.08	28849.38	23837.16	272.04			429.55	4176.33	5750.84
贫农	915	200	19414.62	19243.15	15764.44	819.6			448.47	2382.11	4900.41
雇农	161	32	2724.76	2670.16	1755.38				290.90	678.48	651.36
其它	62	7	1576.38	1576.38	194.50		231.00			1150.88	380.51

二、每户平均

阶级	总户数	其中：负债户数	年末负债累计：计	其中：货币	其中：向各类债主借款累计数：地主富农	中农	银行	信用社	钱庄	其它	全年应付利息
合计	—	—	33.43	32.98	23.98	0.52	0.11		3.22	5.61	6.87
地主	—	—	142.50	142.50	49.63				70.42	22.45	16.29
富农	—	—	48.07	44.84	34.22	1.61			4.26	9.59	10.40
中农	—	—	39.10	38.88	32.13	0.64			0.58	6.03	7.75
贫农	—	—	21.22	21.03	17.23	0.9			0.49	2.6	5.36
雇农	—	—	16.92	16.58	10.9				1.81	4.21	4.05
其它	—	—	25.43	25.43	3.14		3.73			18.56	5.91

1930年调查户负债用途

第20表

阶级	户数	其中：负债户数	负债金额	用途：购买生产资料	购买生活资料	婚丧喜庆	交付捐税债务	其它
甲	1	2	3	4	5	6	7	8
合计	1152	164	36066.35	6189.54	4349.07	2429.44	668.57	22429.73
地主	50	10	9211.29	2728.50		80.00	200.00	6202.79
富农	109	14	4368.14	998.80	218.28	694.75		2456.31
中农	415	61	15893.19	811.72	1951.86	1207.26	54.57	11867.68
贫农	456	63	5654.22	1578.69	1704.08	345.57	414.00	1611.88
雇农	98	15	757.61	71.83	474.75	101.86		109.17
其它	24	1	181.90					181.90
二、构成								
合计	100	100	100	17.17	12.06	6.8	1.86	62.11
地主	4.34	6.1	100	29.62		0.87	2.17	67.34
富农	9.46	8.54	100	22.87	5	15.9		56.23
中农	36.02	37.2	100	5.11	12.28	7.6	0.34	74.67
贫农	39.58	38.41	100	27.92	30.14	6.11	7.32	28.51
雇农	8.52	9.15	100	9.48	62.66	13.45		14.41
其它	2.08	0.6	100					100

·79·

1930年主要生活用品情况

绥21表

一、合计

阶级	户数	吃饭人口	口粮消费 计	口粮消费 其中：细粮 计	口粮消费 其中：细粮 %	肉类 (斤)	食油 (斤)	棉布(尺) 计	棉布(尺) 其中：土布	灯油 (斤)	煤炭 (斤)	烟类 纸烟 (合)	烟类 烟叶 (斤)	酒 (斤)	医药费 (元)	敬神费 (元)	应酬费 (元)	喜庆费 (元)	丧葬费 (元)
甲	1	2	3	4	5	6	7	8	9	10	11	12	13	14	15	16	17	18	19
合计	2119	11162	3510662	700121.5	19.94%	31725	21176	150222	87344	23521.7	551160	17119	11126.8	7207	7022.56	1831	5788.43	1232.97	3092.28
地主	70	620.5	267047	93213	34.91%	6170	2393	12796	3483	2155.5	75400	5405	520	703	670.82	268.07	1970.35	145.25	344.00
富农	169	1506.5	598727	148370	25.16%	8579	4432	26879	14408	4131.5	113550	4589	1600.5	2522.5	2543.1	412.22	1352.37	353.65	1097.5
中农	742	4222.5	1361293	253056.5	18.58%	11265	8025	60722	38278	10149	172120	3785	4119	1638	2145.46	609.58	1641.37	656.06	1234.28
贫农	915	4121.5	1104523	173353	15.69%	4637	5036	41925	26302	8535.9	125620	1690	4236	2000	1374.92	413.28	714.53	76.3	396.5
雇农	161	491	123483	16849	13.64%	496	558	5588	4243	972	17250	372	505.3	123	158.89	39.34	43.92	17.0	20.00
其它	62	200	55589	15280	27.49%	578	469	2312	630	547.8	57220	1278	146	220.5	129.67	29.31	65.87		

二、每人平均

阶级	户数	吃饭人口	口粮消费 计	口粮消费 其中：细粮 计	口粮消费 其中：细粮 %	肉类 (斤)	食油 (斤)	棉布(尺) 计	棉布(尺) 其中：土布	灯油 (斤)	煤炭 (斤)	烟类 纸烟 (合)	烟类 烟叶 (斤)	酒 (斤)	医药费 (元)	敬神费 (元)	应酬费 (元)	喜庆费 (元)	丧葬费 (元)
合计	—	—	314.52	62.72	—	2.84	1.9	13.46	7.83	2.39	49.28	1.53	0.1	0.65	0.63	0.17	0.52	0.11	0.28
地主	—	—	430.37	150.22	—	9.94	3.86	20.62	5.61	3.49	121.51	8.71	0.84	1.3	1.08	0.43	3.18	0.23	0.55
富农	—	—	397.03	98.49	—	5.69	2.94	17.84	9.56	2.74	75.37	3.05	1.06	1.67	1.89	0.27	0.9	0.23	0.73
中农	—	—	322.39	59.94	—	2.67	1.92	14.39	9.07	2.41	40.77	0.9	0.98	0.39	0.51	0.16	0.39	0.16	0.29
贫农	—	—	267.99	42.06	—	1.12	1.27	10.17	6.38	2.08	30.48	0.41	1.03	0.49	0.32	0.1	0.17	0.02	0.1
雇农	—	—	251.49	34.32	—	1.01	1.14	11.99	8.64	1.98	14.77	0.76	1.03	0.25	0.32	0.08	0.09	0.003	0.04
其它	—	—	277.95	76.4	—	2.89	2.35	11.56	3.15	2.74	28.61	6.39	0.73	1.1	0.65	0.15	0.33		

1950年粮食收支平衡表

单位：斤　综22表

阶级成份	户数	上年余存	本年收入						本年支出							年终结存
			计	种植收入	购入	收租	从农业款取得收入	其它收入	计	口粮消费	种籽	饲料	卖出	交租	其它支出	
甲	1	2	3	4	5	6	7	8	9	10	11	12	13	14	15	16
合计	87	41530	298131	281950	15652			524	265041	140595	16089	21810	77804	1766	6977	74620
地主	5	22210	91966	90125	1841				75628	18532	5526	10310	40660		600	38548
富农	4	4810	31554	31554					29480	10430	1530	2130	15160		230	6884
中农	40	8343	111784	108455	3180			149	102223	65992	6280	6920	17054	336	5641	17904
贫农	29	4261	52042	44222	7455			365	49123	37675	2357	2390	4780	1430	491	7180
雇农	9	1906	10785	7594	3176			15	8587	7966	396	60	150		15	4104
每户平均																
合计		477	3427	3241	179.9			6.1	3046	1616	185.00	251	894	20.0	80	858.0
地主		4442	18393	18025	368				15125.6	3706.4	1105	2062	8132		120	7709.4
富农		1202.5	7888.5	7888.5					7370	2607.5	382.5	532.5	3790		57.5	1721
中农		208.6	2794.6	2711.4	79.5			3.7	2555.6	1649.8	157	173	426.4	8.4	141	447.6
贫农		146.9	1794.6	1524.9	257			12.6	1693.9	1299	81.3	82.4	164.8	49.3	16.9	247.6
雇农		211.8	1198.3	843.8	352.9			1.7	954.1	885.1	44	6.7	16.7		1.7	456

调查户现金平衡

第一页

阶级成份	户数	合计	购买商品支出 合计	其中：生产用商品	主食品类	付食品	烟酒茶叶	衣着	日用杂货类	家具类	文化娱乐用品	生产性工资支出	文化与生活服务支出	借贷支出	捐税支出	其他	年末结存
甲	1	2	3	4	5	6	7	8	9	10	11	12	13	14	15	16	17
合计	105	18458.36	11408.10	2074.59	1659.97	3124.07	533.75	1569.90	1670.41	633.56	141.85	2324.53	501.28	1327.89	1402.67	1493.89	5804.90
地主	5	6262.77	3446.65	832.08	269.40	1230.33	112.91	203.89	400.25	318.40	79.40	1304.45	267.70	654.00	388.59	201.38	3498.69
富农	4	1629.84	682.24	118.00	6.50	203.80	33.90	143.00	125.40	43.04	8.60	422.80	14.50	247.5	93.80	169.00	438.56
中农	40	5846.16	3378.72	420.28	425.47	1100.85	181.13	655.04	660.83	110.37	24.75	497.82	154.19	410.50	680.65	824.38	1240.34
贫农	48	8746.96	2929.67	625.63	685.58	447.50	174.83	436.57	405.53	125.24	26.80	88.46	44.02	310.65	188.68	175.48	131.84
雇农	9	972.63	770.82	28.61	273.02	139.60	30.98	131.40	78.40	36.51	2.30	11.00	20.87	5.24	41.05	123.65	295.47

每户平均

阶级成份	户数	合计	购买商品支出 合计	其中：生产用商品	主食品类	付食品	烟酒茶叶	衣着	日用杂货类	家具类	文化娱乐用品	生产性工资支出	文化与生活服务支出	借贷支出	捐税支出	其他	年末结存
合计	105	175.79	108.65	19.76	15.81	29.75	5.08	14.95	15.91	6.03	1.35	22.14	4.77	12.65	13.36	14.23	53.38
地主	5	1252.55	689.29	166.42	53.88	246.06	22.58	40.78	80.05	63.68	15.88	260.88	53.54	130.80	77.72	40.28	699.74
富农	4	407.46	170.56	29.50	1.62	50.95	8.48	35.75	31.35	10.76	2.15	105.70	3.62	61.88	25.79	42.25	109.64
中农	40	146.15	84.47	10.51	10.64	27.52	4.53	16.38	16.52	2.76	0.62	12.45	3.85	2.76	17.01	20.61	31.01
贫农	49	79.72	62.33	13.31	14.59	9.56	3.72	9.29	8.63	2.66	0.57	1.88	0.94	6.61	4.23	3.73	2.81
雇农	9	108.07	85.65	8.73	30.34	15.51	3.44	14.60	8.71	4.06	0.26	1.22	2.32	0.58	4.56	13.74	32.83

第二页

阶级成份	户数	年初结存	本年收入										
			合计	出售植物产品收入	出售家畜家禽及产品收入	出售农付产品收入	工资收入	在外人口寄回	从农业社取得收入	互组生产生活资料	借贷收入	政府补助及馈送	其它收入
甲	1	2	3	4	5	6	7	8	9	10	11	12	13
合计	105	2975.18	21088.08	9696.19	649.76	4398.19	2530.00	870.41		224.68	1319.69	265.76	1133.36
地主	5	1572.38	8189.08	4144.70	66.00	3465.00		400.00			100.00		13.38
富农	4	475.40	1593.00	1578.00	15.00								
中农	40	635.65	6452.85	2660.89	505.33	173.95	885.48	280.00		220.68	861.65	222.76	662.11
贫农	47	119.55	3759.25	1188.11	42.82	637.67	1053.34	99.50		4.00	336.21	12.00	385.60
雇农	9	174.20	1093.90	124.49	20.61	121.57	591.18	90.95			21.83	31.00	92.27
每户平均													
合计	105	28.34	200.84	92.34	6.19	41.89	24.10	8.29		2.14	12.57	2.53	10.79
地主	5	314.47	1637.81	828.94	13.20	693.00		80.00			20.00		2.68
富农	4	118.85	398.25	394.50	3.75								
中农	40	15.84	161.32	665.22	12.63	4.35	22.14	70.00		5.52	21.54	5.57	16.45
贫农	47	2.54	79.98	125.28	0.91	13.57	22.41	2.12		0.08	7.15	0.26	8.20
雇农	9	19.36	121.54	13.83	2.29	13.51	65.69	10.11			2.43	3.44	10.25

·83·

1930——1936年反动统治时期所受损失

续24表

阶级	总户数	其中：受损户数	烧毁房屋（间）	拆毁房屋（间）	侵占土地（亩）	绑票勒索（元）	砍伐树木（株）	抢去粮食（斤）	抢去衣饰（件）	抢去牲畜（头）	抢去钱财（元）	杀死人数（人）	重伤致残人数（人）	抓壮丁人数（人）	支差劳役天数
甲	1	2	3	4	5	6	7	8	9	10	11	12	13	14	15
合计	2119	297	6	4	57.8	3027.27	902	12932	202	32	734.48	8	8	14	87581
地主	70	6				890.90		250				1			845
富农	169	44	3		14	564.47	132	4250	56	12	8.00	1	2	1	15281
中农	742	126	3	4	28	803.30	591	4812	111	16	720.00	4	4	8	41706
贫农	915	108			15.8	768.60	157	3402	35	4	6.48	1	2	4	27034
雇农	161	8					22	216				1		1	2600
其它	62	5													200

.84..

(二) 1936年调查资料

1936年调查户变动情况

一、合计 续1表

阶级	1930年户数	期内变动					本期户数
		分出	迁入	合并	迁出	绝灭	
甲	1	2	3	4	5	6	7
合计	2119	246	20	1	54	58	2072
地主	70	4			1	1	72
富农	169	5			1		173
中农	742	185	10	1	7	2	906
贫农	915	31	6		22	31	917
雇农	161		2		16	18	132
其他	62	21	2		7	6	72

二、比重（%）

阶级	1930年户数	分出	迁入	合并	迁出	绝灭	本期户数
合计	100	100	100	100	100	100	100
地主	3.3	1.63			1.85	1.73	3.47
富农	7.98	2.03			1.85		7.61
中农	35.02	75.20	50	100	12.96	3.45	40.80
贫农	43.18	12.60	30		40.74	53.45	39.57
雇农	7.60		10		29.63	31.03	5.68
其他	2.93	8.54	10		12.96	10.34	3.47

·85·

1936年调查户阶级成份的演变

一、合计　　　　　　　　　　　　　　　　　　　　　　　　　　　　综2表

阶级	1930年户数	1936年户数						
		合计	地主	富农	中农	贫农	雇农	其它
甲	1	2	3	4	5	6	7	8
合计	2119	2272	72	173	906	917	132	72
地主	70	72	69	3				
富农	109	173	3	161	9			
中农	742	937		8	789	117	2	13
贫农	915	899			106	783	9	1
雇农	161	129			3	16	109	1
其它	62	72		1	1	1	12	57
二、构成（%）								
合计	—	100	3.17	7.61	39.88	40.36	5.81	3.17
地主	—	100	95.83	4.17				
富农	—	100	1.74	93.06	5.20			
中农	—	100		0.86	84.80	12.62	0.22	1.40
贫农	—	100			11.79	87.10	1.00	0.11
雇农	—	100			2.33	12.40	84.50	0.77
其它	—	100		1.39	1.39	1.38	16.67	79.17

·86·

1930—1936年调查户阶级演变原因

续3表

一、合计

阶级	上升					下降					
	户数	剥削或投机获利	土地改革	勤俭及参加或贫就业	其它	户数	被剥削或投机失败	分家	土地改革	赌博及其他不正当行为	灾祸或其它意外事故
甲	1	2	3	4	5	6	7	8	9	10	11
合计	139	31		69	39	167	33	115		6	13
地主						3				3	
富农	3	3				9	3	3		3	
中农	8	8				132	13	106			13
贫农	106	14		53	39	10	10				
雇农	19	3		16							
其它	3	3				13	7	6			

二、比率（%）

阶级	1	2	3	4	5	6	7	8	9	10	11
合计	100	22.30		49.64	28.06	100	19.76	68.86		3.59	7.79
地主	100	—	—	—	—	100				100	
富农	100	100				100	33.33	33.33		33.34	
中农	100	100			36.79	100	9.85	80.30			9.85
贫农	100	13.21		50.00		100	100				
雇农	100	15.79		84.21		—	—	—	—	—	—
其它	100	100				100	53.85	46.15			

1936年人口与劳动力

一、合计　　　　　　　　　　　　　　　　　　　　续4表

阶级	户数	年末总人口数			在家常住人口						在外人口					
		合计	男	女	年内常住人口		其中：劳动力		年末常住人口		年内常住人口		其中：劳动力		年末人口	
					男	女	男	女	男	女	男	女	男	女	男	女
甲	1	2	3	4	5	6	7	8	9	10	11	12	13	14	15	16
合计	2272	12057	6379	2678.	5728.00	5530.0	3648	3382	5747	5540.00	639	128	572	101	632	134
地主	72	539	249	290.	179	268.	97	157	179	269	70	20	60	16	70	21
富农	173	1277	615	662	543	641	308	400	555	653	61	8	57	6	60	9
中农	906	5144	2624.17	2520	2400.67	2474	1492	1518	2405.17	2480	220	38	197	32	219	40
贫农	917	4325	2430.33	1894.5	2215.33	1853.5	1472.5	1834	2223.33	1848.5	212	44	190	34	207	46
雇农	132	519.0	328.5	190	303	184	219.5	108	289.5	183	30	7	27	5	29	7
其他	72	253	132	121	87	109	59	65	85	110	46	11	41	8	47	11

二、每户平均

阶级	户数	合计	男	女	男	女	男	女	男	女	男	女	男	女	男	女
合计	—	5.31	2.81	2.50	2.52	2.43	1.61	1.49	2.53	2.44	0.28	0.05	0.25	0.04	0.28	0.058
地主	—	7.49	3.46	4.03	2.49	3.72	1.35	2.18	2.49	3.24	0.92	0.28	0.83	0.22	0.97	0.29
富农	—	7.38	3.55	3.82	3.14	3.21	1.78	2.31	3.21	3.77	0.35	0.05	0.33	0.03	0.35	0.05
中农	—	5.68	2.89	2.78	2.65	2.73	1.65	1.68	2.65	2.74	0.24	0.04	0.22	0.04	0.24	0.044
贫农	—	4.77	2.68	2.09	2.44	2.04	1.62	1.25	2.45	2.04	0.23	0.05	0.21	0.04	0.23	0.05
雇农	—	3.93	2.49	1.44	2.30	1.39	1.66	0.82	2.20	1.39	0.23	0.05	0.21	0.04	0.22	0.05
其他	—	3.51	1.83	1.68	1.21	1.56	0.82	0.9	1.18	1.53	0.64	0.15	0.57	0.11	0.65	0.15

·88·

1936年调查户常住人口劳动力的职业状况

一、合计　　　　　　　　　　　　　　　　　　续5表

阶级	劳动力数	其中：职业状况									
		个体农民	个体手工业者	产业工人	小商贩	乡村干部	各类合作社员	自由职业者	宗教及迷信职业者	旧军政机关人员	其它劳动者
甲	1	2	3	4	5	6	7	8	9	10	11
合计	7030	3564	47		69			19	2		49
地主	254	50	1		2			5			
富农	708	274	6		5			3			1
中农	3010	1523	6		15			5			14
贫农	2606.5	1485	22		28			3	1		16
雇农	327.5	220	3		5				1		1
其它	124	12	9		16			3			17

二、各类职业人数占常住人口劳动力的（%）

阶级	劳动力数	个体农民	个体手工业者	产业工人	小商贩	乡村干部	各类合作社员	自由职业者	宗教及迷信职业者	旧军政机关人员	其它劳动者
合计	100	50.70	0.67		0.98			0.27	0.03		0.7
地主	100	19.68	0.39		0.79			1.97			
富农	100	38.70	0.85		0.71			0.42			0.14
中农	100	50.6	0.2		0.5			0.17			0.48
贫农	100	56.97	0.84		1.07			0.12	0.04		0.61
雇农	100	67.18	0.92		0.92				0.31		0.305
其它	100	9.68	7.26		12.90			2.42			13.71

1936年调查户在外人口劳动力职业状况

一、合　计　　　　　　　　　　　　　　　　　　　　　　　　续6表

阶级	劳动力数	其中职业状况											
		党部学政机关国营企业职工	个体手工业者	佣工	小商贩	工商业资本家	旧国政机关人员	私营企业职工	自由职业者	宗教及迷信职业者	产业工人	各类合作社员	其他劳动者
甲	1	2	3	4	5	6	7	8	9	10	11	12	13
合计	673	10	24	9	72	20	101	119	35	5	47		118
地主	76				2	13	13	13	7	1	1		2
富农	63				14	3	12	12	2		1		5
中农	229	4	4	1	28	2	38	50	12	2	20		32
贫农	224	5	18	4	21	2	30	34	2	2	20		55
雇农	32	1	2	2	2			4			1		10
其他	49			2	5		8	6	2		4		14

二、各类职业人数占在外人口劳动力的（%）

阶级	劳动力数	党部学政机关国营企业职工	个体手工业者	佣工	小商贩	工商业资本家	旧国政机关人员	私营企业职工	自由职业者	宗教及迷信职业者	产业工人	各类合作社员	其他劳动者
合计	100	1.49	3.57	1.34	10.70	2.97	15.01	17.68	3.71	0.74	6.98		17.53
地主	100				2.63	17.1	17.1	17.1	9.21	1.32	1.32		2.63
富农	100				22.22	4.76	19.05	19.05	3.18		1.59		7.94
中农	100	1.75	1.75	0.44	12.23	0.87	16.59	21.83	5.24	0.87	8.73		13.97
贫农	100	2.23	8.04	1.79	9.37	0.89	13.39	15.18	0.89	0.89	8.93		24.55
雇农	100	3.13	6.25	6.25	6.25			12.5			3.13		31.25
其他	100			4.08	10.2		16.33	12.24	4.08		8.16		28.57

·90·

1936年调查年内常住人口的文化状况

续7表

一、合计

阶级	学龄儿童（7-13岁）	其中：在学人数	十四岁以上人口	文化状况：文盲	初小程度	高小程度	初中程度	高中程度	大学程度
甲	1	2	3	4	5	6	7	8	9
合计	1766	425	7963	6921	776	234	25	7	
地主	74	38	309	214	46	37	9	3	
富农	216	82	811	622	124	57	6	2	
中农	767	193	3429.17	2919.17	399	103	7	1	
贫农	606	101	2926.83	2712.83	180	31	3		
雇农	67	7	348	330	17	1			
其它	36	4	139	123	10	5		1	

二、构成（%）

阶级	学龄儿童（7-13岁）	其中：在学人数	十四岁以上人口	文盲	初小程度	高小程度	初中程度	高中程度	大学程度
合计	100	24.07	100	86.91	9.75	2.94	0.31	0.09	
地主	100	51.35	100	69.26	14.89	11.97	2.91	1.00	
富农	100	37.96	100	76.69	15.29	7.03	0.74	0.25	
中农	100	25.16	100	85.13	11.64	3.00	0.2	0.03	
贫农	100	16.67	100	92.69	6.15	1.06	0.10		
雇农	100	10.45	100	94.83	4.89	0.28			
其它	100	11.11	100	88.49	7.19	3.60		0.72	

1936年调查户在外人口的文化程度

一、合计

续8表

阶级	学龄儿童（7-13岁）	其中：在学人数	十四岁以上的人口	文化状况					
				文盲	初小程度	高小程度	初中程度	高中程度	大学程度
甲	1	2	3	4	5	6	7	8	9
合计	35	11	684	350	178	94	42	8	12
地主	7	5	79	16	17	22	12	4	8
富农	1	1	65	14	25	15	8	3	
中农	11	4	236	110	75	35	11	1	4
贫农	11	1	221	152	47	16	6		
雇农			32	25	5	2			
其它	5		51	33	9	4	5		

二、构成

阶级	学龄儿童（7-13岁）	其中：在学人数	十四岁以上的人口	文盲	初小程度	高小程度	初中程度	高中程度	大学程度
合计	100	31.43	100	51.17	26.02	13.74	6.14	1.17	1.76
地主	100	71.43	100	20.25	21.52	27.85	15.19	5.06	10.13
富农	100	100	100	21.54	38.46	23.08	12.31	4.61	
中农	100	36.36	100	46.61	31.78	14.83	4.66	0.42	1.70
贫农	100	9.09	100	68.78	25.27	7.24	2.71		
雇农	100		100	78.125	15.625	6.25			
其它	100		100	64.71	17.65	7.84	9.80		

1936年调查户人口出生、死亡情况表

续9表

阶级成份	户数	年内常住人口	年内出生	年内死亡	年内出生率（‰）	年内死亡率（‰）	年内净增殖率（‰）	上年常住人口数	备考
甲	1	2	3	4	5	6	7	8	9
合计	1208	6040.5	64	22	10.67	3.67	7.00	5998.5	
地主	49	292	3		10.38		10.38	289	
富农	100	688	14	7	20.56	10.28	10.28	681	
中农	498	2679.67	33	10	12.42	3.76	8.66	2656.67	
贫农	459	2059.83	10	5	4.87	2.43	2.44	2054.83	
雇农	77	284	2		7.09		7.09	282	
其他	25	57	2		3.64		3.64	55	

·93·

1936年农业雇用

综10表

一、合计

阶级	总户数	雇入											雇出										
		长工					短零工						长工					短零工					
		有雇工户数	占总户数(%)	人数	工资(元)	平均工资	户数	占总户数%	天数	工资(元)	每户平均雇工(天)	每天平均工资	有雇出户数	占总户数(%)	人数	工资(元)	平均工资(元)	户数	占总户数%	天数	工资(元)	每天平均工资	每户平均雇出天数
甲	1	2	3	4	5	6	7	8	9	10	11	12	13	14	15	16	17	18	19	20	21	22	23
合计	2272	184	8.1	238	14745.19	61.95	248	10.9	15009	7645.98	30.8	0.51	228	11.66	307	18618.[illegible]	60.65	552	24.3	44213	19408.37	0.44	80.10
地主	72	50	69.44	91	5939.37	62.27	40	55.6	5931	3220.65	135.78	0.54											
富农	173	36	55.5	111	6977.4	62.86	90	52	5139	2632.34	98.83	0.51											
中农	906	38	4.2	36	1828.41	50.79	112	12.4	3746	1695.65	33.45	0.45	2	0.22	2	183.80	91.9	164	18.1	9470	4235.33	0.45	57.74
贫农							4	0.44	173	88.52	43.25	0.51	169	18.43	184.5	11328.1	58.24	343	37.4	30455	13330.45	0.44	87.90
雇农													87	65.91	110.5	7106.82	64.3	37	28	3853	1653.44	0.42	104.14
其它							2	2.78	20	8.82	10	0.44						8	11.1	735	185.05	0.25	91.88
二、每户平均：																							
合计	—	—	—	0.10	6.49	—	—	—	6.61	3.37	—	—	—	—	0.14	8.19	—	—	—	1.95	8.54	—	—
地主	—	—	—	1.26	82.49	—	—	—	82.37	44.73	—	—	—	—			—	—	—			—	—
富农	—	—	—	0.61	40.33	—	—	—	29.72	15.22	—	—	—	—			—	—	—			—	—
中农	—	—	—	0.04	2.02	—	—	—	4.13	1.87	—	—	—	—	0.002	1.06	—	—	—	10.45	4.68	—	—
贫农	—	—	—			—	—	—	0.19	0.10	—	—	—	—	0.21	12.49	—	—	—	57.05	14.70	—	—
雇农	—	—	—			—	—	—			—	—	—	—	0.84	53.84	—	—	—	29.19	12.53	—	—
其它	—	—	—			—	—	—	0.28	0.12	—	—	—	—			—	—	—	70.21	2.57	—	—

1936年土地占有与租典

单位：面积：亩；租额：谷市斤；元　　综11表

一、合计

阶级	总户数	占有耕地：户数	占有耕地：耕地：计	占有耕地：耕地：梯田川坝	占有耕地：耕地：其中：水浇地	占有耕地：非耕地	典入：户数	典入：耕地	典入：非耕地	典出：户数	典出：耕地	典出：非耕地	租入耕地：户数	租入耕地：粮租：面积	租入耕地：粮租：租额	租入耕地：钱租：面积	租入耕地：钱租：租额	租入耕地：未有租价面积	租出耕地：户数	租出耕地：粮租：面积	租出耕地：粮租：租额	租出耕地：钱租：面积	租出耕地：钱租：租额	租出耕地：未有租价面积	土地使用面积
甲	1	2	3	4	5	6	7	8	9	10	11	12	13	14	15	16	17	18	19	20	21	22	23	24	25
合计	2272	2136	40969.64	100	7910.85	1514.23	103	473.48	1.3	103	429.57		182	1092.8	41074	807.3	3676.96	49.6	50	835.2	20843	694.55	4342.62	85.6	41347.9
地主	72	72	6121	14.94	816.3	119.25	5	73.3		20	54		8	448.5	14520	36.5	98.00		15	621.5	11468	400.5	2379.81	11	5592.3
富农	173	173	8207.72	22.47	2029.3	244.7	4	41		3	51.5		8	56.7	1850	112.5	438.27		7	67.4	3100	106.25	740.41		9192.77
中农	906	906	18218.21	44.47	3498.8	693.83	42	169.73	0.8	34	190.2		61	286.4	9897	270.7	1257.83	32	16	122.3	5439	148.4	961.53	43.5	18472.64
贫农	917	858	6873.41	16.78	1466.46	396.31	41	155.45		30	93.82		99	284.2	14116	337.1	1685.21	16	4	16	345	11	96.07	13.8	7531.54
雇农	132	102	446.95	1.9	92.85	34.38	8	26		12	13.8		3	15	541	43.5	170.82	1.6	2					11.3	507.85
其他	22	25	102.35	0.25	73.5	25.76	3	8	8.5	4	26.25		3	2	150	7	26.83		6	8	490	28.4	164.80	6	50.7

二、每户平均

阶级	1	2	3	4	5	6	7	8	9	10	11	12	13	14	15	16	17	18	19	20	21	22	23	24	25
合计	—	—	18.03	—	3.48	0.67	—	0.08	0.001	—	0.19		—	0.48	18.09	0.36	2.81	0.02	—	0.37	13.58	0.31	1.91	0.004	18.2
地主	—	—	85.01	—	11.34	1.66	—	1.02		—	0.25		—	6.23	201.67	0.51	1.36		—	8.63	159.29	5.56	33.05	0.15	77.67
富农	—	—	53.22	—	11.73	1.4	—	0.24		—	0.3		—	0.33	10.7	0.65	2.53		—	0.39	1.79	0.61	4.28		53.14
中农	—	—	20.1	—	3.86	0.77	—	0.19	0.001	—	0.21		—	0.32	10.92	0.3	1.39	0.04	—	0.13	6	0.16	1.06	0.05	20.4
贫农	—	—	7.5	—	1.6	0.43	—	0.17		—	0.1		—	0.31	15.39	0.37	1.84	0.02	—	0.02	0.38	0.01	0.11	0.01	8.21
雇农	—	—	3.38	—	0.7	0.26	—	0.2		—	0.11		—	0.11	4.1	3.3	1.29	0.01	—					0.09	3.85
其他	—	—	1.42	—	0.1	0.4	—	0.11		—	0.36		—	0.03	2.08	0.1	0.37		—	0.11	6.81	0.39	2.29	0.08	0.7

注：每户平均系用总户数计标的。

·95·

1937—1946年土地变化情况

单位：数量：亩　价值：元　续12表

阶级	总户数	土地变动户数	买进		赎回		典入		典入典绝		卖出		赎出		典出		典出、典绝	
			数量	价值	数量	价值	数量	价值	数量	价值	数量	价值	数量	价值	数量	价值	数量	价值
甲	1	2	3	4	5	6	7	8	9	10	11	12	13	14	15	16	17	18
合计	1208	743.6	3933.35	60408.20	164.0	473.5	246.6	4103.9	146.8	884.3	2196.25	73686.9	23.45	691.9	210.45	4102.9	7.5	256
地主	49	51	1.8	180	76	1900	6	143	6	100	859.65	24040.2			103	1468		
富农	100	64	166.2	4969	2.5	100	54.3	961			328.3	11424.1			31	428		
中农	498	272	902.3	30716.8	40	981.5	46.5	644.4	125	588	739.3	25539.9	17.2	451.9	50.25	1498.9	4	160
贫农	459	324.6	2779.4	21897.2	45.5	1192	130.8	1244.8	15.8	186.3	228.9	10664.6	6.25	240	24	548	3.5	106
雇农	77	26	78.35	2410.2			9	107.7			13.6	822.4			2.4	160		
其它	25	6	7.3	235							26.5	1195.7						

·96·

1936年农作物播种面积及产量

单位：面积：亩；产量：市斤；产值：元

续13表

一、合计

阶级	户数	总播种面积	粮食作物 播种面积合计	产量	小麦 播种面积	小麦 亩产	小麦 产量	玉米 播种面积	玉米 亩产	玉米 产量	谷子 播种面积	谷子 亩产	谷子 产量	高粱 播种面积	高粱 亩产	高粱 产量	薯类 播种面积	薯类 亩产	薯类 产量	大豆 播种面积	大豆 亩产	大豆 产量	其它杂粮 播种面积	其它杂粮 亩产	其它杂粮 产量	棉花 播种面积	棉花 亩产	棉花 产量	其它作物 播种面积	其它作物 产值
甲	1	2	3	4	5	6	7	8	9	10	11	12	13	14	15	16	17	18	19	20	21	22	23	24	25	26	27	28	29	30
合计	2272	52344	49198	5904360	16197	116.78	1891456.0	10910.0	112.63	1227804	6884.0	125.55	864289	8714	99.58	867770	1980	277.78	549997	1663.0	114.38	190016.0	2859	109.49	313028	1881.0	78.32	147333	1265.0	65774.48
地主	72	6720	6393.35	829829	2444.5	127.65	312029	1332.7	126.60	168726	752	149.57	112475	939.25	124.2	116652	95.9	282.33	27075	366.5	123.26	45173	468.5	101.81	47699	210.5	96.65	20345	130.25	4736.91
富农	173	11653.41	10885.38	1318387	3634.7	119.44	434120	2354	115.43	271726	1818.6	127.91	232610	1736.8	96.69	167939	401.11	270.81	108624	354.8	118.13	41912	585.37	104.98	61456	547.7	88.12	48264	219.88	8310.74
中农	906	23226.66	21768.5	2635765	6914.98	116.08	802677.5	4757.78	112.29	534269	3079.44	122.89	378435	3961.46	100.84	399471	966.3	287.81	278113.5	737.9	111.05	81947	1350.44	111.70	150850.5	902.08	70.54	63650	565.77	32858.94
贫农	917	10014.11	9494.73	1050227	3011.01	106.37	320276.2	2307.79	102.67	236941.8	1170.2	113.23	132503	1962.24	85.97	164359.8	480.48	265.56	127594	172	101.28	17420	441.01	115.86	51094	201	68.48	13764	345.38	19107.57
雇农	132	622.9	589.9	73693.0	167.3	119.11	19927	126.25	109.93	13878.5	62.8	129.55	8135.5	152.25	117.19	17970	34.8	239.66	8340	32	111.36	3563.5	13.8	129.49	1878	20	65.5	1310	13	622.32
其他	72	60.7	60.3	6459	25	97.12	2428	22	102.86	2263	1	130	130	11.3	118.41	1338	1	250	250						50				0.4	30.00

二、每户平均

阶级	户数	总播种面积	粮食作物 播种面积合计	产量	小麦 播种面积	小麦 亩产	小麦 产量	玉米 播种面积	玉米 亩产	玉米 产量	谷子 播种面积	谷子 亩产	谷子 产量	高粱 播种面积	高粱 亩产	高粱 产量	薯类 播种面积	薯类 亩产	薯类 产量	大豆 播种面积	大豆 亩产	大豆 产量	其它杂粮 播种面积	其它杂粮 亩产	其它杂粮 产量	棉花 播种面积	棉花 亩产	棉花 产量	其它作物 播种面积	其它作物 产值
合计	—	23.04	21.65	2598.25	7.13	—	832.5	4.8	—	550.41	3.03	—	380.41	3.84	—	381.95	0.87	—	242.08	0.73	—	83.63	1.26	—	137.78	0.83	—	64.84	0.56	28.95
地主	—	93.47	88.88	11525.4	33.95	—	4333.74	19.51	—	2343.42	10.44	—	1562.15	13.05	—	1620.17	1.33	—	376.04	5.09	—	627.40	6.51	—	622.48	2.92	—	282.57	1.67	65.79
富农	—	67.36	62.92	7620.73	21.01	—	2509.36	13.61	—	1570.67	10.51	—	1314.57	10.04	—	970.75	2.32	—	627.88	2.05	—	242.27	3.38	—	355.24	2.65	—	278.98	1.22	49.20
中农	—	25.65	24.03	2898.2	7.63	—	885.96	5.25	—	589.70	3.40	—	417.69	4.37	—	440.92	1.07	—	306.97	0.81	—	90.45	1.49	—	166.50	1.00	—	70.25	0.64	37.38
贫农	—	11.07	10.35	1145.29	3.28	—	353.14	2.54	—	258.38	1.29	—	146.10	2.11	—	181.13	0.53	—	140.68	0.19	—	19.21	0.49	—	55.72	0.22	—	15.18	0.38	20.97
雇农	—	4.72	4.47	558.28	1.27	—	150.96	0.96	—	105.14	0.48	—	61.63	1.16	—	136.14	0.26	—	63.18	0.24	—	27.00	0.104	—	14.23	0.15	—	9.92	0.098	4.71
其他	—	0.84	0.837	89.71	0.35	—	33.72	0.31	—	31.43	0.014	—	1.81	0.16	—	18.58	0.014	—	3.47		—			—	0.69		—		0.006	0.42

1936年农作物播种面积构成

一、合计　　　　　　　　单位面积：亩　　统14表

阶级	总播种面积	粮食作物								棉花	其它作物
		合计	小麦	玉米	谷子	高粱	薯类	大豆	其它杂粮		
甲	1	2	3	4	5	6	7	8	9	10	11
合计	52344	49198	16197	10901	6884.00	8714	1980	1663	2859.00	1881.00	1265.00
地主	6730.1	6399.35	2444.5	1332.7	752	939.25	95.9	366.5	468.5	210.5	120.25
富农	11653.01	10885.38	3634.7	2354	1818.6	1736.8	401.11	354.8	585.37	547.7	219.93
中农	23236.66	21768.5	6914.98	4757.78	3079.44	3961.46	966.3	737.9	1350.44	902.28	565.77
贫农	10041.7	9494.73	3011.01	2307.79	1170.2	1962.24	480.48	172	441.01	201	345.38
雇农	622.9	589.9	167.3	126.29	62.8	152.95	34.8	32	13.8	20	13
其它	60.7	60.3	25	22	1	11.3	1				0.4
二、构成（%）											
合计	100	93.99	30.94	20.83	13.15	16.65	3.78	3.18	5.46	3.59	2.42
地主	100	95.08	36.32	19.80	11.17	13.96	1.42	5.45	6.96	3.13	1.79
富农	100	93.41	31.20	20.20	15.61	14.90	3.44	3.04	5.02	4.70	1.89
中农	100	93.69	29.76	20.48	13.25	17.05	4.16	3.18	5.81	3.88	2.43
贫农	100	94.56	29.99	22.98	11.65	19.04	4.79	1.71	4.39	2.00	3.44
雇农	100	94.70	26.86	20.27	10.10	24.55	5.59	5.13	2.20	3.21	2.09
其它	100	99.34	41.19	36.24	1.65	18.61	1.65				0.66

1936年房屋和牲畜

综15表

一、合计

阶级	户数	占有房间数	现住房屋 间数	其中 砖的	其中 租典借	生产用房 间数	其中：砖的	租典借入	出租典借房屋	牲畜（头） 大牲畜 牛	马	驴	骡	小牲畜 猪	羊	水井	其中：砖井
甲	1	2	3	4	5	6	7	8	9	10	11	12	13	14	15	16	17
合计	2272	11023	9210	4736	330	1990	847	4	157	214.0	76	443	205	796	25	814	521.0
地主	72	997	603	497	3	366	273.5		31	10	14	11	55.5	51.5		50.38	38.55
富农	173	1704	1204	841	3	461	208		42	28	32	56	83	237		132	91
中农	906	4856.5	3985	2172.5	67.5	919	308		20	149	24	284.5	60	352		424	273
贫农	917	2993.5	2917	1074	147.5	206	46.5		18	25.16	5.5	85	6	149	25	198	116
雇农	132	303.5	233	132.5	60.5	25	9		6	2		2.5		4.5		95.4	2.5
其它	72	168	168	18.5	48.5	10.5	6	4	40					2			

二、每户平均

阶级	户数	占有房间数	现住房屋 间数	其中 砖的	其中 租典借	生产用房 间数	其中：砖的	租典借入	出租典借房屋	牛	马	驴	骡	猪	羊	水井	其中：砖井
合计	——	4.85	4.05	2.08	0.15	0.88	0.37	0.002	0.07	0.09	0.03	0.19	0.09	0.35	0.01	0.36	0.23
地主	——	13.85	8.37	6.90	0.04	5.08	3.80		0.43	0.14	0.19	0.15	0.77	0.72		0.70	0.54
富农	——	9.85	6.96	4.86	0.07	2.66	1.20		0.24	0.16	0.18	0.32	0.48	1.37		0.76	0.53
中农	——	5.36	4.40	2.40	0.75	1.14	0.34		0.02	0.16	0.03	0.31	0.07	0.40		0.47	0.31
贫农	——	3.24	3.22	1.18	0.16	0.23	0.05		0.02	0.03	0.006	0.16	0.007	0.16	0.03	0.22	0.13
雇农	——	2.30	2.52	1	0.46	0.19	0.07		0.05	0.02		0.02		0.03		0.06	0.02
其它	——	2.33	2.33	0.26	0.67	0.17	0.02	0.06	0.56					0.03			

·99·

1936年占有农业主要生产及生活用具

一、合计　　　　　　　　　　　　　　　　　　　　　　　　续16表

阶级	户数	生产工具						生活用具					备考
		水车	铁轮大车	胶轮大车	犁耧	种什	耙盖	自行车	手电筒	矿石收音机	热水瓶	被褥（条）	
甲	1	2	3	4	5	6	7	8	9	10	11	12	13
合计	2272	182	544	2	1026	558	644	21	9		4	13011	
地主	72	15.33	54		71	57	60	3	3		2	874	
富农	173	55	129		190.5	130	156	9	2		1	1811	
中农	906	96	318	1	605.5	298	363	4	3		1	5769	
贫农	917	15	40	1	149	70	56	3	1			3862	
雇农	132	0.25	2		9	2	8	1				412	
其它	72		1		1	1	1	1				283	

二、构成（%）

阶级	1	2	3	4	5	6	7	8	9	10	11	12	13
合计	100	100	100	100	100	100	100	100	100	100	100	100	100
地主	3.17	8.42	9.93		6.92	10.22	9.32	14.28	33.33		50	6.72	
富农	7.61	30.22	23.71		18.57	23.30	24.22	42.86	22.22		25	13.92	
中农	39.88	52.75	58.46	50	59.02	53.41	56.37	19.05	33.34		25	44.34	
贫农	40.36	8.24	7.35	50	14.52	12.54	8.70	14.29	11.11			29.68	
雇农	5.81	0.14	0.37		0.88	0.38	1.24	4.76				3.17	
其它	3.17		0.18		0.09	0.18	0.16	4.76				2.17	

·100·

1936年农付业及其它收入

单位：元　　　　綜17表

阶级	户数	人数	植物栽培	出售家畜家禽及其它产品				采集渔猎收入	付业收入	工资收入	在外人口寄回	出租生产生活资料	其中：房租	救济补助及赠送	其它	合计	其中：纯收入
				猪	鸡鸭及蛋	其它	肥料										
甲	1	2	3	4	5	6	7	8	9	10	11	12	13	14	15	16	17
合计	2272	11258	607275.36	14156.40	1668.66	35.70	120.00	537.45	44933.05	60420.83	33448.72	8361.08	232.50	1800.18	6052.04	778818.47	596635.86
地主	72	447	81699.28	575.65	4.00				4135.07	768.73	5037.91	4579.61		100.00	484.30	97385.05	72875.12
富农	173	1184	135371.76	2928.81	93.16			31.00	1879.46	347.19	5957.24	1118.78	40.00		200.00	147927.40	107315.87
中农	906	4875	271586.53	7672.44	687.25	19.20		82.40	12677.82	14048.51	10769.18	1395.66	192.50	426.22	1127.78	320493.66	239017.70
贫农	917	4069	111056.13	2888.23	850.28	16.50	120.00	293.04	20307.99	31605.63	7016.25	141.23		947.48	813.89	176056.65	142739.81
雇农	132	487	6974.89	59.30	24.30			90.21	1178.73	9753.45	2465.30			143.48	126.78	20816.44	18733.97
其它	72	196	586.27	32.00	9.67			40.80	4753.88	3897.30	2200.24	1125.80		192.00	3299.09	16139.27	15963.39
二、每人平均																	
合计			53.94	1.26	0.15	0.003	0.01	0.05	3.99	5.37	2.97	0.74	0.02	0.16	0.54	69.18	53.00
地主			182.77	1.29	0.01				9.25	1.72	11.27	10.25		0.22	1.08	217.86	163.03
富农			114.33	2.47	0.08			0.03	1.59	0.29	5.03	0.95	0.03		0.17	124.94	90.64
中农			55.71	1.57	0.14	0.01		0.01	2.60	2.88	2.21	0.29	0.04	0.09	0.23	65.74	49.03
贫农			27.29	0.71	0.21	0.01	0.03	0.07	4.99	7.77	1.72	0.03		0.23	0.20	43.28	35.08
雇农			14.32	0.12	0.05			0.19	2.42	20.03	5.06			0.29	0.26	42.74	38.45
其它			2.99	0.16	0.05			0.21	24.25	19.88	11.25	5.74		0.98	16.83	82.34	81.45

一九三六年十一个村付业综合情况（一）

综18表

阶级成份	总户数	经营付业 户数	经营付业 人数	其中：兼营人数	其中：雇人用数	全年所得利润或取得的工资（元）	织布 户数	经营人数 计	经营人数 其中：兼营	出售产品 品名	出售产品 数量	出售产品 价值	全年所得利润
甲	1	2	3	4	5	6	7	8	9	10	11	12	13
合计	2272	460	610	519	1	55563.82	43	75	61	布	4833	15687.24	3096.85
地主	72	4	7	7		4581.07							
富农	173	13	16	10		2260.73							
中农	906	180	240	217	1	20410.69	15	22	21	布	1603	3956.3	1110.68
贫农	917	230	300	254		23584.53	25	46	36	布	2650	10394.94	1741.29
雇农	132	19	26	26		1538.65	3	7	4	布	580	1331	244.88
其他	72	14	21	5		3188.15							

·102·

（二）

阶级成份	加工布 户数	加工布 经营人数 计	其中：兼营	其中：专营	加工产品 品名	加工产品 数量	全年取得工资	纺线 户数	纺线 经营人数 计	其中：兼营	出售产品 品名	出售产品 数量	出售产品 价值	全年所得利润
甲	14	15	16	17	18	19	20	21	22	23	24	25	26	27
合计	96	151	142	1	布	9513	13683.51	13	17	15	線	560	751.14	225.18
地主	1	3	3		布	220	346.00							
富农	2	2	2		布	245	566.00							
中农	51	84	79	1	布	5103	7631.57	6	9	8	線	203	258	88.58
贫农	36	53	49		布	3180	4438.17	7	8	7	線	357	493.14	136.6
佃农	5	8	8		布	665	566.47							
其他	1	1	1		布	100	134.50							

·103·

（三）

阶级成份	加工线						编席						
	户数	经营人数		加工产品		全年所得工资	户数	经营人数		出售产品			全年所得利润
		计	其中：兼营	品名	数量			计	其中：兼营	品名	数量	价值	
甲	28	29	30	31	32	33	34	35	36	37	38	39	40
合计	17	16	16	线	478.75	272.03	20	23	22	席	2374		1511.7
地主													
富农	1	1	1	线	18	12.50							
中农	5	5	5	线	140	111.14	10	11	11	席	611		470.44
贫农	8	8	8	线	272.5	125.26	10	12	11	席	1763		1041.26
雇农	2	1	1	线	5.25	3.13							
其他	1	1	1	线	43	20.00							

·104·

(四)

阶级成份	编莱萎							编箔						
	户数	经营人数		出售产品			全年所得工资	户数	经营人数		出售产品			全年所得工资
		计	其中:兼营	品名	数量	价值			计	其中:兼营	品名	数量	价值	
甲	41	42	43	44	45	46	47	48	49	50	51	52	53	54
合计	1	2		莱萎	10000	1500	450.00	6	13	13	箔	258	618.70	164.23
地主														
富农														
中农								6	13	13		258	618.70	164.23
贫农														
雇农														
其他	1	2		〃	10000	1500	450.00							

·105·

（五）

阶级成份	磨面								杂货				
	户数	经营人数			出售产品			全年所得利润	户数	经营人数			全年所得利润
		計	其中：兼营	雇用	品名	数量	价值			計	其中：兼营	雇用	
甲	55	56	57	58	59	60	61	62	63	64	65	66	67
合计	6	9	8		面	27300	4719.29	497.16	82	89	74		8049.63
地主													
富农									2	2			400.00
中农	2	3	2		面	1364	1840.4	226.6	30	30	27		2194.79
贫农	4	6	6		面	25936	2872.89	270.56	40	46	40		4616.18
雇农									5	6	6		317.26
其他									5	5	1		521.40

·106·

（六）

阶级成份	百货					粉房						
	户数	经营人数			全年所得利润	户数	经营人数		出售产品			全年所得利润
		計	其中：兼营	雇用			計	其中：兼营	品名	数量	价值	
甲	68	69	70	71	72	73	74	75	76	77	78	79
合计	2	2	1		243.00	1	3	2	粉条	7800	7800	200.00
地主												
富农						1	3	2	粉条	7800	7800	200.00
中农	2	2	1		243.00							
贫农												
雇农												
其他												

·107·

（七）

阶级成份	布贩					蔬菜						
	户数	经营人数			全年所得利润	户数	经营人数		运售产品			全年所得工资
		計	其中：兼营	雇用			計	其中：兼营	品名	数量	价值	
甲	80	81	82	83	84	85	86	87	88	89	90	91
合计	10	10	5		2228.66	33	38	38	菜	92926.9	2900	3014.04
地主												
富农	3	3	2		468.67							
中农	4	4	1		1140.25	1	2	2	菜	14000	300	48.19
贫农	3	3	1		619.79	30	34	32	菜	61926.9		2740.85
雇农						1	1	1	菜	2000	600	60
其他						1	1	1	菜	15000	2000	165

（八）

阶级成份	豆付房							油坊							
	户数	经营人数		出售产品			全年所得工资	户数	经营人数			出售产品			全年所得利润
		計	其中：兼营	品名	数量	价值			計	其中：兼营	其中：雇用	品名	数量	价值	
甲	92	93	94	95	96	97	98	99	100	101	102	103	104	105	106
合计	10	14	12	豆付	26540	1397.4	301.25	4	11	5		油	28262	9032.51	2298.08
地主															
富农															
中农	1	2	1	豆付	8000	400	40	1	3	2		油	7920	4051.68	1003.02
贫农	9	12	11	豆付	18540	997.04	261.05	2	3	3		油	5942	1707.63	943.06
雇农												油			
其他								1	5			油	14400	3273.2	352

·109·

（九）

阶级成份	小炉匠				铁匠			
	户数	经营人数		全年所得工资	户数	经营人数		全年所得利润
		計	其中：兼营			計	其中：兼营	
甲	107	108	109	110	111	112	113	114
合计	2	4	2	465.87	1	1		300.00
地主								
富农								
中农								
贫农	1	2	2	120	1	1		300.00
雇农								
其他	1	2		345.87				

·110·

（十）

阶级成份	熬淋业							打鱼			
	户数	经营人数		出售产品			全年纯得利润	户数	经营人数		全年纯得利润
		計	其中：兼营	品名	数量	价值			計	其中：兼营	
甲	115	116	117	118	119	120	121	122	123	124	125
合计	6	7	7	硝	4145	544.8	455.22	1	1	1	28.82
地主											
富农											
中农	2	2	2	硝	940	126	123.00				
贫农	4	5	5	硝	3205	418.8	332.22	1	1	1	28.82
雇农											
其他											

（十一）

阶级成份	豆饼贩				猪毛贩				饮食业			
	户数	经营人数		全年所得利润	户数	经营人数		全年所得利润	户数	经营人数		全年所得利润
		計	其中：兼营			計	其中：兼营			計	其中：兼营	
甲	126	127	128	129	130	131	132	133	134	135	136	137
合計	1	2	2	4058.21	6	6	5	336.18	30	38	26	4058.55
地主	1	2	2	4058.21								
富农									1	2		376.45
中农					3	3	3	338.30	6	9	8	865.18
贫农					3	3	2	497.38	19	24	15	1813.79
佃农									2	2	2	303.75
其他									2	1	1	699.38

（十二）

阶級成份	木厂				药铺				染房			
	户数	经营人数		全年所得利润	户数	经营人数		全年所得利润	户数	经营人数		全年所得利润
		計	其中：兼营			計	其中：兼营			計	其中：兼营	
甲	138	139	140	141	142	143	144	145	146	147	148	149
合計	25	26	26	1754.79	2	2	1	723.65	5	5	5	1860.98
地主												
富农	2	2	2	121.83					1	1	1	115.3
中农	19	19	19	1149.83	2	2	1	723.65	3	3	3	1270.68
贫农	4	5	5	483.1					1	1	1	475
雇农												
其他												

·113·

（十三）

阶级成份	骨厰				軋花				屠宰			
	户数	经营人数		全年纯得利润	户数	经营人数		全年纯得利润	户数	经营人数		全年纯得利润
		計	其中：兼营			計	其中：兼营			計	其中：兼营	
甲	150	151	152	153	154	155	156	157	158	159	160	161
合計	1	1	1	17.3	6	8	8	378.86	1	1		219.12
地主												
富农												
中农					2	2	2	96.8	1	1		219.12
贫农	1	1	1	17.3	4	6	6	282.06				
佃农												
其他												

（十四）

阶级成份	纳鞋底					補鞋				搭棚			
	户数	经营人数		数量	全年断得利润	户数	经营人数		全年断得利润	户数	经营人数		全年断得利润
		計	其中：兼营				計	其中：兼营			計	其中：兼营	
甲	162	163	164	165	166	167	167	168	169	170	171	172	173
合计	1	2	2	40	20.00	2	3	2	312.00	1	1		500.00
地主													
富农													
中农	1	2	2	40	20.00								
贫农						2	3	2	312.00				
佣农													
其他										1	1		500.00

·115·

（十五）

阶级成份	打坯				張鼓				运输			
	户数	经营人数 计	经营人数 其中：兼营	全年所得工资	户数	经营人数 计	经营人数 其中：兼营	全年所得利润	户数	经营人数 计	经营人数 其中：兼营	全年所得利润
甲	174	175	176	177	178	179	180	181	182	183	184	185
合计	3	4	4	122.22	1	1	1	27.78	10	11	6	2061.63
地主									1	1	1	1.00
富农												
中农									6	6	4	1054.28
贫农	2	3	3	79.06	1	1	1	27.78	3	4	1	907.35
雇农	1	1	1	43.16								
其他												

·116·

（十六）

阶级成份	养蜂				牲口贩子				拆洗业			
	户数	经营人数		全年所得利润	户数	经营人数		全年所得利润	户数	经营人数		全年所得利润
		計	其中：兼营			計	其中：兼营			計	其中：兼营	
甲	186	187	188	189	190	191	192	193	194	195	196	197
合計	1	1	1	76.86	1	1	1	180.00	1	1		30.00
地主	1	1	1	76.86								
富农												
中农												
贫农					1	1	1	180.00	1	1		30.00
雇农												
其他												

·117·

（十七）

阶级成份	缝纫				糊匠			
	户数	经营人数		全年所得利润	户数	经营人数		全年所得利润
		计	其中：兼营			计	其中：兼营	
甲	198	199	200	201	202	203	204	205
合计	3	3		257.8	1	1		240.00
地主								
富农								
中农								
贫农	3	3		257.8	1	1		240.00
佃农								
其他								

·118·

（十八）

阶级成份	培育花草				鲜货			
	户数	经营人数		全年所得利润	户数	经营人数		全年所得利润
		計	其中：兼营			計	其中：兼营	
甲	206	207	208	209	210	211	212	213
合計	1	1		76.85	3	3	3	266
地主								
富农								
中农	1	1		76.85				
贫农					3	3	3	266
雇农								
其他								

·119·

1936年負債情况

一、合計　　　　單位：元　　　　綜19表

阶级	总户数	其中：负债户数	年末負債累計		其中：向各类债主借款累計数						全年应付利息
			計	其中：货币	地主富农	中农	银行	信用社	钱庄	其他	
甲	1	2	3	4	5	6	7	8	9	10	11
合計	2272	747	24230.52	23971.02	20344.79	756.42			1150.05	1979.26	5389.88
地主	72	19	1620.92	1620.92	1620.92						381.33
富农	173	37	2411.36	2411.36	2318.66				35.00	57.70	471.41
中农	906	314	10001.71	10001.71	8537.48	174.51			732.64	557.08	2137.51
贫农	917	299	9130.25	8870.85	7168.50	485.84			382.41	1093.48	2156.27
佣农	132	41	820.21	820.21	699.21					121.00	207.33
其他	72	43	246.07	246.07		96.07				150.00	36.00
二、每户平均											
合計	—	—	10.66	10.55	8.95	0.33			0.51	0.87	2.37
地主	—	—	22.51	22.51	22.51						5.30
富农	—	—	13.94	13.94	13.40				0.20	0.33	2.72
中农	—	—	11.04	11.04	9.42	0.19			0.81	0.61	2.36
贫农	—	—	10.07	9.67	7.90	0.54			0.42	1.21	2.38
佣农	—	—	6.21	6.21	5.30					0.92	1.57
其他	—	—	3.42	3.42		1.33				2.08	0.50

·120·

1936年調查户負債用途

綜20表

阶级	户数	其中：负债户数	負債金額	用途：购买生产资料	购买生活资料	婚丧喜庆	交付捐税债务	其他
甲	1	2	3	4	5	6	7	8
合计	1208	81	9177.29	1030.80	2696.10	1634.93	360.88	3448.52
地主	49	2	1620.92					1020.92
富农	100	6	889.71	677.29	92.65	120.00		
中农	498	28	4177.24	122.46	1302.78	1129.89	336.88	1285.23
贫农	459	38	2190.36	201.11	1123.01	293.87	30	542.37
佣农	77	6	202.76	30.00	81.59	91.17		
其他	25	1	96.07		96.07			
构成（%）								
合计	100	6.71	100	11.23	29.30	17.82	4.00	37.59
地主	100	4.08	100					100
富农	100	6	100	76.11	10.41	13.48		
中农	100	5.62	100	2.93	31.19	27.05	8.86	30.77
贫农	100	8.28	100	9.18	51.27	13.42	1.37	24.76
佣农	100	7.79	100	14.80	40.24	44.96		
其他	100	4.	100		100			

·121·

1936年主要生活用品情况

合計

综21表

阶级	户数	吃饭人口	口粮消费 计	口粮消费 其中：细粮 计	口粮消费 其中：细粮 %	肉类（斤）	食油（斤）	棉布（尺） 計	棉布（尺） 其中：土布	灯油（斤）	煤炭（斤）	烟类 纸烟（合）	烟类 烟叶（斤）	酒（斤）	医药费（元）	供神费（元）	应酬费（元）	喜庆费（元）	丧葬费（元）
甲	1	2	3	4	5	6	7	8	9	10	11	12	13	14	15	16	17	18	19
合計	2722	11210	3569220	724320	20.29	32988	22195	162710	92141	27049	570347	18999	11222	6074.5	6638.92	1856.21	5587.72	1849.24	1076.40
地主	72	550	236182	79920	33.8	4977	2073	10854	2828	2062.5	63600	3560	448.5	562.	673.04	215.19	1731.8	88.05	
富农	173	1315	520233	131049	25.2	7708	4046	25540	11695	3607	80870	6041	1319	1729	1162.28	370.79	1139.44	538.50	344.00
中农	906	4909.47	1591801	316258	19.86	13696.5	9718.5	72860	41710	11933.5	249723	5171	4572	2129	3460.23	804.71	1931.78	1127.89	500.20
贫农	917	3864.53	1069311	167941	15.7	5020	5426.	46856.9	31966.5	8121.5	117974	2534	4211.5	1329.5	1285.57	377.44	649.07	92.80	225.2
雇农	132	374.5	95428	13541	14.2	400	450	4467.5	3444.5	756.5	8360	202	489	84	36.70	68.38	31.63	2.00	
其他	72	190	56205	15611	27.7	1186	481	2132	497	568	49820	1491	182	241	20.50	19.10	44.00		
每人平均																			
合计	——	——	318.4	64.61		2.94	1.98	14.51	8.22	2.41	50.88	1.69	1	0.54	0.59	0.17	0.50	0.10	0.10
地主	——	——	429.42	145.31		9.05	3.77	19.73	5.14	3.75	115.64	6.47	0.82	1.02	1.22	0.39	3.15	0.16	
富农	——	——	395.61	99.66		5.86	3.08	19.42	8.89	2.74	61.5	4.59	1.	1.31	0.88	0.28	0.87	0.41	0.26
中农	——	——	324.24	64.41		2.79	1.98	14.84	8.5	2.43	50.87	1.05	0.93	0.43	0.71	0.16	0.41	0.23	0.10
贫农	——	——	276.7	43.46		1.3	1.4	12.12	8.27	2.1	30.53	0.66	1.09	0.34	0.33	0.1	0.17	0.02	0.06
雇农	——	——	254.81	36.16		1.07	1.2	11.93	9.2	2.02	22.32	0.54	1.31	0.22	0.10	0.18	0.08	0.01	
其他	——	——	286.76	79.65		6.05	2.45	10.87	2.54	2.9	254.18	7.61	0.93	1.23	0.10	0.10	0.22		

·122·

1936年粮食收支平衡表

单位：斤　　续22表

阶级成份	户数	上年餘存	本年收入 计	种植收入	购入	收租	从农业社所得收入	其他收入	本年支出 计	口粮消费	种子	饲料	卖出	交租	其它支出	年终结存
甲	1	2	3	4	5	6	7	8	9	10	11	12	13	14	15	16
合计	72	54737	273623	257894	15542			187	245780	126123	14504	18406	80614	1166	4967	82580
地主	3	28410	95735	94735	1000				83701	12790	5735	8226	56350		600	40444
富农	4	4635	24969	24669	300				21394	10897	1427	2110	6300		660	8110
中农	36	16231	109317	102435	6842			40	101151	70218	5451	6720	14894	746	3122	24397
贫农	26	4767	41483	34495	6871			117	37149	30004	1800	1270	3070	420	585	9101
佣农	3	794	2119	1560	529			30	2385	2214	91	80				528
每户平均																
合计		770.9	3853.8	3632.3	218.9			2.6	3461.7	1776.4	204.3	259.2	1135.4	16.4	70	1163.1
地主		9470	31911.7	31578.3	333.3				27900.3	4263.3	1911.7	2742	18783.3		200	13481.3
富农		1133.8	6242.3	6167.3	75				5348.1	2724.2	356.8	527.5	1575		165	2027.5
中农		450.9	3036.6	2845.4	190.1			1.1	2809.8	1950.5	151.5	186.7	413.7	20.7	86.7	967.8
贫农		183.3	1595.5	1326.7	264.3			4.5	1428.8	1154	69.2	48.8	118.1	16.2	22.5	350
佣农		264.7	706.3	520	176.3			10	795	738	30.3	26.6				176

·123·

1937—1946年反动统治时期所受损失

综24表

阶级	总户数	其中：受损户数	烧毁房屋（间）	拆毁房屋（间）	埧占土地（亩）	绑票勒索（元）	砍伐树木（株）	劫去粮食（斤）	劫去衣饰（件）	劫去牲畜（头）	劫去钱财（元）	杀死人数（人）	重伤残废人数（人）	抓壮丁人数（人）	义务劳役天数
甲	1	2	3	4	5	6	7	8	9	10	11	12	13	14	15
合计	2272	1541	93	63	354.5	30698.35	3072	149497	4060	142	4026.07	34	83	56	267835
地主	72	46	12		11.7	15263.04	161	15225	551	5	350	2		1	4470
富农	173	196	13	5	29	7226.06	367	50120	722	72	172	2	3	4	32662
中农	906	725	60	33	286.4	6696.57	177.6	69901	1913	56	2384.82	17	42	27	131528
贫农	917	531	6	5	27.4	1512.68	768	13035	841	9	802.35	11	29	23	93857
雇农	132	20	2					216			200.3	1	6	1	1322
其他	72	23		20				1000	35		110	1	3		3896

·124·

(三) 1946年调查资料

一 合计

1946年调查户变动情况

续1表

阶级	1936年户数	期内变动 分出	期内变动 迁入	期内变动 合併	期内变动 迁出	期内变动 绝灭	本户期数
甲	1	2	3	4	5	6	7
合计	2272	411	35	11	44	68	2595
地主	72	19		2	9	1	71
富农	173	91		2	3		147
中农	906	191	13	3	9	9	1313
贫农	917	90	10	1	10	37	975
雇农	132	16	3	2	6	15	38
其他	72	4	9	1	7	6	51
二、比重(%)							
合计	100	100	100	100	100	100	100
地主	3.17	5.14		18.18	20.5	1.47	2.74
富农	7.62	26.59		18.18	6.8		5.66
中农	39.87	44.32	37.14	27.27	20.5	13.24	50.6
贫农	40.36	24.05	28.57	9.1	22.7	54.41	37.57
雇农	5.81	1.9	8.57	18.18	13.6	22.06	1.46
其他	3.17		25.72	9.09	15.9	8.82	1.97

·125·

1946年调查户阶级成份的演变

一、合计　　　　　　　　　　　　　　　　　　　　　　　　　续2表

阶级	1936年户数	1946年户数						
		合计	地主	富农	中农	贫农	雇农	其他
甲	1	2	3	4	5	6	7	8
合计	2272	2595	71	147	1285	996	45	51
地主	72	79	67	7	5			
富农	173	259	3	133	92	30		1
中农	906	1089		7	999	79		4
贫农	917	969	1		164	796	4	4
雇农	132	128			19	68	41	
其他	72	71			6	23		42

二、构成（%）

阶级	1936年户数	合计	地主	富农	中农	贫农	雇农	其他
合计	—	100	2.74	5.66	49.52	38.38	1.73	1.97
地主	—	100	84.81	8.86	6.33			
富农	—	100	1.15	51.35	35.52	11.58		
中农	—	100		0.64	91.74	7.25		0.37
贫农	—	100	0.11		16.92	82.15	0.41	0.41
雇农	—	100			14.84	53.13	32.03	
其他	—	100			8.45	32.40		59.15

·126·

1936—1946年调查户阶级演变原因

一、合计　　　　　　　　　　　　　　　　　　续3表

阶级	上升					下降					
	户数	剥削或投机获利	土地改革	勤俭及家属成员就业	其他	户数	被剥削或投机失败	分家	土地改革	赌博及其他不正当行为	灾祸或其他意外事故
甲	1	2	3	4	5	6	7	8	9	10	11
合计	291	21	43	162	65	226	15	150	7	20	34
地主						12	2		2	4	4
富农	3	3				123	7	84	4	7	21
中农	7	7				83	5	60	1	8	9
贫农	165	8	26	69	62	8	1	6		1	
雇农	87		14	73							
其它	29	3	3	20	3						
二、比重（%）											
合计	100	7.21	14.78	55.67	22.34	100	6.64	66.37	3.10	8.85	15.04
地主	100	—	—	—	—	100	16.67		16.67	33.33	33.33
富农	100	100				100	5.69	68.29	3.25	5.69	17.00
中农	100	100				100	6.02	72.29	1.21	9.64	10.84
贫农	100	4.85	15.76	41.82	37.57	100	12.50	75.00		12.50	
雇农	100		16.09	83.91		—	—	—	—	—	—
其它		10.35	10.34	68.97	10.34						

·127·

1946年人口与劳动力

一、合计 续4表

阶级	户数	年末总人口数			在家常住人口						在外人口					
		合计	男	女	年内常住人口		其中：劳动力		年末常住人口		年内人口		其中：劳动力		年末人口	
					男	女	男	女	男	女	男	女	男	女	男	女
甲	1	2	3	4	5	6	7	8	9	10	11	12	13	14	15	16
合计	2595	13506	7012	6494	6246	6239	3968	3781	6272	6298	742	203	709	137	740	196
地主	71	467	222	245	166	224	91	144	167	223	54	21	51	16	55	22
富农	147	998	476	522	413	500	251	316	428	514	47	8	44	6	48	8
中农	1285	2111	3616	3495	3250	3401	2033	2062	3268	3405	351	97	301	60	348	90
贫农	996	4611	2516	2095	2263	1988	1489	1176	2266	2030	251	66	277	49	250	65
佣农	45	127	79	48	82	48	57	27	72	48	7		7		7	
其它	51	192	103	89	72	78	47	50	71	78	32	11	29	6	32	11

二、每户平均

阶级	户数	合计	男	女	男	女	男	女	男	女	男	女	男	女	男	女
合计	—	5.34	2.70	2.54	2.40	2.40	1.53	1.46	2.42	2.43	0.29	0.08	0.27	0.05	0.29	0.08
地主	—	6.58	3.13	3.45	2.34	3.15	1.28	2.03	2.35	3.14	0.76	0.30	0.72	0.23	0.77	0.31
富农	—	6.79	3.24	3.55	2.81	3.40	1.71	2.14	2.91	3.49	0.31	0.05	0.30	0.04	0.33	0.05
中农	—	5.61	2.81	2.80	2.53	2.65	1.58	1.60	2.54	2.65	0.27	0.07	0.23	0.04	0.27	0.07
贫农	—	4.63	2.53	2.10	2.27	2.00	1.49	1.18	2.28	2.04	0.25	0.06	0.28	0.05	0.25	0.07
佣农	—	2.80	1.76	1.07	1.82	1.07	1.27	0.60	1.60	1.07	0.16		0.16		0.16	
其它	—	3.76	2.02	1.75	1.41	1.53	0.92	1.10	1.39	1.53	0.63	0.27	0.57	0.12	0.63	0.22

·123·

1946年调查户常住人口劳动力的职业状况

一、合计　　　　　　　　　　　　　　　　　　　　　　　　　　续5表

阶级	劳动力数	其中：职业状况									
		个体农民	个体手工业者	产业工人	小商贩	乡社干部	各类合作社社员	自由职业者	宗教迷信职业者	旧政权机关人员	其他劳动者
甲	1	2	3	4	5	6	7	8	9	10	11
合计	7749	3982	35	1	60			17	3		45
地主	235	56							1		2
富农	567	231						5			1
中农	4095	2107	10	1	11			7			14
贫农	2665	1522	19		34			2	2		13
雇农	84	58									
其它	103	8	6		15			3			15

二、各类职业人数占常住人口劳动力的（%）

阶级	劳动力数	个体农民	个体手工业者	产业工人	小商贩	乡社干部	各类合作社社员	自由职业者	宗教迷信职业者	旧政权机关人员	其他劳动者
合计	100	51.39	0.45	0.01	0.77			0.22	0.04		0.58
地主	100	23.83							0.43		0.85
富农	100	40.74						0.90			0.18
中农	100	51.45	0.24	0.02	0.27			0.17			0.34
贫农	100	57.03	0.71		1.27			0.01	0.01		0.49
雇农	100	69									
其它	100	7.77	5.82		14.56			2.91			14.56

·129·

1946年调查户在外人口劳动力职业状况

一、合计　　　　　　　　　　　　　　　　　　　　　　　　续6表

阶级	劳动力数	其中：职业状况									
		革命军政机关国营企业职工	个体手工业者	小商贩	工商业资本家	旧军政机关人员	私营企业职工	自由职业者	宗教迷信职业者	产业工人	其他劳动者
甲	1	2	3	4	5	6	7	8	9	10	11
合计	846	183	18	57	11	116	115	16	6	45	93
地主	67	2		7	5	17	15	1			1
富农	50	4		8	3	8	9	3		1	6
中农	361	101	8	23	2	55	49	9	3	15	39
贫农	326	69	6	17		30	36	2	3	24	42
雇农	7	2	1							1	2
其他	35	5	3	2	1	6	6	1		4	3
二、各类职业人数占在外人口劳动力的（%）											
合计	100	21.63	2.13	6.74	1.30	13.71	13.59	1.89	0.71	5.32	10.99
地主	100	2.99		10.45	7.46	25.37	22.39	1.49			1.49
富农	100	8		16	6	16	18	6		2	12
中农	100	27.98	2.22	6.37	0.55	15.24	13.57	2.49	0.83	4.16	10.80
贫农	100	21.17	1.84	5.21		9.20	11.04	0.06	0.09	7.36	12.88
雇农	100	28.57	14.29							14.29	28.57
其他	100	14.29	8.57	5.71	2.86	17.14	17.14	2.86		11.43	8.57

·130·

1946年调查户年内常住人口的文化状况

一、合计　　　　　　　　　　　　　　　　　　　　　　　　　　综7表

阶级	学龄儿童（7—13岁）	其中在学人数	十四岁以上人口	文化状况					
				文盲	初小程度	高小程度	初中程度	高中程度	大学程度
甲	1	2	3	4	5	6	7	8	9
合计	1712	603	8707	7262	1053	334	48	8	2
地主	53	33	266	175	45	34	10		2
富农	148	63	630	450	112	48	14	6	
中农	927	354	4613	3772	620	201	18	2	
贫农	553	144	2990	2682	264	40	4		
雇农	12	1	96	94	1	1			
其他	19	8	112	89	11	10	2		
二、构成（%）									
合计	100	35.22	100	83.41	12.09	3.83	0.55	0.1	0.02
地主	100	62.26	100	65.79	16.92	12.78	3.76		0.75
富农	100	42.57	100	71.43	17.78	7.62	2.22	0.95	
中农	100	38.18	100	81.77	13.44	4.36	0.39	0.04	
贫农	100	26.04	100	89.70	8.83	1.34	0.13		
雇农	100	4.76	100	97.92	1.04	1.04			
其它	100	42.11	100	79.46	9.82	8.93	1.79		

·131·

1946年调查户在外人口的文化状况

一、合计　　　　　　　　　　　　　　　　　　　　　　　综8表

阶级	学龄儿童（7－13岁）	其中在学人数	十四岁以上的人口	文化状况					
				文盲	初小程度	高小程度	初中程度	高中程度	大学程度
甲	1	2	3	4	5	6	7	8	9
合计	45	19	811	369	228	146	52	5	11
地主	8	4	68	17	20	17	6	2	6
富农			49	15	13	12	7	2	
中农	19	7	372	150	105	82	29	1	5
贫农	15	7	280	161	86	29	4		
雇农			7	7					
其他	2	1	35	19	4	6	6		

二、构成（%）

阶级	学龄儿童（7－13岁）	其中在学人数	十四岁以上的人口	文盲	初小程度	高小程度	初中程度	高中程度	大学程度
合计	100	42.22	100	45.50	28.11	18.00	6.41	0.62	1.36
地主	100	50	100	25	29.41	25	8.82	2.94	8.82
富农	100		100	30.61	26.53	24.49	14.29	4.08	
中农	100	36.84	100	40.32	28.23	22.04	7.80	0.27	1.34
贫农	100	43.75	100	57.50	30.71	10.36	1.43		
雇农	100		100	100					
其他	100	50	100	54.29	11.43	17.14	17.14		

1946年调查户人口出生、死亡情况表

续9表

阶级成份	户数	年内常住人口	年内出生	年内死亡	年内出生率（%）	年内死亡率（%）	年内净增殖率（‰）	上年常住人口数	备考
甲	1	2	3	4	5	6	7	8	
合计	1403	6779	88	22	13.11	3.28	9.83	6713	
地主	45	235	5		21.74		21.74	230	
富农	78	508	8	2	15.94	3.88	11.96	502	
中农	719	3691	50	15	13.58	4.10	9.48	3656	
贫农	527	2286	25	4	11.04	1.77	9.27	2265	
雇农	22	44	—	—	—	—	—	—	
其它	12	15	—	1	—	62.50	—	16	

·133·

1946年农业雇用

续10表

一、合计

阶级	总户数	雇入											雇出										
		长工					短零工						长工					短零工					
		有雇工户数	佔总户数(%)	人数	工资(元)	平均工资	户数	佔总户数(%)	天数	工资(元)	每户平均雇工(天)	每天平均工资	有出雇户数	佔总户数(%)	人数	工资(元)	平均工资(元)	户数	佔总户数(%)	天数	工资(元)	每天平均工资	每户平均出雇天数
甲	1	2	3	4	5	6	7	8	9	10	11	12	13	14	15	16	17	18	19	20	21	22	23
合计	2595	116	4.47	135	9279.82	68.74	176	6.78	11509	5904.57	65.39	0.51	102	3.93	132	7953.78	60.25	1477	14.52	33604	15017.55	0.45	89.13
地主	71	34	47.89	54	3888.13	72	32	45.07	5258	2042.67	164.31	0.39											
富农	147	58	39.46	63	4238.00	67.27	55	37.41	2782	1331.00	50.22	0.48											
中农	1285	24	1.87	18	1153.69	64.09	82	6.38	3423	2506.08	41.74	0.73						158	12.30	8539	3942	0.46	54.94
贫农	996						6	0.6	63	23.51	10.50	0.37	82	8.25	104	6580.29	63.27	303	30.42	22470	10211.84	0.45	74.16
雇农	45												20	44.44	28	1373.49	49.05	12	26.67	2140	745.71	0.35	178
其他	51						1	1.96	3	1.31	3	0.44						4	7.84	455	115.00	0.25	113.25

二、每户平均

阶级	1	2	3	4	5	6	7	8	9	10	11	12	13	14	15	16	17	18	19	20	21	22	23
合计	—	—	—	0.52	35.76	—	—	—	44.35	22.75	—	—	—	—	0.52	3.07	—	—	—	12.95	5.79	—	—
地主	—	—	—	0.76	54.76	—	—	—	74.06	28.77	—	—	—	—			—	—	—			—	—
富农	—	—	—	0.43	28.83	—	—	—	18.79	9.05	—	—	—	—			—	—	—			—	—
中农	—	—	—	0.01	0.90	—	—	—	2.66	1.95	—	—	—	—			—	—	—	6.65	3.07	—	—
贫农	—	—	—			—	—	—	0.06	0.02	—	—	—	—	0.01	6.61	—	—	—	22.6	10.25	—	—
雇农	—	—	—			—	—	—			—	—	—	—	0.62	30.52	—	—	—	47.56	16.64	—	—
其他	—	—	—			—	—	—	0.05	0.25	—	—	—	—			—	—	—	8.92	2.25	—	—

註：長短工工資内不包括伙食費。

·134·

1946年土地占有与租典

单位：面积：亩；租额：谷市斤、元　　　　续11表

一、合计

阶级	总户数	占有耕地					典入			典出			租入耕地						租出耕地						土地使用面积
		户数	耕地			非耕地	户数	耕地	非耕地	户数	耕地	非耕地	户数	粮租		钱租		未价有租面积	户数	粮租		钱租		未价有租面积	
			计	耕地构成	其中：水浇地									面积	租额	面积	租额			面积	租额	面积	租额		
甲	1	2	3	4	5	6	7	8	9	10	11	12	13	14	15	16	17	18	19	20	21	22	23	24	25
合计	2595	2475	41526	100	9390	1535	122	699	0.3	44	338		163	722	28700.5	350	1972.30	198.2	48	309	14277	332	2409.88	154.59	42361.7
地主	71	71	4378	10.54	778	100	2	11		5	89		2					120	4	120	5720	173	1720.83	21	4106
富农	147	147	6464	15.57	1517	169				8	99		5	47.00	1325	3.00	10		15	79	3805	63	266	41	6232
中农	1285	1285	22889	55.12	5195	843	46	296		25	123		58	313	11065.50	197	1050	22.5	19	93	4102	80	322	75.5	23346
贫农	996	940	7634	18.38	1569	395	70	369		3	7		94	358	16114	143	850.62	55.7	8	14	500	13	74.55	17	8508.7
雇农	45	18	97	0.23	20	10	3	16					2	2	96	2	9.66								117
其它	51	14	64	0.16	11	18	1	7	0.3	3	20		2	2	100	5	52.02		2	3.00	150.00	3	26.50		52

二、每户平均

阶级	1	2	3	4	5	6	7	8	9	10	11	12	13	14	15	16	17	18	19	20	21	22	23	24	25
合计	—	—	16.00	—	3.62	0.59	—	0.27	0.001	—	0.13		—	0.28	11.06	0.13	0.76	0.06	—	0.12	5.50	0.13	0.93	0.06	16.32
地主	—	—	61.66	—	10.96	1.41	—	0.15		—	1.25		—						—	1.69	80.56	2.44	24.24	0.30	57.83
富农	—	—	43.97	—	12.36	1.15	—			—	0.67		—	0.32	9.01	0.02	0.07		—	0.54	25.88	0.43	1.81	0.28	42.39
中农	—	—	17.81	—	4.04	0.66	—	0.23		—	0.10		—	0.24	8.61	0.15	0.01	0.02	—	0.07	3.19	0.06	0.25	0.06	18.17
贫农	—	—	7.66	—	1.58	0.40	—	0.37		—	0.01		—	0.36	16.17	0.14	0.85	0.06	—	0.01	0.50	0.01	0.07	0.02	8.54
雇农	—	—	2.16	—	0.44	0.20	—	0.36	0.01	—	0.39		—	0.04	2.13	0.04	0.21		—					—	2.60
其它	—	—	1.25	—	0.22	0.35	—	0.14		—			—	0.04	1.96	0.10	0.10		—	0.01	2.94	0.01	0.52	—	1.01

·135·

1947～1957年土地变化情况

单量单位：数量：亩
价值：元

续12表

阶级	总户数	土地变动户数	买进		赎回		典入		典入典绝		卖出		赎出		典出		典出典绝	
			数量	价值	数量	价值	数量	价值	数量	价值	数量	价值	数量	价值	数量	价值	数量	价值
甲	1	2	3	4	5	6	7	8	9	10	11	12	13	14	15	16	17	18
合计	1403	682	1536.48	42349.46	14.9	237	31.5	228.79	34.1	419	921.43	20982.98	12	310	5.9	115.74		
地主	45	7									56.2	1045						
富农	78	134	298	7187.5							221.6	4783.1						
中农	719	357	827.4	23758.3	9.4	117	14.5	138.3	19.1	59	451.4	11409.6	10	214	5.9	115.74		
贫农	527	178	391.98	10692.66	5.5	120	17	90.49	15	360	189.23	3625.2	2	96				
佃农	22	5	19.1	711														
其它	12	1									3	120						

·136·

1946年农作物播种面积及产量

单位：面积：亩 产量：市斤 产值：元

续13表

一、合计

阶级	户数	总播种面积	粮食作物																						棉花			其它作物	
					小麦			玉米			谷子			高粱			薯类			大豆			其它杂粮						
			播种面积合计	产量	播种面积	亩产	产量	播种面积	亩产	产量	播种面积	亩产	产量	播种面积	亩产	产量	播种面积	亩产	产量	播种面积	亩产	产量	播种面积	亩产	总产量	播种面积	亩产	产量	播种面积	产值
甲	1	2	3	4	5	6	7	8	9	10	11	12	13	14	15	16	17	18	19	20	21	22	23	24	25	26	27	28	29	30
合计	2595	53,838	49372	5918757	16194	11205	1814475	11212	112.54	1262027	6723	127.66	856.909	8583	97.81	839486	2268	281.86	639264	1816	111.05	202517	2576	141.34	304079	2728	8365	228203	1738	73214.55
地主	71	4865	4555	575114	174.8	141.89	289718	1072	110.04	129757	559	144.42	80730	664	118.46	78657	80	305.88	24470	191	119.9	22915	241	119.78	28867	173	103.87	17970	137	7351.95
富农	147	7937	7364	849816	2426	115.27	279645	1585	110.15	174591	1136	124.29	141199	1522	89.8	118725	231	280.16	64718	267	111.33	29725	397.00	103.81	41213	416	93.03	38704	157	5891.40
中农	1285	29824	27134	3307295	5714	110.85	965938	6092.0	114.02	694596	3780.73	128.87	487220	4577	99.96	457516	1395	287.27	400739	1095	111.28	121838	1480	121.25	179448	1658	79.44	131716	1032	39847.18
贫农	996	11013	10135	1166832	3237	108.85	352332	2418	107.67	258904	1228	119.02	146161	1989	91.95	181288	550	266.24	146423	260	106.93	27804	453	119.03	53920	471	83.45	39303	407	19810.03
雇农	45	140	127	13711	46	102.67	4723	21	88.05	1849	15.5	77.44	1239	30.5	10820	3300	6	289.00	1734	3	78.33	235	5	126.2	631	10	51	510	3	163.99
其它	51	59.00	57.00	5989	23	92.13	2119	24	97.08	2330	4	90	360				6	196.67	1180										2	150

二、每户平均

阶级	1	2	3	4	5	6	7	8	9	10	11	12	13	14	15	16	17	18	19	20	21	22	23	24	25	26	27	28	29	30
合计	—	20.77	1903	2280.83	6.24	—	699.22	4.28	—	486.33	2.59	—	330.22	3.31	—	323.50	0.87	—	246.34	0.7	—	78.04	0.99	—	117.17	1.05	—	87.93	0.67	28.21
地主	—	68.52	64.15	8108.0	24.62	—	2954	15.10	—	1827.56	78.73	—	113.70	9.35	—	1107.8	1.13	—	344.65	2.69	—	322.74	3.39	—	406.58	2.43	—	253.10	1.93	103.55
富农	—	53.99	50.10	5781.0	16.5	—	1902.35	10.78	—	1187.69	7.73	—	960.54	8.99	—	807.65	1.57	—	440.26	1.82	—	202.21	2.70	—	280.36	2.83	—	263.29	1.07	40.08
中农	—	23.21	21.12	2573.77	6.78	—	751.70	4.74	—	540.54	2.94	—	379.2	3.58	—	356.00	1.09	—	311.86	0.85	—	94.82	1.15	—	139.65	1.29	—	102.5	0.8	31.01
贫农	—	11.06	10.18	1171.5	3.24	—	353.74	2.43	—	259.94	1.23	—	146.74	1.99	—	182.02	0.55	—	147.0	0.26	—	27.92	0.45	—	54.13	0.47	—	39.46	0.41	19.89
雇农	—	3.11	2.82	304.69	1.02	—	104.96	0.47	—	41.10	0.34	—	27.53	0.68	—	73.33	0.13	—	38.53	0.07	—	5.22	0.11	—	14.02	0.22	—	11.33	0.07	3.64
其它	—	1.16	1.12	115.47	0.45	—	41.55	0.47	—	45.68	0.07	—	2.06		—		0.12	—	23.14		—			—			—		0.04	2.94

·437·

1946年农作物播种面积构成

一、合计 单位面积：亩 续14表

阶级	总播种面积	粮食作物								棉花	其它作物
		合计	小麦	玉米	谷子	高粱	薯类	大豆	其它杂粮		
甲	1	2	3	4	5	6	7	8	9	10	11
合计	53838	49372	16194	11212	6723	8583	2268	1816	2576	2728	1738
地主	4865	4555	1748	1072	559	664	80	191	241	173	137
富农	7937	7364	2426	1585	1136	1322	231	267	397	416	157
中农	29834	27154	8714	6092.0	3781	4577	1395	1095	1480	1658	1032
贫农	11013	10135	3237	2418	1228	1989	550	260	453	471	407
雇农	140	127	46	21	15	31	6	3	5	10	3
其它	59.00	57.00	23	24	4		6				2

二、构成（%）

阶级	总播种面积	合计	小麦	玉米	谷子	高粱	薯类	大豆	其它杂粮	棉花	其它作物
合计	100	97.70	30.08	20.83	12.49	15.94	4.21	3.37	4.70	5.07	3.23
地主	100	93.63	35.93	22.04	11.49	13.65	1.64	3.93	4.95	3.55	2.82
富农	100	92.78	30.57	19.97	14.31	16.66	2.91	3.36	5.00	5.24	1.98
中农	100	90.98	29.22	20.43	12.68	15.34	4.68	3.67	4.96	5.56	3.46
贫农	100	92.03	29.39	21.96	11.15	18.06	4.99	2.36	4.12	4.28	3.69
雇农	100	90.71	32.86	15.00	10.71	22.14	4.29	2.14	3.57	7.15	2.14
其它	100	96.61	38.98	40.68	6.78		10.17				3.39

·138·

1946年房屋和牲畜

一、合计

综15表

阶级	户数	占有房间数	现住房屋 间数	其中 砖的	其中 租借	生产用房 间数	其中砖的	租借典入	出借租典房屋	牲畜（头） 大牲畜 牛	马	驴	骡	小牲畜 猪	羊	水井	其中砖井
甲	1	2	3	4	5	6	7	8	9	10	11	12	13	14	15	16	17
合计	2595	11249	9670	5131	433	1884	760	7	135	231	49	577	172	765	66	988	737
地主	71	793	469	406	7	298	244		33	14	7	14	35	37	21	61	47
富农	147	1209	891	691	6	329	138	5		15	4	58	56	86	1	114	103
中农	1285	6093	5138	2911	118	1035	316		38	167	31	385	68	458	7	578	420
贫农	996	2936	2936	1094	230	214	62	2	18	34	6	119	12	178	37	234	166
雇农	45	83	114	8	35	3			1	1			-	3		1	1
其它	51	135	122	21	37	5			45		1	1	1	3			

二、每户平均

阶级	户数	占有房间数	现住房屋 间数	其中 砖的	其中 租借	生产用房 间数	其中砖的	租借典入	出借租典房屋	牛	马	驴	骡	猪	羊	水井	其中砖井
合计	—	4.33	3.73	1.98	0.17	0.73	0.29	0.002	0.05	0.09	0.02	0.22	0.07	0.29	0.03	0.38	0.28
地主	—	11.17	6.61	5.72	0.10	4.20	3.44		0.46	0.20	0.10	0.20	0.49	0.52	0.30	0.86	0.66
富农	—	8.22	6.06	6.61	0.04	2.24	0.94	0.03	0.03	0.10	0.03	0.39	0.38	0.59	0.01	0.78	0.70
中农	—	4.74	4.00	2.27	0.10	0.81	0.25			0.13	0.02	0.30	0.05	0.36	0.01	0.45	0.33
贫农	—	2.95	2.95	1.10	0.23	0.21	0.06	0.002	0.02	0.03	0.01	0.12	0.01	0.18	0.04	0.23	0.17
雇农	—	1.84	2.53	0.18	0.78	0.07			0.02	0.02				0.07		0.02	0.02
其它	—	2.65	2.39	0.41	0.73	0.09			0.88		0.02	0.02	0.02	0.05			

·139·

1946年佔有农业主要生产及生活用具

一、合计　　　　　　　　　　　　　　　　　　　　　　　　续16表

阶级	户数	生产工具						生活用具					备考
		水车	铁大轱车	胶大轱车	犁耠	种什	耙盖	自行车	手电筒	矿石收音机	热水瓶	被褥(条)	
甲	1	2	3	4	5	6	7	8	9	10	11	12	13
合计	2595	248	533	7	1153	603	648	17	22		18	14741	
地主	71	18	49		68	53	58	1	5		5	712	
富农	147	62	95	1	148	98	94	6	7		5	1592	
中农	1285	150	339	4	741	380	434	8	8		3	7864	
贫农	996	18	50	1	194	71	61	2	2		4	4261	
雇农	45				1		1					115	
其它	51			1	1	1					1	197	

二、构成（%）

阶级	户数	水车	铁大轱车	胶大轱车	犁耠	种什	耙盖	自行车	手电筒	矿石收音机	热水瓶	被褥(条)	备考
合计	100	100	100	100	100	100	100	100	100	100	100	100	100
地主	2.74	7.26	9.19	14.29	5.90	8.79	8.95	5.90	22.73		27.78	4.83	
富农	5.66	25.00	17.83	57.14	12.84	16.25	14.51	35.29	31.82		27.78	10.80	
中农	49.52	60.48	63.60	14.28	64.27	63.02	66.97	47.06	36.36		16.05	53.34	
贫农	38.38	7.26	9.38	14.29	16.83	11.77	9.42	11.76	9.09		22.22	28.91	
雇农	1.73				0.08		0.15					0.78	
其它	1.95				0.08	0.16					5.56	1.34	

·140·

1946年农付业及其它收入

单位：元　　综17表

阶级	户数	人数	植物栽培	出售家畜家禽及其它产品						采集渔猎收入	付业收入	工资收入	在外人口寄回	出租生产生活资料	其中房租	救济补助及赠送	其它	合计	其中纯收入
				猪	羊	蜂	鸡鸭及蛋	其它	肥料										
甲	1	2	3	4	5	6	7	8	9	10	11	12	13	14	15	16	17	18	19
合计	2595	12485	644732.02	15966.10	147.50	85.00	1170.89	56.40	28.00	569.08	38201.89	38089.71	22115.72	5159.16	169.00	2326.41	4320.66	772968.54	579548.93
地主	71	390	61954.99	306.58			4.00				777.20		3690.0	2443.97	169		450	69626.74	51040.24
富农	147	913	87753.24	1234.39		25.00	36.87			16	1082.2	285	2826.76	839.82				94099.28	67773.31
中农	1285	6651	362595	9884	45.00	60.00	547.00	29.40		156	15377	10089.4	8478.3	727.8		815.70	743.00	409547.6	300769.10
贫农	996	4251	130299.03	4409.37	102.50		562.02	27	28.00	352.08	17280.82	21454.03	5348.35	236.05		1255.51	2121.01	183475.77	144386.06
雇农	45	130	1461.99	45.00			21.00			20.00	363.47	2875.89	404.75			9.30		5201.2	4762.70
其它	51	150	667.77	86.76						25.00	3321.20	3385.39	1367.56	911.52		246	1206.65	11017.85	10817.32
二、每人平均																			
合计	—	—	51.64	1.28	0.01	0.01	0.09	0.01	0.002	0.05	3.06	3.05	1.77	0.41	0.01	0.19	0.35	61.91	46.42
地主	—	—	158.86	0.78							1.99		9.46	6.27	0.43		1.15	178.53	130.87
富农	—	—	96.12	1.35		0.02	0.04			0.02	1.19	0.31	3.10	0.96				103.07	74.23
中农	—	—	54.52	1.49	0.01	0.01	0.08	0.02		0.02	2.31	1.52	1.27	0.11		0.12	0.11	61.58	45.22
贫农	—	—	30.65	1.04	0.03		0.13	0.02	0.03	0.08	4.07	5.05	1.26	0.06		0.30	0.5	43.16	33.97
雇农	—	—	11.25	0.35			0.16			0.15	2.8	22.12	3.11			0.01		40.01	36.64
其它	—	—	4.45	0.58						0.17	22.14	22.57	9.12	6.08		1.64	6.71	73.46	72.12

·141·

1946年十一个村副业综合情况　（一）

综18表

阶级成份	总户数	经营付业				全年所得利润或取得的工资（元）	织布						
		户数	人数	其中：兼营人数	佣用人数		户数	经营人数		出售产品			全年所得利润
								计	其中：兼营	品名	数量	价值	
甲	1	2	3	4	5	6	7	8	9	10	11	12	13
合计	2595	488	623	544	1	41004.53	34	53	47	布	5121	8705	1993.04
地主	71	1	3		1	117.20							
富农	147	5	8	7		337.20							
中农	1285	210	265	246		19451.44	14	19	18	〃	3155	3186	801.51
贫农	996	257	329	278		19020.59	18	30	25	〃	1666	4478	1019.78
雇农	45	5	6	6		185.10	1	3	3	〃	150	491	81.75
其他	51	10	12	7		1893.00	1	1	1	〃	150	550	90.00

·142·

（二）

阶级成份	加工布							纺线						
	户数	经营人数			加工产品		全年取得工資	户数	经营人数		出售产品			全年所得利润
		計	其中		品名	数量			計	其中	品名	数量	价值	
			兼营	佣用						兼营				
甲	14	15	16	17	18	19	20	21	22	23	24	25	26	27
合计	58	87	83		布	3925	5398.08	23	33	30	布	1353	2106	811.08
地主														
富农								2	5	5	〃	80	98	45
中农	31	44	44		〃	1988	2876.55	9	14	12	〃	529	940	368.33
贫农	27	43	39		〃	1937	2521.53	12	14	13	〃	744	1068	397.75
雇农														
其它														

·143·

（三）

阶级成份	加工线						编席						
	户数	经营人数		加工产品		全年所得工资	户数	经营人数		出售产品			全年所得利润
		计	其中兼营	品名	数量			计	其中兼营	品名	数量	产值	
甲	28	29	30	31	32	33	34	35	36	37	38	39	40
合计	29	34	34	线	916	604.04	34	41	40	席	2527	1579	1933.54
地主													
富农													
中农	15	17	17	〃	329	274.80	11	15	15	〃	697	1579	624.97
贫农	13	16	16	〃	542	294.24	23	26	25	〃	1830	—	1308.57
佣农													
其它	1	1	1	〃	45	35.00							

·144·

（四）

阶级成份	编箔							蔬菜						
	户数	经营人数		出售产品			全年所得工资	户数	经营人数		出售产品			全年所得工资
		计	其中兼营	品名	数量	价值			计	其中兼营	品名	数量	价值	
甲	41	42	43	44	45	46	47	48	49	50	51	52	53	54
合计	18	32	32	箔	975	2983	581.80	43	45	39	菜	683454	15102	2663.26
地主														
富农														
中农	12	22	22	〃	658	1987	423.03	3	3	3	〃	53500	965	152
贫农	6	10	10	〃	317	996	158.77	39	41	35	〃	617292	13757	2411.26
佃农														
其它								1	1	1	〃	12662	380	100

·145·

（五）

阶级成份	豆腐房								猪毛贩				
	户数	经营人数			出售产品			全年所得利润	户数	经营人数			全年所得利润
		計	其中：兼营	其中：佣用	品名	数量	价值			計	其中：兼营	其中：佣用	
甲	55	56	57	58	59	60	61	62	63	64	65	66	67
合计	14	18	14		豆腐	122660	3241	1335.68	7	10	7	1	1087.25
地主									1	3		1	117.20
富农													
中农	4	5	4		〃			260	4	5	5		572.57
贫农	10	13	10		〃	122660	3241	1075.68	2	2	2		397.48
佣农													
其它													

·146·

(一六)

阶級成份	饮食业					粉房						
	户数	经营人数			全年所得利润	户数	经营人数		出售产品			全年所得利润
		計	其中				計	其中	品名	数量	价值	
			兼营	雇用				兼营				
甲	68	69	70	71	72	73	74	75	76	77	78	79
合计	39	50	30		4313.57	2	2	2	粉条	3625	900	124.33
地主												
富农												
中农	14	17	15		2083.20	2	2	2	〃	3625	900	124.33
贫农	22	29	13		1380.87							
雇农	2	2	2		69.5							
其它	1	2			380							

·147·

(七)

阶级成份	木工					窑业						
	户数	经营人数			全年所得利润	户数	经营人数		出售产品			全年所得利润
		计	其中兼营	雇用			计	其中兼营	品名	数量	价值	
甲	80	81	82	83	84	85	86	87	88	89	90	91
合计	20	22	22		1149.40	1	15	13	砖	50万		130.96
地主												
富农	2	2	2		160.00							
中农	16	18	18		924.40							
贫农	2	2	2		65.00	1	15	13	〃	50万		130.96
雇农												
其它												

·148·

（八）

阶级成份	油房							熬淋业							
	户数	经营人数		出售产品			全年所得工資	户数	经营人数			出售产品			全年所得利润
		計	其中兼营	品名	数量	价值			計	其中		品名	数量	价值	
										兼营	雇用				
甲	92	93	94	95	96	97	98	99	100	101	102	103	104	105	106
合计	2	3	1	油	10512	2222	351	6	8	8		盐硝	3195	489	391.40
地主															
富农															
中农	1	2		〃	9312	1862	310.40	3	5	5		〃	1775	280	260.00
贫农	1	1	1	〃	1200	360	40.60	3	3	3		〃	1420	209	131.40
雇农															
其它															

(九)

阶級成份	磨面					纳鞋底				
	户数	经营人数			全年所得利润	户数	经营人数	加工产品		全年所得利润
		計	其中					品名	数量	
			兼营	雇用						
甲	107	108	109	110	111	112	113	114	115	116
合計	2	3	2		318	1	1	鞋底	40	20
地主										
富农										
中农	1	2	2		48					
貧农	1	1			270	1	1	〃	40	20
雇农										
其它										

·150·

（十）

阶级成份	做鞋						补鞋				
	户数	经营人数		出售产品		全年所得利润	户数	经营人数			全年所得工资
		计	其中兼营	品名	数量			计	其中		
									兼营	雇用	
甲	117	118	119	120	121	122	123	124	125	126	127
合计	1	3	3	鞋	500	190.35	2	2	1		164
地主											
富农											
中农							1	1			94
贫农	1	3	3	〃	500	190.35	1	1	1		70
雇农											
其它											

·151·

（十一）

阶级成份	杂货				鲜货				百货			
	户数	经营人数		全年所得利润	户数	经营人数		全年所得利润	户数	经营人数		全年所得利润
		計	其中兼营			計	其中兼营			計	其中兼营	
甲	128	129	130	131	132	133	134	135	136	137	138	139
合计	81	84	68	7352.70	4	4	4	166	1	1		320
地主												
富农												
中农	26	27	22	2681.73	1	1	1	40	1	1		320
贫农	50	52	43	4036.12	3	3	3	126				
雇农	1	1	1	33.85								
其它	4	4	2	601.00								

（十二）

阶级成份	布贩				棉花贩				豆并贩			
	户数	经营人数		全年所得利润	户数	经营人数		全年所得利润	户数	经营人数		全年所得利润
		計	其中：兼营			計	其中：兼营			計	其中：兼营	
甲	140	141	142	143	144	145	146	147	148	149	150	151
合计	7	7	7	755.07	1	1	1	200	2	3	3	350.14
地主												
富农	1	1	1	132.20								
中农	4	4	4	425					1	2	2	168.70
貧农	2	2	2	197.87	1	1	1	200	1	1	1	181.44
佇农												
其它												

·153·

（十三）

阶级成份	粮贩				药铺				染房			
	户数	经营人数 计	其中兼营	全年所淂利润	户数	经营人数 计	其中兼营	全年所淂利润	户数	经营人数 计	其中兼营	全年所淂利润
甲	152	153	154	155	156	157	158	159	160	161	162	163
合计	3	3	3	186.10	2	2	2	190.30	4	5	5	932.28
地主												
富农												
中农	2	2	2	174.90	2	2	2	190.30	3	4	4	720.28
贫农	1	1	1	11.20					1	1	1	212
佃农												
其它												

（十四）

阶级成份	打鱼				木匠				小炉匠			
	户数	经营人数		全年所得利润	户数	经营人数		全年所得利润	户数	经营人数		全年所得利润
		計	其中兼营			計	其中兼营			計	其中兼营	
甲	164	165	166	167	168	169	170	171	172	173	174	175
合计	1	1	1	29.08	4	5	5	500.27	5	7	6	939.50
地主												
富农												
中农					1	1	1	140	2	3	2	439.50
貧农	1	1	1	29.08	3	4	4	360.27	2	2	2	140
佇农												
其它									1	2	2	360

·155·

（十五）

阶级成份	轧花				屠宰				理发			
	户数	经营人数		全年所得利润	户数	经营人数		全年所得利润	户数	经营人数		全年所得利润
		計	其中兼营			計	其中兼营			計	其中兼营	
甲	176	177	178	179	180	181	182	183	184	185	186	187
合计	10	10	10	480.07	1	1	1	96.72	2	2	1	173.81
地主												
富农												
中农	9	9	9	425.50	1	1	1	96.72	1	1		98.81
貧农	1	1	1	54.57					1	1	1	75
雇农												
其它												

·156·

（十六）

阶级成份	换破烂				搭棚				打坯			
	户数	经营人数		全年所得利润	户数	经营人数		全年所得利润	户数	经营人数		全年所得利润
		計	其中：兼营			計	其中：兼营			計	其中：兼营	
甲	188	189	190	191	192	193	194	195	196	197	198	199
合计	1	1	1	60	1	1	1	486	2	2	2	66.08
地主												
富农												
中农					1	1	1	486				
貧农	1	1	1	60					2	2	2	66.08
佃农												
其它												

·157·

(十七)

阶级成份	木柴贩				修秤				张鼓			
	户数	经营人数		全年所得利润	户数	经营人数		全年所得利润	户数	经营人数		全年所得利润
		计	其中兼营			计	其中兼营			计	其中兼营	
甲	200	201	202	203	204	205	206	207	208	209	210	211
合计	1	1	1	22.15	1	1	1	150	1	1	1	76.80
地主												
富农												
中农	1	1	1	22.15	1	1	1	150	1	1	1	76.80
贫农												
佃农												
其它												

阶级成份	斗行				运输				烟土				小米加工			
	户数	经营人数 计	经营人数 其中兼营	全年所得利润	户数	经营人数 计	经营人数 其中兼营	全年所得利润	户数	经营人数 计	经营人数 其中兼营	全年所得利润	户数	经营人数 计	经营人数 其中兼营	全年所得利润
甲	212	123	214	215	216	217	218	219	220	221	222	223	224	225	226	227
合计	1	1	1	120	13	14	7	3639.67	1	1	1	96.72	1	2	2	54.29
地主																
富农																
中农	1	1	1	120	9	9	7	2422.67					1	2	2	54.29
贫农					3	4		890	1	1	1	96.72				
佃农																
其它					1	1		327								

·159·

1946年负债情况

一、合计　　　　单位：元　　续19表

阶级	总户数	其中：负债户数	年末负债累计：计	年末负债累计：其中：货币	其中：向各类债主借款累计数：地主富农	中农	银行	信用社	钱庄	其它	全年付利息
甲	1	2	3	4	5	6	7	8	9	10	11
合计	2595	60	4098.64	4098.64	2547.24	390.8	40		36	1084.6	719.78
地主	71	1	483.60	483.60						483.6	69.60
富农	147	2	120	120	120						10
中农	1285	28	2233.80	2233.80	1359.8	300			36.00	538.00	361.80
贫农	996	28	1196.24	1196.24	1002.44	90.8	40			63	255.88
雇农	45	1	65.00	65.00	65.00						22.5
其它	51										
二、每户平均											
合计	—	—	1.58	1.58	0.98	0.25	0.02		0.01	0.42	0.28
地主	—	—	68.1	68.1						68.1	0.98
富农	—	—	0.82	0.82							0.07
中农	—	—	17.38	17.38	1.06	0.23			0.03	0.42	0.28
贫农	—	—	19.24	19.24	10.06	0.09				0.063	0.26
雇农	—	—	14.44	14.44	14.44						0.50
其它	—	—									

· 160 ·

1946年调查户负债用途

续20表

阶级	户数	其中：负债户数	负债金额	用途：购买生产资料	购买生活资料	婚丧喜庆	支付捐税债务	其他
甲	1	2	3	4	5	6	7	8
合计	1403	43	2628.36	48.00	1436.98	133.00	228.00	782.38
地主	45	1	483.60					483.60
富农	78	2	120.00			80.00	40.00	
中农	719	15	1197.93	48.00	770.55	20.00	138.00	221.38
贫农	527	24	811.83		666.43	18.00	50.00	77.40
佃农	22	1	15.00			15.00		
其它	12							
构成（%）								
合计	10.0	100	100	1.83	54.67	5.06	8.67	29.77
地主	3.23	1.67	100					100
富农	4.88	3.33	100			66.76	33.33	
中农	51.62	46.66	100	4.01	64.32	1.67	11.52	18.48
贫农	37.83	46.67	100		82.09	2.22	6.16	9.53
佃农	1.58	1.67	100			100		
其它	0.86		100					

1946年主要生活用品情况

综21表

一、合计

阶级	户数	吃饭人口	口粮消费 计	其中细粮 计	其中细粮 %	肉类(斤)	食油(斤)	棉布(尺) 计	棉布(尺) 其中土布	灯油(斤)	煤炭(斤)	烟类 纸烟(合)	烟类 烟叶(斤)	酒(斤)	医药费(元)	供神费(元)	应酬费(元)	喜庆费(元)	丧葬费(元)
甲	1	2	3	4	5	6	7	8	9	10	11	12	13	14	15	16	17	18	19
合计	2595	12508	398950	790911	19.83	32678	25602	177836	99730	33070	811217	22984	12598	5086	8230.47	1587.22	7470.01	2599.30	1197.80
地主	71	455	186276	56910	30.56	2779	1612	8218	3570	1545	5195	2563	299	410	399.26	147.92	893.66	50.00	
富农	147	987	380964	94665	24.85	50.68	31.32	16623	7449	2558	8945	2965	1426	803	1061.14	345.03	666.27	1082	104.70
中农	1285	6669	2186607	446678	20.42	17809	13632	98033	54349	15315	496217	10827	5965	2117.0	5130	790.7	5237.73	1211	741.0
贫农	996	4147	1163065	175490	15.09	6.75	6508	52087	34473	13061	237330	4259	4611	1592	1407.96	322.97	635.66	256.30	297.10
雇农	45	100	26369	5151	19.53	163	386	1024	581	219	3200	210	205	24	14.11	3.60	1.70		
其它	51	150	45669	12017	26.31	484	332	1851	308	432	60270	2160	92	140	218.00	27.00	35.00		55.00

二、每人平均

阶级	户数	吃饭人口	口粮消费 计	其中细粮 计	其中细粮 %	肉类(斤)	食油(斤)	棉布(尺) 计	棉布(尺) 其中土布	灯油(斤)	煤炭(斤)	烟类 纸烟(合)	烟类 烟叶(斤)	酒(斤)	医药费(元)	供神费(元)	应酬费(元)	喜庆费(元)	丧葬费(元)
合计	—	—	318.91	63.23	—	2.61	2.05	14.22	7.97	2.64	64.85	1.84	1.00	0.41	0.66	0.13	0.60	0.21	0.09
地主	—	—	409.39	125.07	—	6.10	3.54	18.00	5.6	3.40	11.42	5.63	0.66	0.90	0.88	0.33	1.97	0.11	
富农	—	—	386.0	95.91	—	5.13	3.17	16.84	7.55	2.59	9.06	3.00	1.44	0.81	1.08	0.35	0.68	1.096	0.11
中农	—	—	327.88	66.97	—	2.67	2.044	14.70	8.15	2.29	74.4	1.62	0.89	0.32	0.77	0.12	0.79	0.180	0.11
贫农	—	—	280.46	42.32	—	1.54	1.57	12.56	8.31	3.14	57.2	1.03	1.11	0.38	0.34	0.08	0.15	0.062	0.071
雇农	—	—	263.69	51.51	—	1.63	3.86	10.24	5.81	2.19	32.00	2.10	2.05	0.24	0.41	0.04	0.02		
其它	—	—	304.45	80.11	—	3.23	2.21	12.34	2.05	2.88	40.18	14.40	0.61	0.93	1.45	0.18	0.23		0.37

1946年粮食收支平衡表

单位：斤　　续22表

阶级成份	户数	上年余存	本年收入						本年支出							年终结存
			計	种植收入	购入	收租	从农业社取得收入	其它收入	計	口粮消费	种籽	飼料	卖出	交租	其它支出	
甲	1	2	3	4	5	6	7	8	9	10	11	12	13	14	15	16
合计	74	46785	285545	268314	14881	1985		365	263846	138643	14622	19269	63023	5260	23029	68484
地主	3	24200	93860	93160	700				85341	14320	5591	8390	42890	4000	10150	32719
富农	4	3650	23994	23794	200				22541	12918	1345	1568	4540		2170	5103
中农	42	15921	127053	119517	5506	1985		45	118063	79664	6162	8301	14121	200	9615	24911
贫农	23	2934	40093	31498	8275			320	37426	31321	1504	1010	1452	1060	1079	5601
雇农	2	80	545	345	200				475	420	20		20		15	150
每户平均																
合计		632.2	3858.7	3625.9	201.1	26.8		4.9	3565.6	1873.6	197.6	260.4	851.7	71.1	311.2	925.3
地主		8066.7	31286.6	31053.3	233.3				28447	4773.3	1863.6	2796.6	14296.7	1333.3	3383.3	10906.
富农		912.5	5998.5	5948.5	50				5635.3	3229.5	336.3	392	1135		542.5	1275.8
中农		379.1	3025.1	2845.6	131.1	47.3		1.1	2811	1896.8	146.7	197.6	336.2	4.8	228.9	593.2
贫农		127.6	1743.2	1369.5	359.8			13.9	1627.2	1361.8	65.4	43.9	63.1	46.1	46.9	243.6
雇农		40	272.5	172.5	100				237.5	210	10		10		7.5	75

·163·

1947～1949年反动统治时期所受损失

续24表

阶级	总户数	其中受损户数	烧毁房屋(间)	拆毁房屋(间)	霸占土地(亩)	绑票勒索(元)	砍伐树木(株)	劫去粮食(斤)	劫去衣饰(件)	劫去牲畜(头)	劫去钱财(元)	杀死人数(人)	重伤残废人数(人)	抓壮丁人数(人)	义务劳役天数
甲	1	2	3	4	5	6	7	8	9	10	11	12	13	14	15
合计	2595	1129	9	43	40.1	1177	2436	109124	1105	45	2032.12	23	23	61	102307
地主	71	7					68	2500	17						1120
富农	147	467	1	24	21.6	669.6	484	39312	307	18	560.56	5	5	10	14746
中农	1285	561	8	10	16	377.4	1521	54158	596	26	1025.56	11	14	32	51715
贫农	996	330		7	2.5	130	355	11059	151	1	406.5	7	4	19	31559
佃农	45	11													1007
其他	51	21		2			8	2095	34		495				2160

注　缺蔡家营、大梲潭两村的受损户数。

·164·

土改收益户分得财产情况

续25表

阶级	总户数	其中收益户数	房屋(间)	土地(亩)	粮食(斤)	牲畜(头)	农具(件)	(1)水車	(2)大車	(3)犁耙	傢具(件)	(1)箱子	(2)木
甲	1	2	3	4	5	6	7	8	9	10	11	12	13
合计	2595	1055	567	6873	44144	39	120	3.66	16	32	398	7	61.33
中农	1785	567	270.5	3403	23663	15.7	32	1.33	5	15	160	5	50.33
贫农	996	462	284.5	3271	19625	18.8	86	2	5	17	233	2	11
佃农	45	4	6	71	136	2							
其它	51	22	6	68	720	2.5	2	0.33			5		

阶级	(13)缸	(14)桌子	现款(人民币)	取消借款(元)	退还押款	典地改契地	衣服	门	锅	棉花	檩条	树	木柴	其它
甲	14	15	16	17	18	19	20	21	22	23	24	25	26	27
合计	80	106	1125	487	20	533.2	234	2	4		4	2	200	151
中农	31	24	818	19		303		1						53
贫农	49	82	307	468	20	226	234	1	4		4	2	200	94
佃农						4								
其它						0.2								4

·165·

（四）1957年调查资料

1957年调查户变动情况

一、合计　　　　　　　　　　　　　　　　　　　　　　　　　　续1表

阶级	1946年户数	期内变动					本期户数
		分出	迁入	合并	迁出	绝灭	
甲	1	2	3	4	5	6	7
合计	2595	650	66	12	65	56	3178
地主	71	3		1	9	1	
富农	147	33		1	6		上中 996
中农	1285	475	43	8	25	17	中 1522
贫农	996	123	22	2	24	28	下中 507
雇农	45	2				3	贫 65
其它	51	14	1		1	7	其他 88

二、比重（%）

阶级	1946年户数	分出	迁入	合并	迁出	绝灭	本期户数
合计	100	100	100	100	100	100	100
地主	2.74	0.46		8.33	13.85	1.79	
富农	5.7	5.08		8.33	9.23		31.34
中农	49.5	73.08	65.15	66.67	38.46	30.36	47.89
贫农	38.4	18.93	33.33	16.67	36.92	50	15.95
雇农	1.7	0.31	1.52			5.35	2.05
其它	1.96	2.15			1.54	12.5	2.77

1957年调查户阶级成份的演变

一、合计　　　　续2表

阶级	1946年户数	1957年户数						
		合计	上中农	中农	下中农	贫农	雇农	其它
甲	1	2	3	4	5	6	7	8
合计	2595	3128	996	1522	507	65		88
地主	71	63	31	24	6			2
富农	147	173	73	77	13	6		4
中农	1285	1753	612	934	165	15		27
贫农	996	1087	262	461	313	36		15
雇农	45	44	6	24	10	4		
其它	51	58	12	2		4		40
二、构成（%）								
合计	——	100	31.34	47.89	15.95	2.05		2.77
地主	——	100	49.21	38.09	9.52			3.18
富农	——	100	42.20	44.51	7.51	3.47		2.31
中农	——	100	34.91	53.28	9.41	0.86		1.54
贫农	——	100	24.10	42.41	28.79	3.31		1.39
雇农	——	100	13.64	54.55	22.73	9.08		
其它	——	100	20.69	3.45		6.89		68.97

1946—1957年调查户阶级演变原因

续3表

阶级	上升					下降					
	户数	剥削或投机获利	土地改革	劳动力及家属成员就业	其它	户数	被剥削或投机失败	分家	土地改革	赌博或其它不正当行为	灾祸或其他意外事故
甲	1	2	3	4	5	6	7	8	9	10	11
合计	1710		831	747	132	443	4	199	211	6	23
地主						63			60	3	
富农						173		16	151		6
中农	612			602	10	207	4	183		3	17
贫农	1036		786	140	110						
雇农	44		38	3	3						
其它	18		7	2	9						
二、比重（%）											
合计	100		48.60	43.68	7.72	100	0.90	44.93	47.63	1.35	5.19
地主	100	—	—	—	—	100			95.24	4.76	
富农	100					100		9.25	87.28		3.47
中农	100			98.37	1.63	100	1.93	88.41		1.45	8.21
贫农	100		75.87	13.51	10.62	100					
雇农	100		86.36	6.82	6.82	—	—	—	—	—	—
其它	100		38.89	11.11	50						

·168·

1946—1957年调查户阶级演变原因

续3表

一、合计

阶级	上升 户数	上升 剥削或投机获利	上升 土地改革	上升 劳动及家属成员就业	上升 其它	下降 户数	下降 被剥削或投机失败	下降 分家	下降 土地改革	下降 赌博及其他不正当行为	下降 灾祸或其他意外事故
甲		2	3	4	5	6	7	8	9	10	11
合计	1203		926	145	132	326	5	48	230	6	37
地富						256	1	16	230	3	6
中农						55	3	32		3	17
贫农	1175		919	143	113	15	1				14
其它	28		7	2	18						

二、比重（%）

阶级	上升 户数	上升 剥削或投机获利	上升 土地改革	上升 劳动及家属成员就业	上升 其它	下降 户数	下降 被剥削或投机失败	下降 分家	下降 土地改革	下降 赌博及其他不正当行为	下降 灾祸或其他意外事故
合计	100		76.97	12.05	10.98	100	1.53	14.72	70.6	1.84	11.31
地富	100	—	—	—	—	100	0.4	6.25	89.84	1.17	2.34
中农	100					100	5.45	58.2		5.45	30.9
贫农	100		78.21	12.17	9.62	100	6.67				93.33
其它	100		25	7.14	67.86	100					

·169·

1957年人口与劳动力

一、合计　　　　　　　　　　　　　　　　　　　　　　续4表

阶级	户数	年末总人口数			在家常住人口						在外人口					
		合计	男	女	年内常住人口		其中：劳动力		年末常住人口		年内人口		其中：劳动力		年末人口	
					男	女	男	女	男	女	男	女	男	女	男	女
甲	1	2	3	4	5	6	7	8	9	10	11	12	13	14	15	16
合计	3178	17353	8896	8457	7311	7585	3820	3877	7375	7614	1543	855	1232	518	1521	843
上中农	996	5436.83	2892.7	2544.13	2195.76	2159.63	1287	1268	2227.66	2183.13	675	365	527	226	665	361
中农	1522	8503	4317	4186	3629	3817.5	1869	1820	3656	3813	672	381	539	227	661	373
下中农	507	2708.45	1329.45	1379	1223.45	1333	553	571	1228.45	1332	99	47	88	28	101	47
贫农	65	347	170	177	160	171	75	67	156	170	14	8	12	6	14	7
其他	88	358	187	171	103	114	36	51	107	116	83	54	66	21	80	55

二、每户平均

阶级	户数	合计	男	女	男	女	男	女	男	女	男	女	男	女	男	女
合计	—	5.46	2.8	2.66	2.3	2.39	1.2	1.22	2.32	2.4	0.49	0.27	0.39	0.16	0.48	0.26
上中农	—	5.46	2.91	2.55	2.2	2.17	1.3	1.27	2.24	2.19	0.68	0.36	0.53	0.23	0.67	0.36
中农	—	5.59	2.84	2.75	2.38	2.51	1.23	1.26	2.4	2.57	0.44	0.25	0.35	0.15	0.44	0.24
下中农	—	5.34	2.62	2.72	2.41	2.63	1.1	1.13	2.42	2.63	1.25	0.09	0.17	0.05	0.2	0.09
贫农	—	5.32	2.6	2.72	2.46	2.63	1.15	1.03	2.4	2.61	0.22	0.12	0.18	0.09	0.22	0.11
其他	—	2.07	2.13	1.94	1.17	1.3	0.41	0.58	1.22	1.32	0.94	0.61	0.25	0.35	0.91	0.62

·170·

1957年调查户常住人口劳动力的职业状况

一、合　计　　　　　　　　　　　　　　　　　　　　　　续5表

阶　级	劳动力数	其中：职业状况									
		个体农民	个体手工业者	产业工人	小商贩	乡社干部	各类合作社员	自由职业者	宗教及迷信职业者	旧政权人员	其他劳动者
甲	1	2	3	4	5	6	7	8	9	10	11
合　计	7691	11	3	13	28	147	5774	10	1		79
上中农	2555	1	1	12	7	48	1909	5	1		48
中　农	3789	1	1		12	78	2868	4			11
下中农	1124	8	1		4	20	875	1			
贫　农	142	1			1	1	104				1
其　它	87			1	4		18				19

二、各类职业人数占常住人口劳动力的（%）

阶　级	劳动力数	个体农民	个体手工业者	产业工人	小商贩	乡社干部	各类合作社员	自由职业者	宗教及迷信职业者	旧政权人员	其他劳动者
合　计	100	0.14	0.04	0.17	0.36	1.90	75.02	0.11	0.01		1.03
上中农	100	0.04	0.04	0.46	0.27	1.88	74.72	0.20	0.04		1.88
中　农	100	0.03	0.03		0.32	2.06	75.69	0.10			0.29
下中农	100	0.71	0.09		0.35	1.78	77.85				
贫　农	100	0.70			0.70	0.70	73.24				0.7
其　他	100			1.15	4.59		20.68				21.84

·171·

1957年调查户在外人口劳动力职业状况

续6表

一、合计

阶级	劳动力数	其中：职业状况											
		革命军政机关国营企业职工	个体手工业者	雇工	小商贩	工商业资本家	旧军政机关人员	私营企业职工	自由职业者	宗教迷信职业者	产业工人	各类合作社员	其他劳动者
甲	1	2	3	4	5	6	7	8	9	10	11	12	13
合计	1750	594	7	2	18		11	9	14		305	45	127
上中农	753	255	1		10		6	5	5		126	19	43
中农	766	260	3	2	6		4	4	6		137	24	60
下中农	116	35	1		1		1		2		26	2	15
贫农	18	8									1		2
其他	97	36	2		1				1		15		6

二、各类职业人数占在外人口劳动力的（%）

阶级	劳动力数	革命军政机关国营企业职工	个体手工业者	雇工	小商贩	工商业资本家	旧军政机关人员	私营企业职工	自由职业者	宗教迷信职业者	产业工人	各类合作社员	其他劳动者
合计	100	33.94	0.4	0.11	1.03		0.63	0.51	0.8		17.43	2.57	7.26
上中农	100	33.86	0.13		1.30		0.79	0.65	0.68		16.73	2.52	5.71
中农	100	33.94	0.39	0.26	0.78		0.52	0.52	0.78		17.88	3.13	7.83
下中农	100	30.17	0.86		0.86		0.86		1.72		22.41	1.72	12.93
贫农	100	44.44									5.56		11.11
其他	100	37.11	2.06		1.03				1.03		15.46		6.19

·172·

1957年调查户开内常住人口的文化状况

一、合计　　　　　　　　　　　　　　　　　　　　　　　　续7表

阶级	学令儿童(7-13岁)	其中：在学人数	14岁以上人口	文化状况：文盲	初小程度	高小程度	初中程度	高中程度	大学程度
甲	1	2	3	4	5	6	7	8	9
合计	2462	1833	9071	6732	1377	726	224	10	2
上中农	616	508	2945	2114	474	261	86	9	1
中农	1253	897	4484	3383	658	335	107	1	
下中农	514	354	1335	1029	181	96	18		1
贫农	56	45	182	122	35	21	4		
其它	23	19	125	84	19	13	9		

二、构成（%）

阶级	学令儿童(7-13岁)	其中：在学人数	14岁以上人口	文盲	初小程度	高小程度	初中程度	高中程度	大学程度
合计	100	74.45	100	74.23	15.18	8.00	2.46	0.10	0.03
上中农	100	82.47	100	71.78	16.10	8.86	2.92	0.30	0.04
中农	100	71.59	100	75.44	14.68	7.47	2.39	0.02	
下中农	100	68.87	100	77.08	14.31	7.19	1.35		0.07
贫农	100	80.36	100	67.03	19.23	11.54	2.20		
其它	100	82.61	100	67.20	15.20	10.40	7.20		

·173·

1957年调查户在外人口的文化状况

一、合　计　　　　　　　　　　　　　　　　续8表

阶　级	学龄儿童（7-13岁）	其中：在学人数	14岁以上的人口	文化状况					
				文盲	初小程度	高小程度	初中程度	高中程度	大学程度
甲	1	2	3	4	5	6	7	8	9
合　计	180	148	1809	717	436	395	198	42	21
上中农	74	67	778	290	171	192	96	19	10
中　农	78	61	803	326	207	160	85	16	9
下中农	11	7	120	55	31	22	9	3	
贫　农	1	1	18	6	7	4		1	
其　它	16	12	90	40	20	17	8	3	2

二、构　成（%）

阶　级	学龄儿童（7-13岁）	其中：在学人数	14岁以上的人口	文盲	初小程度	高小程度	初中程度	高中程度	大学程度
合　计	100	82.22	100	39.64	24.10	21.84	10.95	2.32	1.15
上中农	100	90.54	100	37.28	21.98	24.68	12.34	2.42	1.28
中　农	100	78.21	100	40.60	25.77	19.83	10.59	1.99	[illegible]
下中农	100	63.64	100	45.83	25.83	18.33	7.50	2.51	
贫　农	100	100	100	33.33	38.89	22.22		5.56	[illegible]
其　它	100	75.00	100	44.44	22.22	18.89	8.89	3.33	2.22

·174·

1957年調查户人口出生死亡情况表

五丁村情况　　　　续9表

阶级成份	户数	年内常住人口	年内出生	年内死亡	年内出生率‰	年内死亡率‰	年内净增率‰	上年常住人口	备考
甲	1	2	3	4	5	6	7	8	
合计	1738	7631.28	141	45	18.71	5.87	12.74	7535.28	
上中农	652	2750.79	49	21	18.00	7.71	10.29	2722.79	
中农	745	3789.44	71	17	19.01	4.55	14.46	3735.44	
下中农	268	856	19	5	22.57	5.94	16.63	842	
贫农	38	218	2	2	9.17	9.17		218	

1957年土地占有与租典

单位：面积：亩

租额：谷市斤、元　　综11表

一、合计

阶级	总户数	占有耕地					典入			典出			租入耕地						租出耕地						土地使用
		户数	耕地			非耕地	户数	耕地	非耕地	户数	耕地	非耕地	户数	粮租		钱租			户数	粮租		钱租			
			计	占耕地%	其中：水浇地									面积	租额	面积	租额	未有租价面积		面积	租额	面积	租额	未有租价面积	面积
甲	1	2	3	4	5	6	7	8	9	10	11	12	13	14	15	16	17	18	19	20	21	22	23	24	25
合计	3178	2861	1240.45	100	582.37	1011.8																			1840.45
上中农	936	860	335.54	27.05	138.92	422.68																			335.54
中农	1522	1436	648.44	52.24	299.62	465.15																			647.14
下中农	507	466	241.11	19.44	128.07	135.45																			241.11
贫农	65	27	15.76	1.27	15.76	22.59																			15.76
其它	88	72				25.93																			

二、每户平均

阶级	1	2	3	4	5	6	7	8	9	10	11	12	13	14	15	16	17	18	19	20	21	22	23	24	25
合计	—	—	0.39	—	0.18	0.32	—			—			—						—						0.39
上中农	—	—	0.34	—	0.14	0.42	—			—			—						—						0.34
中农	—	—	0.43	—	0.19	0.27	—			—			—						—						0.43
下中农	—	—	0.47	—	0.25	0.27	—			—			—						—						0.47
贫农	—	—	0.24	—	0.24	0.35	—			—			—						—						0.24
其它	—	—		—		0.29	—			—			—						—						

注：每户平均系用总户数计称的。

·176·

1957年农作物播种面积及产量

单位：面积：亩；产量：市斤；产值：元

第13表

一、合计

阶级	户数	总播种面积	粮食作物		小麦			玉米			谷子			高粱			薯类			大豆			其他杂粮			棉花			其他作物	
			播种面积合计	产量	播种面积	亩产	产量	播种面积	亩产	产量	播种面积	亩产	产量	播种面积	亩产	产量	播种面积	亩产	产量	播种面积	亩产	产量	播种面积	亩产	总产量	播种面积	亩产	产量	播种面积	产值
甲	1	2	3	4	5	6	7	8	9	10	11	12	13	14	15	16	17	18	19	20	21	22	23	24	25	26	27	28	29	30
合计	2738	[illegible]	642	90597	54.1	109.52	5905	368.1	106.12	39207	12.2	157.13	1551	8.3	121.69	1010	128.4	254.6	32691	3.5	95.71	335	66.6	148.02	9878	6.5	52.31	340	907.4	50329.02
上中农	556	352.16	153.71	22235.1	6.85	134.89	924	108.79	107.5	11694.6	0.8	213.75	171	0.4	280	112	25.1	240.86	6015.5	0.44	136.36	60	11.33	152.87	1732	0.5	200	100	233.45	17467.48
中农	1522	853.59	333.17	46382.7	25.9	120.28	3115.4	190.15	102.47	19485.3	2.85	103.25	305	3.4	200	68	69	253.44	17487.5	1.87	60.16	112.5	39.9	145.58	5809	2	90	180	518.42	23862.50
下中农	507	331.5	141.28	20564	16.3	38.9	1286	68.06	114.85	7817	6.8	128.53	874	4.5	184.44	830	31.32	244.51	7658	1.2	135	162	13.4	144.55	1937				190.42	8867.04
贫农	65	17.88	13.78	2911	5	120	600	2.1	100	210	1.68	119.64	201				3	500	1500				2	200	400	4	15	60	0.1	32.00
其他	88																													

二、每户平均

阶级	户数	总播种面积	粮食作物播种面积合计	产量	小麦播种面积	亩产	产量	玉米播种面积	亩产	产量	谷子播种面积	亩产	产量	高粱播种面积	亩产	产量	薯类播种面积	亩产	产量	大豆播种面积	亩产	产量	其他杂粮播种面积	亩产	总产量	棉花播种面积	亩产	产量	其他作物播种面积	产值
合计	—	0.5	0.2	28.5	0.02	—	1.86	0.12	—	12.34	0.004	—	0.49	0.003	—	0.32	0.04	—	10.29		—	0.1	0.02	—	3.11		—	0.1	0.3	15.86
上中农	—	0.39	0.15	20.32	0.007	—	0.9	0.1	—	11.74		—	0.02	0.004	—	0.11	0.03	—	0.61		—	0.001	0.004	—	1.38		—	0.10	0.29	17.54
中农	—	0.56	0.20	30.47	0.002	—	2.05	0.12	—	12.80	0.002	—	0.20	0.002	—	0.05	0.05	—	11.49	0.001	—	0.07	0.03	—	3.82	0.001	—	0.12	0.34	15.68
下中农	—	0.65	0.27	40.56	0.03	—	2.54	0.13	—	15.42	0.01	—	1.72	0.001	—	1.64	0.06	—	15.10	0.001	—	0.30	0.03	—	3.82		—		0.38	17.69
贫农	—	0.28	0.21	44.80	0.08	—	9.23	0.03	—	3.23	0.03	—	3.10		—		0.05	—	23.08		—		0.03	—	6.15	0.06	—	0.92		0.49
其他	—					—			—			—			—			—			—			—			—			

1957年农作物播种面积构成

单位面积：亩　　续14表

一、合　计

阶级	总播种面积	粮食作物								棉花	其它作物
		合计	小麦	玉米	谷子	高粱	薯类	大豆	其它杂粮		
甲	1	2	3	4	5	6	7	8	9	10	11
合计	1596	642	54.1	369.1	12.2	8.3	128.4	3.5	66.6	6.5	947.4
上中农	392.66	153.2	6.85	108.99	0.8	0.4	25.1	0.44	11.23	0.5	238.6
中农	853.59	333	25.9	190.15	2.95	3.4	69	1.87	39.9	2	518.42
下中农	331.5	141.2	16.3	68.06	6.8	4.5	31.32	1.2	13.9		190.42
贫农	17.88	13.8	5	2.1	1.68		.3		2	4	0.1
其它											

二、构成（%）

阶级	总播种面积	合计	小麦	玉米	谷子	高粱	薯类	大豆	其它杂粮	棉花	其它作物
合计	100	40.23	3.39	23.13	0.76	0.52	8.05	0.22	4.16	0.41	[illegible]
上中农	100	39.15	1.74	27.71	0.20	0.11	6.39	0.11	2.89	0.13	60.72
中农	100	37.01	3.03	22.28	0.35	0.40	8.08	0.21	4.66	0.23	60.76
下中农	100	42.53	4.91	20.50	2.05	1.55	9.41	0.40	3.71		57.47
贫农	100	77.09	27.93	11.73	9.39		16.76		11.28	22.35	0.55
其它	100										

1957年房屋和牲畜

一、合计 综15表

阶级	户数	占有房间数	现住房屋 间数	其中 砖木	其中 租典借	生产用房 间数	其中:砖木	租典借入	出租典借房屋	牲畜(头) 大牲畜 牛	马	驴	骡	小牲畜 猪	羊	水井	其中:砖井
甲	1	2	3	4	5	6	7	8	9	10	11	12	13	14	15	16	17
合计	3178	11939	10572	6280	316	1257	418	6	432	3		27	1	668	70	8	7
上中农	996	4169	3601.5	2129.5	72	469	166.5	3	178.5	0.5		16.5	1	324.6	45	6	6
中农	1522	5791	5182.5	3376.0	151	646.5	215		112.5	2.5		8.5		277	12		
下中农	507	1491	1430	688	70	114	30	3	20			2.36		62	10	1	1
贫农	65	224	204.5	48.5	12.5	19	5		13					16.75	1		
其它	88	26.40	153.50	38	5.50	8	1		107.50					7.50	2	1	

二、每户平均

阶级	户数	占有房间数	现住房屋 间数	其中 砖木	其中 租典借	生产用房 间数	其中:砖木	租典借入	出租典借房屋	牛	马	驴	骡	猪	羊	水井	其中:砖井
合计	—	3.75	3.33	1.98	0.099	0.39	0.13	0.001	0.13	0.001		0.008		0.21	[illegible]	0.003	0.002
上中农	—	4.19	3.62	2.14	0.08	0.47	0.17	0.001	0.18			0.02		0.31	0.05	0.006	0.006
中农	—	3.80	3.40	2.22	0.09	0.42	0.14		0.07	0.002		0.006		0.18	0.007		
下中农	—	2.94	2.82	1.36	0.14	0.22	0.06	0.006	0.04			0.006		0.12	0.002	0.002	0.002
贫农	—	3.45	3.15	0.75	0.19	0.29	0.08		0.20					0.26	0.015		
其它	—	3.	1.74	0.43	0.06	0.09	0.01		1.22					0.09	0.03		

1957年占有农业主要生产及生活用具

一、合计　　　　续16表

阶级	户数	生产工具						生活用具					畜牧
		水车	铁轮大车	胶轮大车	犁 耧	锄 什	耙 盖	自行车	手电筒	矿石收音机	热水瓶	被褥（条）	
甲	1	2	3	4	5	6	7	8	9	10	11	12	13
合计	3178	1	4		4	5	4	121	745	391	1089	18015	
上中农	996		1		1	1	3	79	349	201	514	6200	
中农	1522	1	2		1	2	1	18	291	137	394	8606	
下中农	507		1		2	2		7	71	32	114	2494	
贫农	65								16	8	23	382	
其它	88							17	18	13	44	333	

二、构成（%）

阶级	1	2	3	4	5	6	7	8	9	10	11	12	13
合计	100	100	100	100	100	100	100	100	100	100	100	100	100
上中农	31.34		25		25	20	75	65.29	46.85	51.40	47.20	34.42	
中农	47.88	100	50		25	40	25	14.88	39.06	35.04	36.18	47.77	
下中农	15.95		25		50	40		5.78	9.53	8.18	10.47	13.84	
贫农	2								2.15	2.05	2.11	2.12	
其它	2.82							14.05	2.41	3.32	4.04	1.85	

·150·

1957年农村付业及其它收入

单位：元　　　　综17表

阶级	户数	人数	植物栽培	出售家畜家禽及其它产品							采集渔猎收入	付业收入	工资收入	在外人口寄回	农业社分配收入	其中：劳动报酬	出租生产生活资料	其中：房租	救济补助及赠送	其它	合计	纯收入
				猪	羊	兔	蜂	鸡鸭及蛋	其它	肥料												
甲	1	2	3	4	5	6	7	8	9	10	11	12	13	14	15	16	17	18	19	20	21	22
合计	3178	14905	92287.6	15483.58	376	74.8		2567.10	209.73	7154.03	920.12	17611.36	95935.11	106064.15	988769.11	565489.04	9003.86	269	23172.61	11472.78	1370720.94	920154.59
上中农	996	4365	26136.63	7357.97	265	19.3		950.03	58.90	2355.77	233.4	5054.56	53184.54	54475.25	382285.79	227817.52	4425.99	224	4657.27	4019.78	532420.95	383111.79
中农	1522	7446	47605.00	6281.28	42.00	36.3		1192.65	53.60	3862.91	425.22	7817.14	23185.14	39913	463189.22	258258.77	2178.17	45	9981.55	4317.65	610121.83	390969.38
下中农	507	2556	17691.51	1323.58	69.00	19.20		355.15	25.02	913.94	261.00	3174.66	5196.43	6399.80	126846.12	68538.52	278.10		7182.03	2573.60	172309.14	108694.09
贫农	65	331	794.36	494.00				69.00	25.01	28.65		206.00	42.00	579.00	17515.72	10474.59	175.00		798.46	269.25	20996.95	13817.51
其它	88	217	60.10	125.75					7.20	12.76		1359	14527	4696.60	531.76	299.54	1946.60		573.30	232	23872.07	23621.82

二、每人平均

阶级	户数	人数	植物栽培	猪	羊	兔	蜂	鸡鸭及蛋	其它	肥料	采集渔猎收入	付业收入	工资收入	在外人口寄回	农业社分配收入	其中：劳动报酬	出租生产生活资料	其中：房租	救济补助及赠送	其它	合计	纯收入
合计	—	—	6.19	1.04	0.03	0.01		0.17	0.01	0.48	0.06	1.18	6.44	7.12	66.30	37.94	0.60	0.02	1.56	0.77	91.96	61.73
上中农	—	—	6	1.67	0.06	0.01		0.22	0.02	0.54	0.05	1.16	12.21	12.51	87.30	52.31	1.02	0.05	1.07	0.92	121.78	87.77
中农	—	—	6.39	0.84	0.01	0.01		0.16	0.01	0.52	0.06	1.05	3.11	5.36	62.21	34.68	0.29	0.01	1.34	0.59	81.95	52.50
下中农	—	—	6.92	0.52	0.03	0.01		0.14	0.01	0.36	0.01	1.24	2.03	2.50	49.63	26.81	0.31		2.80	1.00	67.51	42.53
贫农	—	—	2.40	1.49				0.21	0.07	0.09		0.62	0.13	1.75	52.92	31.95	0.53		2.41	0.81	63.43	41.74
其它	—	—	0.28	0.58					0.03	0.06		6.26	66.02	21.64	2.45	1.38	8.97		2.64	1.07	110.01	108.86

一九五七年十一个村副业综合情况（一）

综18表

阶级成份	总户数	经营付业				全年所得利润或取得的工资（元）	织布						
		户数	人数	其中：兼营人数	其中：伊用人数		户数	经营人数：計	经营人数：其中：兼营	出售产品：品名	出售产品：数量	出售产品：价值	全年所得利润
甲	1	2	3	4	5	6	7	8	9	10	11	12	13
合计	3178	621	737	706		28615.72	1	2	2	布	55	165	65
上中农	996	135	150	144		7030.86							
中农	1522	352	427	415		15480.55	1	2	2	布	55	165	65
下中农	507	122	147	141		3967.31							
贫农	65	5	5	5		110.00							
其他	88	7	8	1		2027.00							

·182·

（二）

阶级成份	加工布							纺线						
	户数	经营人数			加工产品		全年取得工资	户数	经营人数		出售产品			全年所得利润
		計	其中：兼营	其中：使用	品名	数量			計	其中：兼营	品名	数量	价值	
甲	14	15	16	17	18	19	20	21	22	23	24	25	26	27
合计	112	167	165		布		8264.05	6	6	6	線	122	214	77.20
上中农	31	41	41		布		2553.36	3	3	3	線	40	77	34.00
中农	66	107	107		布		4689.99	2	2	2	線	52	92	33.20
下中农	15	19	17		布		1020.70	1	1	1	線	30	45	10.00
贫农														
其他														

·183·

（三）

阶级成份	加工线						编席						
	户数	经营人数		加工产品		全年所得工资	户数	经营人数		出售产品			全年所得利润
		計	其中：兼营	品名	数量			計	其中：兼营	品名	数量	价值	
甲	28	29	30	31	32	33	34	35	36	37	38	39	40
合計	24	24	23	線	586	379.75	125	148	147	席	4399		4135.96
上中农	3	3	3	線	61	30.75	22	23	22	席	874		797.88
中农	16	16	15	線	406	292.00	70	86	86	席	2488		2378.78
下中农	5	5	5	線	119	57.00	33	39	39	席	1037		959.30
贫农													
其他													

·184·

（四）

阶级成份	编菜篓							编箔						
	户数	经营人数		出售产品			全年所得工资	户数	经营人数		出售产品			全年所得工资
		計	其中：兼营	品名	数量	价值			計	其中：兼营	品名	数量	价值	
甲	41	42	43	44	45	46	47	48	49	50	51	52	53	54
合计	1	1		菜篓	19000	3500	619	1	1	1	箔	40	200	40
上中农														
中农								1	1	1	箔	40	200	40
下中农														
贫农														
其他	1	1		菜篓	19000	3500	619							

（五）

阶级成份	蔬菜								豆付房						
	户数	经营人数			出售产品			全年所得利润	户数	经营人数		出售产品			全年所得利润
		計	其中：兼营	其中：伊用	品名	数量	价值			計	其中：兼营	品名	数量	价值	
甲	55	56	57	58	59	60	61	62	63	64	65	66	67	68	69
合计	7	7	6		菜	63720	1741	300.31	1	1	1	豆付	1800	480	120
上中农	1	1	1		菜	2000	68	15.	1	1	1	豆付	1800	480	120
中农	5	5	4		菜	52120	1313	225.31							
下中农	1	1	1		菜	9600	360	60							
贫农															
其他															

·186·

（六）

阶级 成份	熬淋业							纳鞋底						
	户数	经营人数		出售产品			全年所得利润	户数	经营人数		出售产品			全年所得工资
		計	其中：兼营	品名	数量	价值			計	其中：兼营	品名	数量	价值	
甲	70	71	72	73	74	75	76	77	78	79	80	81	82	83
合計	14	15	15	盐硝	5525	649	616.40	186	210	210	鞋底	4138		1930.27
上中农	2	2	2	盐硝	800	106	106.00	37	39	39	鞋底	728		297.77
中农	9	9	9	盐硝	3610	412	387.40	108	120	120	鞋底	2429		1282.55
下中农	2	3	3	盐硝	680	96	88.00	38	48	48	鞋底	929		334.95
贫农	1	1	1	盐硝	435	35	35.00	3	3	3	鞋底	52		15.00
其他														

·187·

（七）

阶级成份	做鞋						打篾子				杂货			
	户数	经营人数		出售产品		全年所得利润	户数	经营人数		全年所得利润	户数	经营人数		全年所得利润
		計	其中：兼营	品名	数量			計	其中：兼营			計	其中：兼营	
甲	84	85	86	87	88	89	90	91	92	93	94	95	96	97
合计	2	3	2	鞋	260	113.76	2	3	2	28.80	73	79	68	6319.80
上中农											14	14	12	1510.10
中农	1	1	1	鞋	40	20.00	2	3	2	28.80	39	42	40	2960.10
下中农	1	2	1	鞋	220	93.76					16	18	15	747.60
贫农														
其他											4	5	1	1102.00

·188·

（八）

阶级成份	百货				猪毛贩				飲食业			
	户数	经营人数		全年所得利润	户数	经营人数		全年所得利润	户数	经营人数		全年所得利润
		計	其中：兼营			計	其中：兼营			計	其中：兼营	
甲	98	99	100	101	102	103	104	105	106	107	108	109
总计	2	2	2	250	1	1	1	102	22	22	17	1658
上中农	1	1	1	200					13	13	11	874
中农	1	1	1	50	1	1	1	102	8	8	5	752
下中农									1	1	1	32
贫农												
其他												

·189·

（九）

阶级成份	木厂				药铺				染房			
	户数	经营人数		全年所得利润	户数	经营人数		全年所得利润	户数	经营人数		全年所得利润
		計	其中：兼营			計	其中：兼营			計	其中：兼营	
甲	110	111	112	113	114	115	116	117	118	119	120	121
合計	2	2	2	90	2	2	2	276.42	5	7	6	505
上中农									1	2	1	150
中农	1	1	1	20	2	2	2	276.42	3	3	3	275
下中农	1	1	1	70					1	2	2	80
贫农												
其他												

（十）

阶级成份	打		魚		木		匠		小		炉	匠
	户数	经营人数		全年所得利润	户数	经营人数		全年所得利润	户数	经营人数		全年所得工资
		計	其中：兼营			計	其中：兼营			計	其中：兼营	
甲	122	123	124	125	126	127	128	129	130	131	132	133
合计	1	1	1	7.00	5	6	6	328	2	2	2	94
上中农	1	1	1	7.00	1	2	2	50				
中农					2	2	2	60	2	2	2	94
下中农					2	2	2	218				
贫农												
其它												

·191·

（十一）

阶级成份	铁匠				轧花				屠宰			
	户数	经营人数		全年所得工资	户数	经营人数		全年所得工资	户数	经营人数		全年所得利润
		計	其中：兼营			計	其中：兼营			計	其中：兼营	
甲	134	135	136	137	138	139	140	141	142	143	144	145
合计	1	1	1	120	2	2	2	29	2	3	3	140
上中农												
中农	1	1	1	120	1	1	1	14	1	2	2	120
下中农					1	1	1	15	1	1	1	20
贫农												
其他												

·192·

（十二）

阶级成份	换破烂				補鞋				搭棚			
	户数	经营人数		全年所得利润	户数	经营人数		全年所得利润	户数	经营人数		全年所得利润
		計	其中：兼营			計	其中兼营			計	其中：兼营	
甲	146	147	148	149	150	151	152	153	154	155	156	157
合計	2	2	2	62	2	2	1	186	1	1	1	728
上中农												
中农	2	2	2	62					1	1	1	728
下中农												
贫农					1	1	1	60				
其他					1	1		126				

·193·

（十三）

阶级成份	打坯				修秤				运输业			
	户数	经营人数		全年所得利润	户数	经营人数		全年所得利润	户数	经营人数		全年所得利润
		計	其中：兼营			計	其中：兼营			計	其中：兼营	
甲	158	159	160	161	162	163	164	165	166	167	168	169
合计	1	1	1	50	1	1	1	140	5	5	4	250
上中农					1	1	1	140	1	1	1	40
中农									4	4	3	210
下中农	1	1	1	50								
贫农												
其他												

·194·

（十四）

阶级成份	牲口贩子				拆洗业				缝纫			
	户数	经营人数		全年所得利润	户数	经营人数		全年所得利润	户数	经营人数		全年所得利润
		计	其中：兼营			计	其中：兼营			计	其中：兼营	
甲	170	171	172	173	174	175	176	177	178	179	180	181
合计	1	1	1	80	3	3		396	3	3	3	114
上中农									2	2	2	105
中农	1	1	1	80	2	2		216				
下中农									1	1	1	9
贫农												
其他					1	1		180				

1957年负债情况

一、合计　　　　单位：元　综19表

阶级	总户数	其中：负债户数	年末负债累计		其中：向各类债主借款累计数					全年应付利息
			计	其中：货币	地主富农	中农	银行	信用社	其它	
甲	1	2	3	4	5	6	7	8	9	10
合计	3178	796	22934.39	22656.20		912.17	310.00	17036.28	4675.94	1217.54
上中农	996	203	6317.57	6159.37		151.17	152	4770.2	1244.20	393.38
中农	1522	410	11644.71	11580.72		622.00	158.00	3551.97	2312.74	543.28
下中农	507	166	3885.11	3829.11		139		3377.11	369	251.50
贫农	65	12	534.00	534.00				324.00	210.00	28.07
其它	88	5	553	553				13	540	13.1

二、每户平均

阶级	总户数	负债户数	计	货币	地主富农	中农	银行	信用社	其它	全年应付利息
合计	—	—	7.22	7.13		0.29	0.10	5.36	1.47	0.38
上中农	—	—	6.34	6.18		0.15	0.15	4.79	1.25	0.39
中农	—	—	7.65	6.66		0.41	0.10	5.62	1.52	0.36
下中农	—	—	7.66	7.61		0.27		6.66	0.71	0.50
贫农	—	—	8.22	8.22				4.99	3.23	0.43
其它	—	—	6.28	6.28				0.15	6.14	0.01

·196·

1957年度调查户负债用途表

续20表

成份	户数	其中：负债户数	负债金额	负债用途：购买生产资料	购买生活资料	婚丧喜庆	交付捐税	其它
甲	1	2	3	4	5	6	7	8
合计	1738	466	13993.21	3124.7	6733.37	413		3722.14
上中农	652	147	5669.57	1369.5	2372.07	188		1740
中农	745	230	6599.64	1568.2	3410.3	110		1511.14
下中农	268	82	979	157	398	65		359
贫农	38	5	262	30	70	50		112
其它	35	2	483		483			
合计			% 100	22.34	48.12	2.95		26.59
上中农			100	24.15	41.84	3.31		30.7
中农			100	23.76	51.67	1.67		22.9
下中农			100	16.04	40.65	6.64		36.67
贫农			100	11.45	26.72	19.08		42.75
其它			100		100			

·197·

1957年主要生活用品情况

续21表

一、合计

阶级	户数	吃饭人口	口粮消费 计	其中：细粮 计	其中：细粮 %	肉类（斤）	食油（斤）	棉布（尺） 计	其中：土布	灯油（斤）	煤炭（斤）	烟类 纸烟（合）	烟类 烟叶（斤）	酒（斤）	医药费（元）	供神费（元）	应酬费（元）	喜庆费（元）	丧葬费（元）
甲	1	2	3	4	5	6	7	8	9	10	11	12	13	14	15	16	17	18	19
合计	3178	14909	5319446	1276450	24.27	34568	42346	254873	35145	35359	4125846	70625	13799	4384.4	29959.53	413.52	1771.42	2568.8	2747.21
上中农	996	4354	1631187	390851	24.88	14538	14187	81419	10448	12071.5	1493624	37339	4925	2139.85	12685.2	250.3	783.82	1661	1710
中农	1522	7447	2627884.6	616327	23.45	14318	19935	136595	20419.5	17321.5	1833535	19599	6459	1207.5	11427.53	130.12	768.20	681.00	64[illegible].71
下中农	507	2560	873679	219837	25.16	3469	6340	30131	4058	4430	557993	6529	2074	649	3509.55	25.30	187.40	106.86	381
贫农	65	331	116035	28916	24.92	1092	1002	3571	191	762.5	84414	2294	287	95	452.50	7.80	19.00	120.00	2.50
其它	88	217	70661	20519	29.06	1151	882	3157	28	773.50	156280	4864	54	293	1884.75		13.00		

二、每人平均

阶级	户数	吃饭人口	口粮消费 计	其中：细粮 计	其中：细粮 %	肉类（斤）	食油（斤）	棉布（尺） 计	其中：土布	灯油（斤）	煤炭（斤）	烟类 纸烟（合）	烟类 烟叶（斤）	酒（斤）	医药费（元）	供神费（元）	应酬费（元）	喜庆费（元）	丧葬费（元）
合计	—	—	356.79	85.62	—	2.32	2.84	17.10	2.36	2.37	276.74	4.74	0.93	0.29	2.01	0.03	0.12	0.17	0.18
上中农	—	—	374.64	89.77	—	3.34	3.26	18.7	2.4	2.77	343.05	8.58	1.13	0.48	2.91	0.06	0.18	0.38	0.39
中农	—	—	352.88	82.76	—	1.92	2.68	18.34	2.74	2.33	246.21	2.63	0.87	0.16	1.53	0.02	0.1	0.09	0.09
下中农	—	—	341.28	85.87	—	1.36	2.48	11.77	1.59	1.73	217.97	2.55	0.81	0.25	1.37	0.01	0.07	0.04	0.15
贫农	—	—	350.56	87.36	—	3.3	3.03	10.79	0.58	2.3	255.03	6.93	0.87	0.29	1.37	0.02	0.06	0.36	0.007
其它	—	—	325.63	49.56	—	5.3	4.06	10.55	0.13	3.56	720.18	22.41	0.25	1.35	8.69		0.06		

·198·

1957年粮食收支平衡表

单位：斤　　　　续22表

阶级成份	户数	上年余存	本年收入						本年支出							年终结存
			计	种植收入	购入	收租	从农业社取得收入	其它收入	计	口粮消费	种籽	饲料	卖出	交租	其它支出	
甲	1	2	3	4	5	6	7	8	9	10	11	12	13	14	15	16
合计	90	8849	76773.5	8825	52547		115129.5	172	177655	173117	377	2387	1746		28	7967.5
上中农	36	1991	72985	2769	21467		48699	50	72242	69839	70	1592	716		25	2734
中农	40	5909	76211.5	2302	22554		51233.5	122	77712	76972	92	615	30		3	4408.5
下中农	13	449	23455	952	7306		15197		23261	23246	15					643
贫农	1	500	4122	2902	1220				4440	3060	200	180	1000			182

每户平均

阶级成份	户数	上年余存	计	种植收入	购入	收租	从农业社取得收入	其它收入	计	口粮消费	种籽	饲料	卖出	交租	其它支出	年终结存
合计	—	98.3	1964.2	99.2	583.9		1279.2	1.9	1973.9	1923.5	4.2	26.5	19.4		0.3	88.5
上中农	—	55.3	2027.4	76.9	596.3		1352.8	1.4	2006.7	1940	1.9	44.2	19.9		0.7	76
中农	—	147.7	1905.3	57.6	563.9		1280.8	3.00	1942.8	1924.3	2.3	15.4	0.75		0.08	110.2
下中农	—	34.5	1804.2	73.2	562		1169		1789.3	1788.15	1.15					49.4
贫农	—	50.0	4122	2902	1220				4440	3060	200	180	1000			182

·199·

1957年调查户现金平衡表

第一页 续23表

阶级成份	户数	年初结存	本年收入										
			合计	出售植物产品收入	出售家畜家禽及产品收入	出售农付产品收入	工资收入	在外人口寄回	从农业社取得收入	出租生产生活资料	借贷收入	救济补助及赠送	其他收入
甲	1	2	3	4	5	6	7	8	9	10	11	12	13
合计	106	1233.21	27268.69	2252.23	1243.40	438.95	2562.72	5490.00	12060.66	143.50	610.30	993.00	1473.93
上中农	37	601.10	14059.33	720.70	631.30	131.00	1700.80	3451.00	6609.70	46.50	191.30	298.00	279.03
中农	41	408.11	10954.01	1309.03	583.60	198.95	684.92	1899.00	4712.06	95.50	190.00	441.00	939.95
下中农	27	43.00	2015.35	242.50	28.50	109.00	177.00	60.00	738.90	1.50	229.00	254.00	174.95
贫农	1	180.00	240.00	80.00				80.00					80.00
雇农													
每户平均													
合计	—	11.62	257.25	21.25	11.73	4.14	24.18	5.18	113.78	1.35	5.76	9.37	13.91
上中农	—	16.25	379.98	19.48	17.06	3.54	45.97	93.27	178.64	1.26	5.17	8.05	7.54
中农	—	9.95	267.17	23.49	14.23	4.85	16.71	46.32	114.93	2.33	4.63	10.76	22.93
下中农	—	1.59	74.64	8.98	1.06	4.04	6.56	2.22	27.37	0.06	8.48	9.41	6.48
贫农	—	180.00	240.00	80.00				80.00					80.00
雇农													

·200·

（二）

阶级成份	户数	合计	购买商品支出 合计	其中 生产用商品	主食品类	付食品	烟酒茶叶	衣着	日用杂货类	家具类	文化娱乐用品	生产性劳务支出	文化与生活服务支出	借贷支出	捐税支出	其它	年末结存
甲	1	2	3	4	5	6	7	8	9	10	11	12	13	14	15	16	17
合计	106	23790.48	18349.32	259.82	8850.93	3224.16	734.60	2483.43	2095.70	391.79	309.39	202.32	824.12	286.00	9.81	4118.91	4710.42
上中农	37	12153.07	8690.14	156.52	3693.98	1808.85	445.84	1113.55	1103.31	249.90	118.19	83.32	446.31	265.00		2668.30	2507.36
中农	41	9455.14	7752.61	95.60	3998.25	1185.96	227.90	1148.22	798.79	122.35	173.80	119.00	279.31	11.00	8.61	1284.61	1906.98
下中农	27	1790.87	1642.17	7.70	1038.70	209.35	20.86	189.46	158.60	7.10	10.40		91.50	10.00	1.20	46.00	267.48
贫农	1	391.40	264.40		120.00	20.00	38.00	32.40	35.00	12.00	7.00		7.00			120.00	28.60
[illegible]																	

每户平均

阶级成份	户数	合计	购买商品支出 合计	生产用商品	主食品类	付食品	烟酒茶叶	衣着	日用杂货类	家具类	文化娱乐用品	生产性劳务支出	文化与生活服务支出	借贷支出	捐税支出	其它	年末结存
合计	106	224.44	173.11	2.45	83.50	30.42	6.93	23.43	19.77	3.69	2.92	1.91	7.77	2.70	0.09	38.86	44.47
上中农	37	328.46	234.87	4.23	99.84	48.89	12.05	30.10	29.82	6.75	3.19	2.25	12.06	7.16		72.12	67.77
中农	41	230.61	189.09	2.33	97.53	28.93	5.61	28.00	19.48	2.98	4.24	2.90	6.81	0.27	0.21	31.33	46.51
下中农	27	66.33	60.82	0.29	38.47	7.75	0.77	7.02	5.87	0.26	0.39		3.39	0.37	0.04	1.70	9.91
贫农	1	391.40	264.40		120.00	20.00	38.00	32.40	35.00	12.00	7.00		7.00			120.00	28.60
[illegible]																	

附录

1957—1958年度

十一个村农业社的经济情况调查资料

1957年度农业生产合作社经济情况

一、基本情况

户数	人口数 男	人口数 女	其中实际参加社内劳动力数 男	其中实际参加社内劳动力数 女	社内集体经营农业用地（市亩） 旱田	社内集体经营农业用地（市亩） 其中：水浇地	社员自留地（市亩）	社公有办公用房（间）	社公有生产用房（间） 计	社公有生产用房（间） 其中：砖的	社公有水井（口）	其中：机井（口）	牛
甲	1	2	3	4	5	6	7	8	9	10	11	12	13
3512	8057	8107	3462	2779	43052.7	12460.15	2126.24	45	178	75	1100	14	35

社九月一日集体饲养牲畜（头） 马	驴	骡	猪	年末占有重要生产及工作用具件数 水车	锅驼机	柴油机	铁轮大车	胶轮大车	双（单）铧犁	种什	自行车	钟表	扩音器
14	15	16	17	18	19	20	21	22	23	24	25	26	27
140	509	56	1102	648	4	2	340	80	41	181	12	20	1

·202·

二、农作物播种面积及产量

项目	粮食作物					
	合计	稻谷	小麦	谷子	玉米	高粱
甲	1	2	3	4	5	6
播种面积	47826.64	1688	21262.10	2307.38	12237.69	2243.62
亩产	128.31	86.59	87.33	134.42	148.46	173
总产量	6136418.81	146180.5	1856846.1	310150	1816765.11	388199.1

项目	粮食作物		大豆	花生	籽棉	麻	其它产值
	薯类	其它杂粮					
甲	7	8	9	10	11	12	13
播种面积	3010.81	5077.04	3408.97	570	4936.65	111	3536.18
亩产	395.02	84.13	111.02	227.06	99.72	59.99	42.65
总产量	1191124	427154	378459.4	129422	492263.6	5659.8	150802.12

·203·

三、产值与分配

农	付	业	产	值	年	内	
植物栽培	动物饲养	付业	其它	合计	总支出	交税	其中：农业税
1	2	3	4	5	6	7	8
989851.95	27631.81	115296.14	38574.75	1171354.65	1171354.65	108149.94	90230.26

分	配	情	况	（元）		
生产费用	管理费用	公积金	公益金	劳动报酬	生产资料报酬	其它
9	10	11	12	13	14	15
27606.229	6576.27	61070.50	15718.57	652039.98	2159.60	49576.48

注：表中劳动报酬与总收入表中的劳动报酬不符是因为个别在如簿在计额范围不一致。

204.

四. 粮食及大豆产销用情况

粮					食	
总产量	分给社员	纳税	出售	留种	饲料	储备
甲	1	2	3	4	5	6
6136418.81	4360423	506640	4022220.31	465350	318421.5	23429.

	大			豆		
其它	总产量	分给社员	纳税	出售	留种	饲料
7	8	9	10	11	12	13
39935	378459.4	79706	83053	98764	18697.6	98238.8.

1958年度农业生产合作社经济情况

一、基本情况

户数	人口		其中：实际参加社的劳动力数		社内集体经营农业用地（市亩）			社员自留地（市亩）	社有办公用房（间）	社有生产用房（间）		社公有水井（口）		社七月一	
	男	女	男	女	水田	旱田	其中：水浇地			計	其中：砖的	計	其中：机井	牛	马
甲	1	2	3	4	5	6	7	8	9	10	11	12	13	14	15
3185	7399	8077	2775	2581	5055	42507	24379	574	170	460	148	1018	61	2702	114

的集体喂养牲畜（头）				年内占有主要生产及工作用具（件）												[illegible]
驴	骡	猪	羊	水车	煤汽机	锅驼机	铁轮大车	胶轮大车	双单铧犁	种什	[illegible]子	自行車	扩音器	电动机	钟表	
16	17	18	19	20	21	22	23	24	25	26	27	28	29	30	31	32
422	27	938	169	475	1	10	212	134	98	255	284	21	9	3	25	

·206·

二、各种农作物产量产值及播种面积

	总计	各项粮食作物面积、产量、产值					
		合计	稻谷	小麦	谷子	玉米	高粱
甲	1	2	3	4	5	6	7
播种面积	51657.41	44048.54	154.2	15751.5	2283.03	8649.27	3557.29
亩产	——	321.88	563.29	159.98	321.87	283.48	276.20
总产量	——	14178349.9	86860	2519918.6	734843	2451873	982537.3
产值	1724265.07	1221068.37	10248.6	286711.5	60762.03	198261.29	63550.58

	值			其它作物产值				备考
	薯类	其它杂粮	大豆	棉花	花生	蔬菜	其它	
甲	8	9	10	11	12	13	14	薯类以4斤折成1斤粮食 棉花是按籽棉计算的。
播种面积	9016.54	3073.3	1563.40	4929.73	532	1770.67	376.47	
亩产	706.13	203.73	261.82	131.14	282.14	7478.25	20.55元	
总产量	6366857.2	626135.8	409325	646482.75	150100	13241505		
产值	510236.54	54733.58	36563.25	320180.16	16605	158676.2	7735.34	

·207·

三、农付产品及动物饲养产值

农付产品产值	动物饲养产品总值	出售猪		自宰猪		出售羊		备注
		只数	价值	只数	价值	只数	价值	
甲	1	2	3	4	5	6	7	8
125617.05	7750	100	5500	40	2200	51	50	

·228·

四、各项付业收入情况

合计					木厂业							砖窑业				
专业人数	兼业人数	主产品（元）	付产品（元）	利润或工资	专业人数	兼业人数	数量		价值		利润	专业人数	兼业人数	产品数量	产品价值	利润
							主产	付产	主产	付产						
甲	1	2	3	4	5	6	7	8	9	10	11	12	13	14	15	16
73	171	122893	1100	123085	10	18	16500	30000	122407	1100	2200	20	27	1070000	29676	5000

运输业			肥料加工业				缝纫加工业		豆腐加工业		土布加工业			备注
专业人数	兼业人数	工资	专业人数	产品数（斤）	产品价值	利润	专业人数	加工工资	专业人数	加工工资	专业人数	兼业人数	加工工资	
17	18	19	20	21	22	23	24	25	26	27	28	29	30	31
6	51	38992	30	9180800	80810	73200	7	60	5	3000		60	633	

·209

五、产值与分配

单位：元

农副业产值						年内分配情况											备注
植物栽培	动物饲养	副业	其它收入		合计	总支出	缴纳	其中：农业税	生产费用	管理费用	公积金	公益金	生产资料报酬	劳动报酬	储积	其它	
			生产性的收入	非生产性的收入													
甲	1	2	3	4	5	6	7	8	9	10	11	12	13	14	15	16	17
1849882.12	7750	123085	2560	17999.52	2001276.64	2001276.64	158159.82	154958.24	447412.7	23877.51	212718.6	66836.81	5000	913889.88	39626.23	133752.09	植物栽培收入是主产和付产品的综合

·210·

六、粮食（含大豆）产销用情况

单位：斤

总产量	分给社员	分给食堂	纳税	出售	留种	饲料	储存	其它	每个劳动日折款	备注
甲	1	2	3	4	5	6	7	8	9	10
14178349^{9}	818673	5131635.	1383200	2671931	1308397	462670	2110559	291284^{9}	1.01元	

·211·

图书在版编目（CIP）数据

无锡、保定农村调查资料. 1929—1957：全3卷 / 中国社会科学院经济研究所, 江苏省统计局, 河北省统计局编. -- 北京：社会科学文献出版社, 2021.6

ISBN 978-7-5201-8398-7

Ⅰ. ①无… Ⅱ. ①中… ②江… ③河… Ⅲ. ①农村调查-无锡-1929-1957②农村调查-保定-1929-1957 Ⅳ. ①D668

中国版本图书馆CIP数据核字（2021）第098592号

无锡、保定农村调查资料（1929—1957）· 保定卷（下）

编　　者 / 中国社会科学院经济研究所　江苏省统计局　河北省统计局

出 版 人 / 王利民
组稿编辑 / 蔡继辉
责任编辑 / 陈凤玲

出　　版 / 社会科学文献出版社 · 经济与管理分社（010）59367226
地址：北京市北三环中路甲29号院华龙大厦　邮编：100029
网址：www.ssap.com.cn
发　　行 / 市场营销中心（010）59367081　59367083
印　　装 / 三河市东方印刷有限公司

规　　格 / 开 本：889mm×1194mm 1/16
本卷印张：36.75　本卷幅数：580幅
版　　次 / 2021年6月第1版　2021年6月第1次印刷
书　　号 / ISBN 978-7-5201-8398-7
定　　价 / 980.00元（全3卷）

本书如有印装质量问题，请与读者服务中心（010-59367028）联系